펼쳐 보면 느껴집니다

단 한 줄도 배움의 공백이 생기지 않도록
문장 한 줄마다 20년이 넘는
해커스의 영어교육 노하우를 담았음을

덮고 나면 확신합니다

수많은 선생님의 목소리와
정확한 출제 데이터 분석으로 꽉 찬
교재 한 권이면 충분함을

해커스북 중·고등
HackersBook.com

해커스 완전숙련 구문독해와 함께하면 해석이 쉬워지는 이유!

독해에 꼭 필요한 핵심 구문을 모두 담았으니까!

해석에 꼭 필요한
모든 구문을
실제 기출 문장으로 학습

독해를 쉽고 빠르게 할 수 있는
친절하고 간결한
구문 설명

해커스 완전숙련 구문독해

입문 기본 심화

촘촘한 훈련으로 배운 구문을 완전히 내 것으로 만드니까!

3

어떤 문장이든 자신 있게
직독직해할 수 있는
8000여 개의
문장 끊어 읽기 연습

4

영작/해석 워크시트,
어휘 리스트/테스트 등
다양한 부가 학습 자료로
독해 완전숙련

해커스 완전숙련 구문독해 시리즈를 검토해주신 선생님들

경기
김보경 성일고등학교
박가영 한민고등학교
성미경 위너영수학원
송혜령 듀크영어학원
전성훈 훈선생영어학원
정준 고양외국어고등학교
조수진 수원 메가스터디학원
최지영 다른영어학원
탁은영 EiE고려대학교어학원 태전퍼스트캠퍼스

대전
위지환 청명중등생학원

서울
권지현 독한영어학원
김대니 채움학원
김종오 입시형인간학원
박철홍 에픽영어
양세희 양세희수능영어학원
장보금 EaT영어학원
채가희 대성세그루학원

울산
윤창호 공부하는멘토학원

인천
김경준 러셀스터디

전북
김설아 에듀캠프학원

충남
설재윤 마스터입시학원

충북
강은구 박재성영어학원

해커스 어학연구소 자문위원단 3기

강원
박정선 잉글리쉬클럽
최현주 최샘영어

경기
강민정 김진성열정어학원
강상훈 평촌RTS학원
강지인 강지인영어학원
권계미 A&T+ 영어
김미아 김쌤영어학원
김설화 업라이트잉글리쉬
김성재 스윗스터디학원
김세훈 모두의학원
김수아 더스터디(The STUDY)
김영아 백송고등학교
김유경 벨트어학원
김유경 포시즌스어학원
김유동 이스턴영어학원
김지숙 위디벨럽학원
김지현 이지프레임영어학원
김해빈 해빛영어학원
김현지 지앤비영어학원
박가영 한민고등학교
박영서 스윗스터디학원
박은별 더킹영수학원
박재홍 록키어학원
성승민 SDH어학원 불당캠퍼스
신소연 Ashley English
오귀연 루나영어학원
유신애 에듀포커스학원
윤소정 ILP이화어학원
이동진 이룸학원
이상미 버밍엄영어교습소
이연경 명품M비욘드수학영어학원
이은수 광주세종학원
이지혜 리케이온
이진희 이엠원영수학원
이충기 영어나무
이효명 갈매리드앤톡영어독서학원
임한글 Apsun앞선영어학원
장광명 엠케이영어학원
전상호 평촌이지어학원
전성훈 훈선생영어교실
정선영 코어플러스영어학원
정준 고양외국어고등학교
조연아 카이트학원
채기림 고려대학교EIE영어학원
최지영 다른영어학원
최한나 석사영수전문
최희정 SJ클쌤영어학원
현지환 모두의학원
홍태경 공감국어영어전문학원

경남
강다휘 더(the)오르다영어학원
라승희 아이작잉글리쉬
박주언 유니크학원
배송현 두잇영어교습소
안윤서 어썸영어학원
임진희 어썸영어학원

경북
권현민 삼성영어석적우방교실
김으뜸 EIE영어학원 옥계캠퍼스
배세왕 비케이영수전문고등관학원
유영선 아이비티어학원

광주
김유희 김유희영어학원
서희연 SDL영어수학학원
송수일 아이리드영어학원
오진우 SLT어학원수학원
정영철 정영철영어전문학원
최경옥 봉선중학교

대구
권익재 제이슨영어
김명일 독학인학원
김보곤 베스트영어
김연정 달서고등학교
김혜란 김혜란영어학원
문애주 프렌즈입시학원
박정근 공부의힘pnk학원
박희숙 열공열강영어수학학원
신동기 신통외국어학원
위영선 위영선영어학원
윤창원 공터영어학원 상인센터
이승현 학문당입시학원
이주현 이주현영어학원
이헌욱 이헌욱영어학원
장준현 장쌤독해종결영어학원
주현아 민샘영어학원
최윤정 최강영어학원

대전
곽선영 위드유학원
김지운 더포스둔산학원
박미현 라시움영어대동학원
박세리 EM101학원

부산
김건희 레지나잉글리쉬 영어학원
김미나 위드중고등영어학원
박수진 정모클영어국어학원
박수진 지니잉글리쉬
박인숙 리더스영어전문학원
옥지윤 더센텀영어학원
윤진희 위니드영어전문교습소
이종혁 진수학원
정혜인 엠티엔영어학원
조정래 알파카의영어농장
주태양 솔라영어학원

서울
Erica Sull 하버드브레인영어학원
강고은 케이앤학원
강신아 교우학원
공현미 이은재어학원
권영진 경동고등학교
김나영 프라임클래스영어학원
김달수 대일외국어고등학교
김대니 채움학원
김문영 창문여자고등학교
김정은 강북뉴스터디학원
김혜경 대동세무고등학교
남혜원 함영원입시전문학원
노시은 케이앤학원
박선정 강북세일학원
박수진 이은재어학원
박지수 이플러스영수학원
서승희 함영원입시전문학원
양세희 양세희수능영어학원
우정용 제임스영어앤드학원
이박원 이박원어학원
이승혜 스텔라영어
이정욱 이은재어학원
이지연 중계케이트영어학원
임예찬 학습컨설턴트
장지희 고려대학교사범대학부속고등학교
정미라 미라정영어학원
조민규 조민규영어
채가희 대성세그루영수학원

울산
김기태 그라티아어학원
이민주 로이아카데미
홍영민 더이안영어전문학원

인천
강재민 스터디위드제이쌤
고현순 정상학원
권효진 Genie's English
김솔 전문과외
김정아 밀턴영어학원
서상천 최정서학원
이윤주 트리플원
최예영 영웅아카데미

전남
강희진 강희진영어학원
김두환 해남맨체스터영수학원
송승연 송승연영수학원
윤세광 비상구영어학원

전북
김길자 맨투맨학원
김미영 링크영어학원
김효성 연세입시학원
노빈나 노빈나영어전문학원
라성남 하포드어학원
박재훈 위니드수학지앤비영어학원
박향숙 STA영어전문학원
서종원 서종원영어학원
이상훈 나는학원
장지원 링컨더글라스학원
지근영 한솔영어수학학원
최성령 연세입시학원
최혜영 이든영어수학학원

제주
김랑 KLS어학원
박자은 KLS어학원

충남
김예지 더배움프라임영수학원
김철홍 청경학원
노태겸 최상위학원

충북
라은경 이화윤스영어교습소
신유정 비타민영어클리닉학원

해커스 완전숙련 구문독해

심화

해커스 어학연구소

PREFACE

빠르고 정확한 해석을 위한
해커스 완전숙련 구문독해를 내면서

해커스
완전숙련 구문독해는 이렇게 시작되었습니다.

문법을 배우고, 어휘를 암기하고 나서도 지문을 읽기 힘들어하는 학습자가 많습니다. 해커스는 이런 학습자들을 어떻게 도울 수 있을지 고민해왔습니다. **"지문은 문장으로 이루어져 있으니, 일단 문장부터 이해하는 것으로 시작해보면 어떨까?"**

문장을 하나하나 끊어서 읽는 연습을 하며 구조를 파악하게 되면, 그 다음엔 문장을 일부러 끊지 않아도 학습자의 머리에서 문장이 성분 단위로 나뉘게 됩니다. 자연스럽게 해석이 되는, '내 것'인 문장들이 모인 지문 읽기는 자연스럽게 수월해지기 마련입니다.

해커스
완전숙련 구문독해는 독해력을 기르는 발판이 되고자 합니다.

해커스 완전숙련 구문독해에는 지문이 없으며, 오직 문장만으로 독해력을 기르도록 합니다. 해커스 완전숙련 구문독해는 학습자들이 수많은 문장들에 헤매기 전, 내가 마주치게 될 구문들을 미리 내 것으로 만드는 과정을 돕습니다. 모든 구문을 습득하고 나면 미로 같았던 지문이 하나의 아름다운 그림으로 보이게 됩니다.

해커스
완전숙련 구문독해는 누구나 학습할 수 있습니다.

예비 수험생인 중·고등학생부터, 영어를 제대로 다시 시작하고 싶은 성인 학습자까지 누구나 학습할 수 있습니다. 엄선된 수능 및 모의고사 기출 문장뿐 아니라, 정치·사회·과학·일상생활 등 다양한 주제로 문장들을 구성하여 학습자의 폭을 넓혔습니다. 모국어가 아닌 언어로 된 글을 읽는 것은 어렵지만, 그 벽을 넘으면 누구에게나 공평하게 더 큰 세상이 펼쳐질 수 있기에 수험생부터 성인까지 모두가 학습할 수 있도록 구성했습니다.

모든 영어 학습자가 이 책에 담긴 구문을 **완전숙련**하고, 읽고 싶었던 영어 지문과 원서를 자유롭게 읽으며 시야가 넓어지는 즐거운 경험을 하기를 응원합니다.

해커스 어학연구소

CONTENTS

수식어

CHAPTER 07 형용사구와 관계사절

CHAPTER 08 부사구

CHAPTER 09 부사절

기타 구문

CHAPTER 10 가정법

CHAPTER 11 비교구문

CHAPTER 12 특수구문

책의 특징과 구성

본책

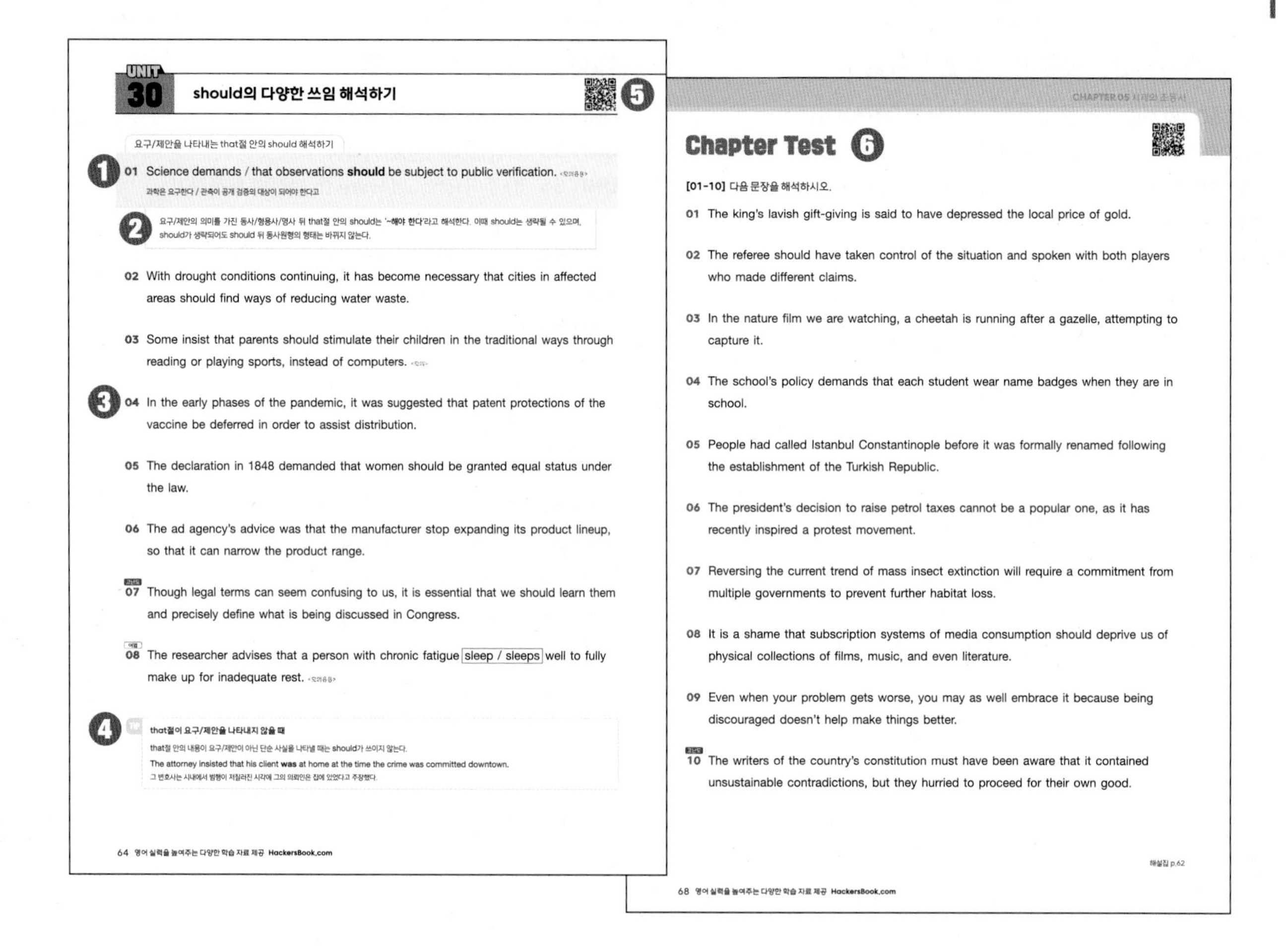

❶ 대표 예문
필수 구문이 포함된 기출 문장을 확인하고, 문장 분석 및 해석을 통해 구문을 학습할 수 있습니다.

❷ 구문 설명 및 해석 방법
명쾌하고 쉬운 설명으로 필수 구문을 정확하게 이해하고 해석하는 방법을 배울 수 있습니다.

❸ 구문독해 연습
다양한 주제의 실용적인 문장과 수능/모의고사 기출 문장으로 학습한 구문에 완전히 숙련될 수 있습니다. 또, 고난도 문장을 통해 실력을 한층 더 상승시키고 어법 문제를 통해 수능에 출제된 문법 포인트까지 확인할 수 있습니다.

❹ TIP
구문과 관련된 문법/어휘/표현에 대한 추가 설명으로 구문을 더 완벽하게 이해할 수 있습니다.

❺ QR코드 - 문장 MP3
각 UNIT에서 학습한 문장을 QR코드를 통해 MP3로 들어보며 문장을 복습할 수 있습니다.

❻ Chapter Test
각 Chapter에서 학습한 모든 구문을 이용한 문장으로 확실히 복습하고 이해도를 점검할 수 있습니다.

해설집

02 With drought conditions continuing, / it has become necessary / that cities (in affected areas) **should** find ways (of reducing water waste).
가뭄 상태가 계속되면서 / 필요해졌다 / (영향받는 지역들의) 도시들이 (물 낭비를 줄이는) 방법을 찾아야 한다는 것이
→ 가뭄 상태가 계속되면서, 영향받는 지역들의 도시들이 물 낭비를 줄이는 방법을 찾아야 한다는 것이 필요해졌다.

어휘 affected 형 영향받는, 피해입은

03 Some insist / that parents **should** stimulate their children / in the traditional ways / through reading or playing sports, / instead of computers. <모의>
몇몇은 주장한다 / 부모들이 그들의 아이들에게 흥미를 불러일으켜야 한다고 / 전통적인 방식으로 / 독서나 운동을 하는 것을 통해 / 컴퓨터 대신
→ 몇몇은 부모들이 그들의 아이들에게 컴퓨터 대신, 독서나 운동을 하는 것을 통해 전통적인 방식으로 흥미를 불러일으켜야 한다고 주장한다.

어휘 stimulate 동 흥미를 불러일으키다, 격려하다

04 In the early phases (of the pandemic), / it was suggested / that patent protections (of the vaccine) (**should**) **be** deferred / in order to assist distribution.
(전세계적 유행병의) 초기 단계에서 / 제안되었다 / (백신의) 특허 보호가 연기되어야 한다고 / 유통을 돕기 위해
→ 전세계적 유행병의 초기 단계에서, 유통을 돕기 위해 백신의 특허 보호가 연기되어야 한다고 제안되었다.
○ to부정사구 to assist distribution은 목적을 나타내는 부사적 용법으로 쓰였으며, to 대신 in order to가 왔다.

어휘 phase 명 단계, 국면 patent 명 특허 defer 동 연기하다, 미루다 distribution 명 유통, 배급

05 The declaration (in 1848) demanded / that women **should** be granted equal status / under the law.
(1848년의) 그 선언은 요구했다 / 여성들이 동등한 지위를 부여받아야 한다고 / 법에 따라
→ 1848년의 그 선언은 법에 따라 여성들이 동등한 지위를 부여받아야 한다고 요구했다.

1

(1848년의) 그 선언은 요구했다 / 여성들이 동등한 지위를 부여받아야 한다고 / 법에 따라
→ 1848년의 그 선언은 법에 따라 여성들이 동등한 지위를 부여받아야 한다고 요구했다.

06 ... lineup, /
그 광고 회사의 충고는 ~이었다 / 그 제조업체가 제품 구성을 확대하는 것을 멈춰야 한다는 것 / 그것이 그것의 제품 범위를 좁힐 수 있도록
→ 그 광고 회사의 충고는 그 제조업체가 그것의 제품 범위를 좁힐 수 있도록 제품 구성을 확대하는 것을 멈춰야 한다는 것이었다.
○ 동명사구 expanding ~ lineup은 동사 stop의 목적어로 쓰였다.
○ the manufacturer 대신 대명사 it이 쓰였다.

어휘 range 명 범위, 폭

고난도
07 Though legal terms can seem confusing to us, / it is essential / that we **should** learn them / and precisely define what is being discussed in Congress.
비록 법률 용어가 우리에게 혼란스럽게 보일 수 있지만 / 필수적이다 / 우리가 그것들을 배워야 한다는 것은 / 그리고 의회에서 무엇이 논의되고 있는지를 정확하게 정의해야 한다는 것은 → 비록 법률 용어가 우리에게 혼란스럽게 보일 수 있지만, 우리가 그것들을 배우고 의회에서 무엇이 논의되고 있는지를 정확하게 정의해야 한다는 것은 필수적이다.
○ learn과 define이 등위접속사 and로 연결되어 있으며, 조동사 should와 함께 쓰인 동사원형에 해당한다.
○ legal terms 대신 대명사 them이 쓰였다.
○ what ~ Congress는 동사 define의 목적어 역할을 하는 명사절이다.

어휘 term 명 용어

2

○ what ~ Congress는 동사 define의 목적어 역할을 하는 명사절이다.

어휘 term 명 용어

어법
08 The research... make up for ...
그 연구자는 충고한다 / (만성 피로를 가진) 사람이 잘 자야 한다고 / 불충분한 휴식을 완전히 보충하기 위해
→ 그 연구자는 만성 피로를 가진 사람이 불충분한 휴식을 완전히 보충하기 위해 잘 자야 한다고 충고한다.

❶ 끊어 읽기 해석과 전체 해석

끊어 읽기를 통한 직독직해로 문장 구조를 쉽고 빠르게 파악하고, 전체 해석으로 문장의 자연스러운 의미를 확인합니다.

❷ 구문 해설과 어휘

구조 파악 및 해석이 더욱 쉬워지는 구문 해설과 필수 어휘 정리로 독해 실력을 한층 더 강화합니다.

+ 추가 부가물

부가물 다운로드: www.HackersBook.com

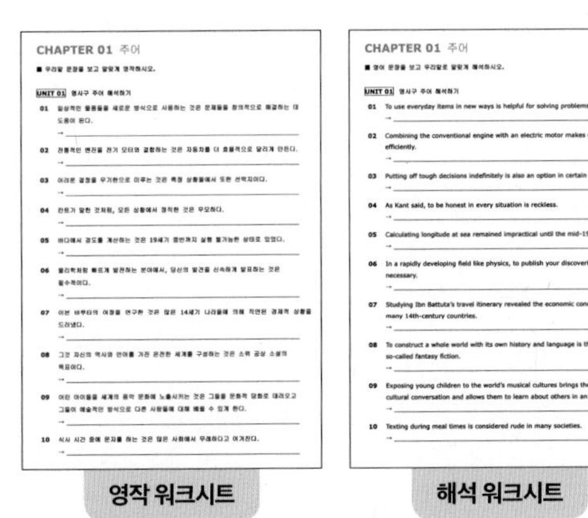

영작 워크시트 (Step 1, 2, 3)

해석 워크시트

교재에 수록된 문장을 단계별로 영작해보고, 다시 해석해보며 확실하게 문장에 익숙해질 수 있습니다.

어휘 리스트

어휘 테스트

해석에 필요한 주요 어휘를 효과적으로 암기하고, 테스트를 통해 어휘 실력까지 완성할 수 있습니다.

구문독해가 쉬워지는 끊어 읽기

❶ 끊어 읽기의 필요성

영어와 한국어는 문장 성분이 나오는 순서가 다른데, 영어는 대체로 주어 다음에 바로 동사가 오지만 한국어는 동사가 문장의 맨 끝에 오는 경우가 많다. 아래 예시의 영어 문장에서는 주어 'He' 뒤에 동사 'saw'가 바로 나왔지만, 한국어 문장에서는 주어 '그는' 뒤에 여러 가지 세부적인 내용이 나오고 동사 '봤다'가 가장 마지막에 오는 것을 확인할 수 있다.

He **saw** someone wearing a black mask break into his neighbor's house last night.
주어 동사

그는 어젯밤에 검은색 마스크를 한 누군가가 그의 이웃의 집에 침입하는 것을 봤다.
주어 동사

이처럼 영어와 한국어의 어순이 다르기 때문에 영어를 한국어로 해석할 때 어려움이 생기며, 특히 문장에 여러 세부적인 내용이 나와 길어지면 영어 문장을 한번에 해석하는 것이 더욱 어려워진다.

그렇기 때문에 영어 문장이라는 큰 단위를 적절한 단위로 작게 끊어서 해석하는 것이 중요하며, 이때 적절한 끊어 읽기의 단위를 의미 단위라고 한다. 한번에 이해할 수 있을 만큼의 의미 단위만큼 묶어서 읽고, 이를 한국어 어순에 맞게 이어 붙이는 것을 연습하면 길고 복잡한 영어 문장도 쉽게 해석할 수 있게 된다.

❷ 끊어 읽기 연습 방법

처음 끊어 읽기를 시작할 때는 작은 단위로 끊어서 정확하게 해석하는 연습을 시작하고, 이것에 익숙해지면 끊어 읽기 단위를 늘려 더 큰 구나 절 단위로 끊어 읽는 연습을 한다. 이때, 보통 전치사나 접속사 앞에서 끊으면 의미 단위를 파악하기 쉬워진다. 실력이 늘면서 끊어 읽는 단위를 확장시켜 읽으면 더 빠르고 자연스럽게 해석을 할 수 있다.

He / saw / someone / wearing / a black mask / break into / his neighbor's / house / last night.
그는 / 봤다 / 누군가가 / ~을 한 / 검은색 마스크를 / 침입하는 것을 / 그의 이웃의 / 집에 / 어젯밤에

He saw / someone / wearing a black mask / break into / his neighbor's house / last night.
그는 봤다 / 누군가가 / 검은색 마스크를 한 / 침입하는 것을 / 그의 이웃의 집에 / 어젯밤에

He saw / someone wearing a black mask / break into his neighbor's house / last night.
그는 봤다 / 검은색 마스크를 한 누군가가 / 그의 이웃의 집에 침입하는 것을 / 어젯밤에

끊어 읽기에는 정답이 없으며 학습자의 수준에 따라 다양하게 나타날 수 있다. 따라서, 본인의 끊어 읽기가 본 책에서 제시하는 것과 다르더라도 틀린 것이 아니며, 전체적인 의미가 통하도록 해석하면 된다.

※ 해석할 때 알아두면 좋은 영어 문장 부호

콤마(,), 콜론(:), 세미콜론(;), 대시(—) 등의 문장 부호는 문장 안에서 다양하게 쓰이므로, 이를 알아두면 해석을 더욱 빠르고 정확하게 할 수 있다.

1. 콤마(,) 단어나 구를 나열할 때 이를 구분해준다. 절과 절 사이를 구분해주기 위해 쓰이기도 하며, 삽입어구/절의 앞뒤에 쓰이기도 한다.

2. 콜론(:) 문법적으로 완전한 문장이 뒤따라올 때 앞서 언급된 내용을 구체적으로 설명해준다. 콜론 뒤에 리스트 형식으로 단어를 나열하기도 하며, 이때 "즉"이라고 해석한다.

3. 세미콜론(;) 세미콜론은 의미상 서로 연관이 있는 두 문장을 연결해주며, 문맥상 적절한 부사절 접속사를 넣어서 해석한다. 실제로는 마침표(.)나 콤마(,)만큼 일반적으로 쓰이지 않는다.

4. 대시(—) 대시는 콜론(:), 세미콜론(;)과 비슷한 역할을 한다. 또, 문장에 부가적인 정보를 제공하기도 한다.

구문독해가 쉬워지는 기초 문법

❶ 품사 | 영어 단어의 8가지 종류

영어 단어는 기능과 성격에 따라 명사, 대명사, 동사, 형용사, 부사, 전치사, 접속사, 감탄사의 8품사로 분류할 수 있다.

1. 명사 **사람, 사물, 장소, 개념 등의 이름을 나타내는 말**로, 문장에서 주어, 목적어, 보어 역할을 한다.

Mr. Locke is my homeroom teacher. <주어> Locke 선생님은 나의 담임 선생님이다.

I bought **a dress** that fits me well. <목적어> 나는 나에게 잘 맞는 드레스를 샀다.

What everyone needs is **love.** <보어> 모든 사람이 필요한 것은 사랑이다.

2. 대명사 **명사를 대신해서 쓰는 말**로, 문장에서 주어, 목적어, 보어 역할을 한다.

This is Jake. **He** is one of my classmates. <주어>
이 사람은 Jake이다. 그는 나의 반 친구들 중 한 명이다.

Elena gave me a bracelet, and she made **it** herself. <목적어>
Elena는 나에게 팔찌를 줬고, 그녀는 그것을 직접 만들었다.

The only question I couldn't solve is **this.** <보어> 내가 풀지 못한 유일한 문제는 이것이다.

3. 동사 **동작이나 상태를 나타내는 말**로, 문장에서 술부를 이끄는 동사(술어) 역할을 한다. 동사에는 be동사, 일반동사, 조동사가 있다.

The Christmas decorations **were** amazing. <be동사> 그 크리스마스 장식은 놀라웠다.

Human hearts **beat** 60 to 100 times per minute. <일반동사>
인간의 심장은 1분에 60번에서 100번 뛴다.

Drivers **must wear** seat belts while driving. <조동사+일반동사>
운전자들은 운전하고 있는 동안 안전벨트를 매야 한다.

4. 형용사 **명사나 대명사의 형태, 성질, 상태 등을 나타내는 말**로, 문장에서 보어 또는 명사나 대명사를 꾸며주는 수식어 역할을 한다.

Most blue cheeses are **smelly.** <주격 보어> 대부분의 블루치즈는 냄새가 난다.

We thought his jokes **offensive.** <목적격 보어> 우리는 그의 농담이 불쾌하다고 생각했다.

The chef owns a **popular** restaurant. <수식어> 그 요리사는 인기 있는 레스토랑을 소유하고 있다.

5. 부사 **동사, 형용사, 다른 부사, 또는 문장 전체를 꾸며주는 말**로, 문장에서 수식어 역할을 한다.

Peter tends to speak **loudly**. <동사 수식> Peter는 크게 말하는 경향이 있다.

I bought a **very** soft blanket. <형용사 수식> 나는 매우 부드러운 담요를 샀다.

He stacked the boxes **really** carefully. <부사 수식> 그는 상자들을 아주 신중하게 쌓았다.

Unfortunately, the outdoor concert was canceled. <문장 전체 수식>
불행히도, 그 야외 콘서트는 취소되었다.

6. 전치사 **명사나 대명사 앞에서 장소, 시간, 방법 등을 나타내는 말**이다.

Linda likes reading novels **in** the cafe alone. <장소>
Linda는 카페에서 혼자 소설을 읽는 것을 좋아한다.

Someone was playing the piano **at** midnight. <시간>
누군가가 자정에 피아노를 치고 있었다.

Visitors can go into the island only **by** a small boat. <방법>
방문객들은 그 섬에 작은 보트로만 들어갈 수 있다.

7. 접속사 **단어와 단어, 구와 구, 절과 절을 연결해주는 말**이다.

It is normally hot **and** humid during the rainy season. <단어와 단어 연결>
장마철 동안에는 보통 덥고 습하다.

Let's go swimming in the ocean **or** fishing in the river. <구와 구 연결>
바다에서 수영하러 가거나 강에서 낚시를 하러 가자.

Joe was furious **because** his friend had lied to him. <절과 절 연결>
Joe는 그의 친구가 그에게 거짓말을 했었기 때문에 몹시 화가 났다.

8. 감탄사 **기쁨, 놀람, 슬픔과 같은 다양한 감정을 표현하는 말**이다.

Wow, this is the tallest building in the world! 와, 이것은 세계에서 가장 높은 빌딩이야!

Oops, I spilled the sauce on my pants. 이런, 나의 바지에 소스를 쏟았어.

❷ 문장의 성분 | 영어 문장을 만드는 재료

영어 문장을 만드는 재료 역할을 하는 문장 성분에는 주어, 동사, 목적어, 보어가 있다. 이들은 문장을 구성하는데 필수적으로 있어야 하는 요소들이므로 필수 성분이라고 한다. 수식어는 필수 성분은 아니지만, 문장의 내용이 조금 더 풍부하도록 부가적인 정보를 제공한다.

1. 주어

동작이나 상태의 주체가 되는 말로, '누가, 무엇이'에 해당한다. 명사나 대명사, 명사구나 명사절처럼 명사 역할을 하는 것이 주어 자리에 올 수 있다.

A kitten is playing with a ball of yarn. 고양이가 털실 한 뭉치를 가지고 놀고 있다.

That he is smart doesn't mean he is good at work.
그가 똑똑하다는 것은 그가 일을 잘 한다는 것을 의미하지 않는다.

2. 동사

주어의 동작이나 상태를 나타내는 말로, '~하다, ~이다'에 해당한다.

The girl **had** curiosity about almost everything. 그 여자아이는 거의 모든 것에 대한 호기심을 가졌다.

3. 목적어

동사가 나타내는 행위의 대상이 되는 말이다. 주어와 마찬가지로 명사 역할을 하는 것이 목적어 자리에 올 수 있다.

Tom borrowed **some books** from the library. Tom은 도서관에서 몇몇 책들을 빌렸다.

She cooked **her parents a Mexican meal.** 그녀는 그녀의 부모님에게 멕시코 음식을 요리해 드렸다.

4. 보어

주어나 목적어를 보충 설명하는 말이다. 주어를 보충 설명하는 주격 보어와 목적어를 보충 설명하는 목적격 보어가 있으며, 명사 역할을 하는 것이나 형용사 역할을 하는 것이 보어 자리에 올 수 있다.

Solar energy is **environment-friendly.** <주격 보어> 태양 에너지는 친환경적이다.

His boss ordered him **to write the report.** <목적격 보어> 그의 상사는 그에게 보고서를 쓰라고 명령했다.

5. 수식어

문장의 내용이 조금 더 풍부하도록 부가적인 정보를 제공하는 말이다. 형용사 역할을 하는 것이나 부사 역할을 하는 것이 수식어 자리에 올 수 있다.

This battery provides **long-lasting** energy. 이 배터리는 오래 지속되는 에너지를 제공한다.

The rainfall **in the area** has been **gradually** increasing.
그 지역의 강수량은 점진적으로 증가해오고 있다.

❸ 문장의 형식 | 영어 문장의 5가지 종류

영어 문장은 크게 다섯 가지 형식으로 나눌 수 있으며, 「주어+동사」를 기본으로 하여 다른 필수 성분을 더해서 만든다. 문장에 다양한 수식어가 있을 수 있지만, 수식어는 문장 형식에 영향을 미치지 않는다.

1형식
S+V

「주어+동사」로 구성된 문장이다. 1형식 문장에는 다양한 수식어가 붙을 수 있지만, 주로 「주어+동사」만으로도 완전한 의미가 되는 문장이다.

The ants (S) are moving (V). 개미들이 움직이고 있다.

The accident (S) happened (V) so suddenly (M). 그 사고는 너무 갑자기 일어났다.

*1형식 동사 중 be, live, go, stay 등은 반드시 장소나 시간을 나타내는 수식어가 있어야 문장의 의미가 완성된다.

Charles (S) went (V) to the hospital (M) yesterday (M). Charles는 어제 병원에 갔다.

2형식
S+V+SC

「주어+동사+주격 보어」로 구성된 문장이다. 1형식 문장과는 달리, 주어의 성질 또는 상태 등을 설명하는 주격 보어가 포함되어야 완전한 의미가 되는 문장이다.

Lucy (S) became (V) an architect (SC). Lucy는 건축가가 되었다.

The fans (S) looked (V) excited (SC) when the singer appeared on the stage (M).
팬들은 그 가수가 무대 위에 나타났을 때 신이 나 보였다.

3형식
S+V+O

「주어+동사+목적어」로 구성된 문장이다. 동사가 나타내는 행위의 대상, 즉 목적어까지 와야 완전한 의미가 되는 문장이다.

Steven (S) wore (V) a warm jacket (O). Steven은 따뜻한 재킷을 입었다.

After retirement (M), Mr. Kelley (S) built (V) a big house (O) in the countryside (M).
은퇴 후에, Kelley씨는 시골에 큰 집을 지었다.

4형식
S+V+IO+DO

「주어+동사+간접 목적어+직접 목적어」로 구성된 문장이다. 4형식 문장의 동사는 두 개의 목적어, 즉 간접 목적어와 직접 목적어를 가질 수 있는 동사로, 이런 동사를 수여동사라고 부른다.

The teacher gave Jason a compliment. 그 선생님은 Jason에게 칭찬을 해줬다.
S V IO DO

Ron sent Nina a text message after school. Ron은 방과 후에 Nina에게 문자 메시지를 보냈다.
S V IO DO M

5형식
S+V+O+OC

「주어+동사+목적어+목적격 보어」로 구성된 문장이다. 목적어에 대해 설명하는 목적격 보어까지 와야 완전한 의미가 되는 문장이다.

Ella's friends elected her class president. Ella의 친구들은 그녀를 학급 회장으로 뽑았다.
S V O OC

The historians considered the culture different from all the other cultures nearby.
S V O OC
사학자들은 그 문화가 인근의 다른 문화들과 다르다고 여겼다.

※ 동사의 종류에 의해 결정되는 문장의 형식

동사의 종류에 따라 목적어와 보어의 필요 여부가 달라지며, 이는 문장의 형식에 영향을 미친다. 같은 동사가 의미에 따라 다른 형식의 문장에 쓰일 수 있으므로, 각 문맥에서 동사가 어떤 뜻으로 쓰였는지를 잘 파악하는 것이 중요하다.

Sunflowers **grow** well in the sun. <1형식>
S V M M
해바라기는 햇빛 아래에서 잘 자란다.

Bella's face **grew** red because she was shy. <2형식>
S V SC M
Bella는 부끄럼을 탔기 때문에 얼굴이 빨개졌다.

❹ 구와 절 | 말 덩어리

두 개 이상의 단어가 모여 하나의 의미를 나타내는 말 덩어리를 구나 절이라고 하며, 구는 「주어+동사」를 포함하지 않고 절은 「주어+동사」를 포함한다. 구와 절은 문장에서 명사, 형용사, 부사 역할을 할 수 있다.

1. 명사 역할 명사처럼 **주어, 목적어, 보어**로 쓰인다.

명사구 「명사+형용사구」, to부정사구, 「의문사+to부정사」, 동명사구 등

Scuba diving in the ocean requires a certificate.

바다에서 스쿠버 다이빙을 하는 것은 자격증을 필요로 한다.

명사절 that, whether, 의문사, 관계대명사 what 등이 이끄는 절

The theory explains **how our universe formed**.

그 이론은 우리의 우주가 어떻게 형성되었는지를 설명한다.

2. 형용사 역할 형용사처럼 **보어**나 **명사, 대명사를 꾸며주는 수식어**로 쓰인다.

형용사구 「전치사+명사(구)」, to부정사구, 분사구 등

The meal **on the flight** was quite delicious.

기내에서의 식사는 꽤 맛있었다.

형용사절 who, which, that, whose, when, where 등의 관계사가 이끄는 절

Bring a list of the products **that you are planning to buy**.

네가 사기로 계획하고 있는 제품들의 목록을 가져와라.

3. 부사 역할 부사처럼 **동사, 형용사, 다른 부사,** 또는 **문장 전체를 꾸며주는 수식어**로 쓰인다.

부사구 「전치사+명사(구)」, to부정사구, 분사구문 등

My parents were delighted **to hear that I got a job**.

나의 부모님은 내가 취직했다는 것을 듣게 되어 기뻐셨다.

부사절 when, until, because, as, if, though 등의 부사절 접속사가 이끄는 절

The audience remained silent **until the performance ended**.

관객들은 공연이 끝날 때까지 조용하게 있었다.

해커스북 중·고등

www.HackersBook.com

교재 내 기호 및 표기법

S	주어	S′	종속절의 주어	/	일반적인 끊어 읽기
V	동사	V′	구/종속절의 동사	//	등위절 간의 구분
O	목적어	O′	구/종속절/전치사의 목적어	to-v	to부정사
IO	간접 목적어	C′	구/종속절의 보어	v-ing	동명사/현재분사
DO	직접 목적어	M′	구/종속절의 수식어	p.p.	과거분사
C	보어	S[1]	중복 문장 성분 구분	Vr	동사원형
SC	주격 보어	( )	형용사구/생략어구/생략 가능 어구	cf.	비교
OC	목적격 보어	[ ]	형용사절	e.g.	예시
M	수식어	(( ))	삽입어구	→	문장 전체 해석

CHAPTER 01

주어

주어는 동작이나 상태의 주체가 되는 말이다. 주어는 대부분 문장의 앞에 오며 문장의 주가 되는 핵심 성분이므로, 주어를 잘 찾는 것이 정확한 구문 분석의 시작이다. 도치된 구문 안에서 주어가 동사 뒤에 위치하는 경우도 있으므로, 이때 문장 구조를 혼동하지 않는 것이 중요하다.

UNIT 01 명사구 주어 해석하기

01 **To use everyday items in new ways** / is helpful for solving problems creatively. <모의응용>
(S / V / SC / M)

일상적인 물품들을 새로운 방식으로 사용하는 것은 / 문제들을 창의적으로 해결하는 데 도움이 된다
(= It is helpful to use everyday items in new ways for solving problems creatively.)

02 **Combining the conventional engine with an electric motor** / makes cars run more efficiently. <모의응용>
(S / V / O / OC)

전통적인 엔진을 전기 모터와 결합하는 것은 / 자동차를 더 효율적으로 달리게 만든다

명사 역할을 하는 to부정사구나 동명사구가 주어인 경우 '**~하는 것은, ~하기는**'이라고 해석한다. to부정사구를 대신해서 주로 가주어 it이 주어 자리에 오는데, 이때 해석은 달라지지 않는다. (←UNIT 4)
*주어로 쓰인 to부정사구나 동명사구는 항상 단수 취급하므로, 뒤에 단수 동사가 온다.

03 Putting off tough decisions indefinitely is also an option in certain cases.

04 As Kant said, to be honest in every situation is reckless.

05 Calculating longitude at sea remained impractical until the mid-19th century.

06 In a rapidly developing field like physics, to publish your discoveries speedily is necessary.

07 Studying Ibn Battuta's travel itinerary revealed the economic conditions faced by many 14th-century countries.

08 To construct a whole world with its own history and language is the aim of so-called fantasy fiction.

고난도
09 Exposing young children to the world's musical cultures brings them into the cultural conversation and allows them to learn about others in an artistic way. <모의>

어법
10 Texting during meal times [is / are] considered rude in many societies.

해설집 p.2

명사절 주어 해석하기

01 **Whether an animal can feel anything (resembling the loneliness [humans feel])** / is hard to say. <모의>

(S′ an animal, V′ can feel, O′ anything; S = Whether ... feel]), V = is, SC = hard, M = to say)

동물이 ([인간들이 느끼는] 외로움과 유사한) 어떤 것을 느낄 수 있는지는 / 말하기에 어렵다

(= It is hard to say whether an animal can feel anything resembling the loneliness humans feel.)

접속사, 의문사, (복합)관계대명사 등이 이끄는 명사절이 주어인 경우 각각 아래와 같이 해석한다. 명사절을 대신해서 주로 가주어 it이 주어 자리에 오는데, 이때 해석은 달라지지 않는다. ←UNIT 4

접속사	that	S′가 V′하다는 것은
	whether	S′가 V′하는지는
의문사	who/what/which	<의문사가 명사절 안에서 주어(S′)> 누가/무엇이/어느 것이 V′하는지는
		<의문사가 명사절 안에서 주격 보어(SC′)> S′가 누구인지는/무엇인지는/어느 것인지는
	who(m)/what/which	<의문사가 명사절 안에서 목적어(O′)> S′가 누구를/무엇을/어느 것을 V′하는지는
	where/when/why/how	S′가 어디서/언제/왜/어떻게 V′하는지는
관계대명사	what(= the thing which[that])	V′하는 것은
복합관계대명사	whoever/whatever/whichever	V′하는 누구든지/무엇이든지/어느 것이든지

*what/which/whose와 whatever/whichever는 각각 명사를 꾸며주는 의문형용사와 복합관계형용사로 쓰여 명사 앞에 올 수 있다.

02 That my friend had told my secret made me angry.

03 What will happen in the future is unknown to anybody.

04 Where you live may be a major factor that affects quality of life.

05 Whether we use soy milk instead of milk does not matter for this recipe.

06 Under medieval Scotland's custom, who became the next tribal chieftain was mostly determined by force.

*chieftain: (스코틀랜드 부족의) 족장

07 Whether an artist will succeed or fail is impossible to tell from their talent alone.

08 Which course of action a nation takes is usually decided by its financial interests.

09 When a lunar eclipse will occur is difficult to forecast accurately due to the irregular shape of the Moon and Earth.

10 How we perceive colors is related to cone cells, which help us detect colors.

*cone cell: 추상 세포

11 Whichever plan we adopt to combat climate change must include a reduction in overall energy consumption.

12 That vitamins are harmful if consumed too often should be noted by those taking them every day.

고난도
13 What the traveler saw when he returned to the same desolate area after 25 years was very different from the scene he had pictured.

TIP **의문대명사와 (복합)관계대명사의 명사절 내 쓰임**

의문대명사와 (복합)관계대명사는 명사절 안에서 주어, 목적어, 보어로 쓰일 수 있다.

Whoever attacks others for no reason should be punished. <명사절의 주어>
다른 사람들을 아무 이유 없이 공격하는 누구든지 처벌받아야 한다.

What the tourists had for lunch must have upset their stomachs. <명사절의 목적어>
그 관광객들이 점심으로 먹은 것이 그들을 배탈 나게 했음이 틀림없다.

Who you were in the past doesn't necessarily define your current personality. <명사절의 보어>
네가 과거에 누구였는지는 너의 현재 성격을 반드시 나타내지는 않는다.

해설집 p.3

UNIT 03

다양한 it 해석하기 I

대명사 it 해석하기

01 Oil is important. // **It** is used / to heat homes and keep machines running. <모의>

기름은 중요하다. // 그것은 사용된다 / 집을 따뜻하게 만들고 기계들이 계속 작동하도록 하기 위해

대명사 it은 앞에서 언급된 특정한 단어, 구, 절, 문장을 가리키며, '**그것**'이라고 해석한다.

02 Patrick ruined my shirt by spilling coffee, but it didn't bother me at all.

03 Charles Darwin introduced the theory of evolution, and it explains how species develop and change over time.

고난도
04 On December 7, 1941, the Imperial Japanese Navy Air Service launched an attack on the US naval base in Hawaii's Pearl Harbor. It resulted in the US officially entering World War II.

비인칭 주어 it 해석하기

05 **It**'s becoming colder and colder, // and the leaves are falling off the trees. <모의응용>

점점 더 추워지고 있다 // 그리고 나뭇잎들이 나무에서 떨어지고 있다

비인칭 주어 it은 주어가 막연하거나 추상적일 때 쓴다. 주로 날씨, 시간, 상황 등을 나타내며, 이때 it은 의미를 가지지 않으므로 따로 해석하지 않는다.

06 It was too crowded in the subway, so most of the passengers had to stand.

07 In much of the Northern Hemisphere, it starts getting painfully hot and humid in July.

*Northern Hemisphere: 북반구

고난도
08 Mr. Woods had been playing piano for 15 minutes before he received a complaint from his neighbors, which was a surprise to him because it was only 3 P.M.

해설집 p.5

다양한 it 해석하기 II

가주어 it 해석하기

01 **It** is difficult / **to appreciate the process (underlying the act of "seeing.")** <모의>
S(가주어) V SC S(진주어)
어렵다 / ("보는 것"이라는 행위 아래에 있는) 작용을 인식하는 것은

to부정사구, that/whether/의문사가 이끄는 명사절이 주어인 경우, 주로 주어 자리에 가주어 it을 쓰고 진주어인 to부정사구나 명사절을 문장 뒤로 보낸다. 가주어 it은 의미를 가지지 않으므로 따로 해석하지 않고, 진주어가 원래 주어 자리에 있던 것처럼 문장을 해석한다.

02 It wasn't certain whether the player had committed a foul or not.

03 It is hard to imagine living in a world without speaking or writing.

04 It is a fact that technology is transforming the role of current professionals.

05 It is still a mystery why the designer suddenly decided to retire from the fashion industry.

06 It came as a surprise how the virus reproduced again even in the freezing temperature.

07 It is controversial whether the politician's election campaign violated legal procedures.

08 It is interesting that the number of Western European Nobel Peace Prize winners exceeds that of the winners from North and South America. <모의응용>

09 It is amazing how the astronauts who went to the Moon were guided by such primitive computers.

고난도
10 It is likely that the Ming Dynasty's laws regulating maritime trade backfired, leading to increased piracy and smuggling.

*backfire: 역효과를 낳다

it을 주어로 쓰는 관용 표현 해석하기

11 **It** seems that contemporary art and music have failed / to offer people works [that reflect human achievements]. <수능>

현대 예술과 음악은 실패한 것 같다 / [인류의 업적을 나타내는] 작품들을 사람들에게 내놓는 것을

it을 주어로 쓰는 관용 표현은 아래와 같이 해석한다.

It takes(+사람)+시간/돈+to-v	(…가) v하는 데 시간이 걸리다/돈이 들다
It seems[appears] (that) ~	~인 것 같다, ~인 것으로 보인다
It happens that ~	우연히 ~하다
It must be that ~	~임이 틀림없다

12 It takes parents a lot of money to send children to college in the United States.

13 It seems that more and more automobile manufacturers are adding electric vehicles to their lineups.

14 It happens that Violet Jessop was aboard both the Titanic and the Britannic when they each sank.

15 It took five years to finally find a potentially profitable use for the Post-it note. <모의응용>

고난도
16 It must be that the Internet has democratized information, given how knowledgeable people can become even without a higher education.

해설집 p.6

UNIT 05 to부정사의 의미상 주어 해석하기

01 There was an opportunity (**for me** *to work* abroad), // but I declined.
V¹ S¹ 의미상의 주어 M¹ S² V²
(내가 해외에서 일할) 기회가 있었다 // 하지만 나는 거절했다

02 It is dishonest / **of the author** *to claim* that he came up with the story on his own.
S(가주어) V SC 의미상의 주어 S(진주어)
정직하지 못하다 / 그 작가가 그가 그 스스로 그 이야기를 생각해냈다고 주장한 것은

to부정사가 나타내는 행위의 주체가 문장의 주어와 다를 때 의미상의 주어를 to부정사 앞에 쓰고, '**(의미상의 주어)가 v하다**'라고 해석한다. 의미상의 주어가 수식어구로 인해 길어지거나 접속사로 인해 두 개 이상의 to부정사와 함께 쓰일 때 to부정사와 멀리 떨어질 수 있다.

03 It is necessary for the government to make a sufficient welfare budget for the elderly. <모의>

04 It is kind of you to sell the cookies to donate the profits to kids in hospitals.

05 Giving an allowance periodically can be a way for children to learn about saving or spending money. <모의응용>

06 It will now be mandatory for all employees working from home to attend a virtual meeting every morning with their manager.

07 It was harsh of the referee to give a red card to the player who only wanted to prove himself innocent.

08 An educator is encouraged to give enough time for students to review the information they have learned.

09 It remains important for young students who just started learning how to write to practice handwriting, which aids the development of literacy.

고난도
10 It is necessary for juvenile elephants to practice drinking and grasping objects with their trunks although it looks awkward at first.

해설집 p.8

UNIT 06 동명사의 의미상 주어 해석하기

01 I appreciate / **her** *accepting* my invitation / and *agreeing* to meet me. <모의응용>

(I = S, appreciate = V, her accepting my invitation = O1 (her = 의미상의 주어), agreeing to meet me = O2)

나는 감사한다 / 그녀가 나의 초대를 승낙한 것에 / 그리고 나를 만나기로 동의한 것에

동명사의 의미상 주어는 소유격으로 쓰며 **'(의미상의 주어)가 v하는 것'**이라고 해석한다. 구어체에서는 의미상의 주어를 목적격으로 쓰기도 한다. 의미상의 주어가 수식어구로 인해 길어지거나 접속사로 인해 두 개 이상의 동명사와 함께 쓰일 때 동명사와 멀리 떨어질 수 있다.

02 Friends and pastimes may cause some difficulties in your performing the actual job at hand. <모의>

03 His complaining about petty things and getting upset over almost everything annoy others.

04 People's mere interest does not always play a key role in their choosing a major.

05 Their feeling cynical toward social media is due to their suspicious nature.

06 The anonymous source described government officials' using surveillance software on some journalists.

*surveillance: 감시

07 The team leader's perfectionism increases the possibility of the members of her team being worn out.

고난도
08 Unscheduled meetings may result in participants' not being ready enough to discuss the agenda.

고난도
09 The publication of Dorothy Hodgkin's work on vitamin B12 led to her being awarded the Nobel Prize in Chemistry in 1964. <모의응용>

해설집 p.10

UNIT 07 무생물 주어 해석하기

01 According to a study, / **sharing anxiety** makes people more cooperative. <모의응용>
M S V O OC

한 연구에 따르면 / 불안을 공유하는 것은 사람들을 더 협조적이게 만든다
→ 한 연구에 따르면, 불안을 공유하는 것을 통해 사람들은 더 협조적이게 된다.

문장의 주어가 추상적 개념, 행위, 사건, 사물 등의 무생물인 경우, 주어를 원인이나 수단으로 해석하는 것이 자연스러우므로 '**~으로 인해/~때문에**(원인), **~을 통해**(수단)'라고 해석한다.

02 Logic allows us to have a sound argument and analyze critically.

03 Determination and stubbornness drive many people to refuse to give up.

04 Making one's own meals can reduce expenditures and create less waste.

05 Chemicals found in numerous cosmetics can cause a wide range of illnesses when applied in large quantities.

06 Taking regular short breaks relieves us from accumulating too much stress during work hours.

07 For generations, beauty has inspired artists to create all manner of fantastical paintings, sculptures, poems, and music.

고난도
08 Clever advertising informs children that they will be looked down on by their peers if they do not have the products that are advertised. <모의>

해설집 p.11

수식어구가 포함된 주어 해석하기

01 **The typical equipment** **(of a mathematician)** / is a blackboard and chalk. <수능>

(S: The typical equipment / 전치사+명사구: of a mathematician / V: is)

(수학자의) 대표적인 용품은 / 칠판과 분필이다

수식어구가 포함되어 주어가 길어지는 경우는 아래와 같으며, 이때 동사를 찾아 동사 앞에서 문장을 끊은 뒤 주어와 동사를 나누어 해석한다.

주어 +	(전치사+명사(구)) (관계절) (to부정사구/분사구)	+ 동사

02 Ample evidence to support the scientist's claims was included in the journal article.

03 The magnitude of an earthquake is measured by a device called a seismograph.

*seismograph: 지진계

04 The red wavelengths that pass through a prism bend the least, while the violet or blue wavelengths bend the most.

05 A trip around the world in 80 days seemed infeasible up until the late 19th century.

06 A vivid action plot running through a novel stimulates the parts of a reader's brain that coordinate movement. <모의응용>

07 Most of the people who visit the South Pole are scientific researchers, though a number of tourists go to see the harshest continent on the planet.

고난도

08 A contract agreed to by both the labor union and management is expected to be signed later this week, which will include a new benefits package for employees.

해설집 p.13

UNIT 09 주어의 위치가 변한 구문 해석하기

부정어(구)가 절 앞에 와 주어의 위치가 변한 구문 해석하기

01 *Rarely* **does an agent try** to sign a contract with a sports star / during their first encounter. <모의응용>

(부정어 / 조동사 / S / Vr / O / M)

에이전트는 스포츠 스타와 계약을 맺으려고 거의 노력하지 않는다 / 그들의 첫 번째 만남 동안에

no, not, never 등이 포함된 부정어(구)가 절 앞에 오면 아래와 같은 어순이 되며, 해석은 원래처럼 「주어+동사+부정어(구)」 순으로 한다.

be동사/조동사가 있는 문장	부정어(구)+be동사/조동사+주어
일반동사가 있는 문장	부정어(구)+조동사 do/does/did+주어+동사원형

*그 외 부정을 뜻하는 표현: little/hardly/scarcely(거의 ~않는), seldom/rarely(좀처럼 ~않는), only(오직)

02 Never is violence an answer no matter how serious the matter is.

03 Thanks to advancements in technology, no longer do home security systems require extensive renovations or expensive equipment.

어법
04 Rarely [people will / will people] feel free to consult lawyers unless the duty of confidentiality is respected.

장소/방향의 부사(구)가 절 앞에 와 주어의 위치가 변한 구문 해석하기

05 *Atop Everest* **is a region** (**referred to as the "death zone,"**) / where the amount of oxygen is insufficient for humans.

(장소의 부사구 / V / S / M / S′ V′ SC′ M′)

에베레스트 산 꼭대기에 ("죽음의 영역"이라고 불리는) 지역이 있다 / 그런데 그곳에는 산소의 양이 사람들에게 불충분하다

장소/방향의 부사(구)가 절 앞에 오면 「부사(구)+동사+주어」의 어순이 되며, 해석은 「부사(구)+주어+동사」 또는 「주어+부사(구)+동사」 순으로 한다.
*주어가 대명사일 경우 주어와 동사가 도치되지 않는다.

06 At the bottom of the ocean lies the deep-sea biosphere, which is a habitat for many unknown species.

*biosphere: 생물권

07 Along the coast raced a group of children, jumping and rolling playfully on the sand.

08 Around the bright light gather moths, as the light confuses their navigational systems.

so나 neither[nor]가 절 앞에 와 주어의 위치가 변한 구문 해석하기

09 Honesty plays an important role / in forming a healthy relationship, // and *so* **do white lies** occasionally.

(Honesty: S[1], plays: V[1], an important role: O[1], in forming a healthy relationship: M[1], do: 조동사, white lies: S[2], occasionally: M[2])

정직함은 중요한 역할을 한다 / 건강한 관계를 형성하는 것에 있어서 // 그리고 때때로 선의의 거짓말도 그렇다

so와 neither[nor]가 절 앞에 오면 「so/neither[nor]+be동사/조동사+주어」의 어순이 되며, 각각 '**~도 …하다**', '**~도 …하지 않다**'라고 해석한다.

10 Visitors to the national park were generally happy about the reduced wolf populations, and so were local ranchers.

*rancher: 목장 주인

11 We shouldn't always assume the worst, but neither should we think everything will go as planned.

12 Still, some of the advanced robots can't understand human emotions, nor can they exactly mimic delicate human movements.

해설집 p.14

Chapter Test

[01-10] 다음 문장을 해석하시오.

01 Not until the 20th century did human-driven climate change become a major topic.

02 With your donation, it is possible for many children to be saved from starvation.

03 "To reprimand" means to criticize someone about something they've done.

04 That the prosecutor didn't believe the witness's statement seemed evident in his body language and tone of voice.

05 Why cicadas only emerge to reproduce after 13 or 17 years underground can be explained as a defense mechanism.

*cicada: 매미

06 The field of immunology advanced as a result of a scientist's working to develop a vaccine for smallpox patients.

*smallpox: 천연두

07 Originally, it was important for chemists working in a laboratory to wear white so that any chemical spills became immediately apparent.

08 It took the human population millions of years to reach one billion people, but it took just a decade to go from six to seven billion people.

09 Considering the number of times the songs have been downloaded, it is clear that the band's album is a megahit.

고난도

10 Since invasive species allowed to run wild pose a threat to native wildlife, Australia enforces strict border controls on animals.

*invasive species: 외래종

해설집 p.16

CHAPTER 02

목적어

목적어는 동사가 나타내는 행위의 대상이며, 동사뿐 아니라 전치사도 목적어를 가질 수 있다. 목적어는 보어나 수식어와 같은 다른 문장 성분과 헷갈리기 쉬우므로, 목적어로 쓰일 수 있는 것들을 학습하면 정확한 해석을 할 수 있다. 또한, 목적어는 문장에서 그것의 길이나 중요도에 따라 위치가 변할 수 있어 구조를 정확하게 파악해야 목적어를 문장 성분에 맞게 해석할 수 있다.

UNIT 10 to부정사/동명사 목적어 해석하기 I

01 Employees often expect / **to receive raises and bonuses**, // but these factors are not just about money. <모의>

(S^1 Employees / M^1 often / V^1 expect / O^1 to receive raises and bonuses / S^2 these factors / V^2 are not / SC^2 just about money)

직원들은 종종 기대한다 / 임금 인상과 상여금을 받는 것을 // 그러나 이러한 요인들은 단지 돈에 대한 것만은 아니다

02 To improve your writing skills, / consider / **not sticking to the first draft**.

(M To improve your writing skills / V consider / O not sticking to the first draft)

너의 글쓰기 실력을 향상시키기 위해 / 고려해라 / 초안을 고수하지 않는 것을

to부정사나 동명사가 동사의 목적어인 경우 '**~하는[할/한] 것을**'이라고 해석한다. to부정사나 동명사 앞에 not이 있을 때는 '**~하지 않는 것을**'이라고 해석한다.

03 Famed author Jean Paul Sartre refused to accept the Nobel Prize for Literature based on his personal beliefs.

04 The politician admitted accepting gifts during his campaign but denied that his behavior was corrupt.

05 The stock prices of America's technology companies have stopped plummeting, even though other sectors of the economy are still struggling.

06 Instead of deploying armed police, the residents chose to play classical music to remove the offenders from the main street. <모의응용>

고난도

07 In 1977, NASA planned to launch two space probes called Voyager 1 and Voyager 2 and thought they might encounter extraterrestrial life.

*space probe: 우주 탐사선

TIP **to부정사를 목적어로 가지는 동사 vs. 동명사를 목적어로 가지는 동사**

목적어 자리에 to부정사가 오는지 동명사가 오는지는 동사에 의해 결정된다.

to부정사를 목적어로 가지는 동사				동명사를 목적어로 가지는 동사			
want	expect	would like	refuse	enjoy	suggest	keep	admit
need	decide	ask	fail	avoid	recommend	finish	give up
wish	plan	promise	arrange	mind	practice	quit	postpone
hope	choose	agree	afford	deny	consider	stop	put off

*stop은 목적어로 동명사만을 가지는 동사이며, 뒤에 to부정사가 나올 때는 목적을 나타내는 부사로 보고 '~하기 위해 멈추다'라고 해석한다.

해설집 p.18

to부정사/동명사 목적어 해석하기 II

같은 동사 뒤에 올 때 의미가 같은 to부정사/동명사 목적어 해석하기

01 We quickly begin / **to adapt[adapting] to certain experiences** / when we have them on successive occasions. <모의>

S M V M' O S' V' O' M

우리는 빠르게 시작한다 / 특정 경험들에 적응하는 것을 / 우리가 그것들을 연속적인 경우로 가지게 될 때

> like, love, hate, prefer, start, begin, continue 등의 동사는 to부정사와 동명사를 모두 목적어로 가지며, 둘 다 '**~하는 것을**'이라고 해석한다.

02 The farmers hate to see all their hard work go to waste due to bad weather.

03 Nowadays, many teenagers prefer surfing the Internet to reading books. <수능>

04 The forest fires that have destroyed the east coast all spring finally started to subside.

고난도

05 Surveys indicate that nearly 50 percent of Generation Z like doing freelance work more than having traditional corporate roles.

같은 동사 뒤에 올 때 의미가 다른 to부정사/동명사 목적어 해석하기

06 We regret / **to lose him**, // but the position [he found in another company] / is better than anything [we can offer]. <모의응용>

S¹ V¹ O¹ S² V² SC²

우리는 유감이다 / 그를 잃게 되어 // 그러나 [그가 다른 회사에서 찾은] 직책은 / [우리가 제의할 수 있는] 무엇보다도 더 좋다

07 Jeremy regretted / **being greedy** / and realized / that there were more important things / than being rich. <모의>

S V¹ O¹ V² O²

Jeremy는 후회했다 / 욕심을 부린 것을 / 그리고 깨달았다 / 더 중요한 것들이 있다는 것을 / 부유한 것보다

> 아래 동사는 to부정사나 동명사를 모두 목적어로 가지지만, 어느 것을 쓰는지에 따라 의미가 달라진다.

to부정사 목적어		동명사 목적어	
remember to-v	~할 것을 기억하다	remember v-ing	~한 것을 기억하다
forget to-v	~할 것을 잊다	forget v-ing	~한 것을 잊다
regret to-v	~하게 되어 유감이다	regret v-ing	~한 것을 후회하다
try to-v	~하려고 노력하다	try v-ing	(시험 삼아) ~해보다

08 Tour group participants should remember to wear comfortable clothing that is appropriate for the climate.

09 If you can't sleep well enough, try keeping all electronic devices out of your bedroom or taking a cup of tea before going to bed.

10 While many people think they are prepared for the approaching holidays, there is always something they forget to do.

11 Many baby boomers remember gathering around the television when broadcasts were entirely in black and white.

어법
12 The time capsule my grandparents had forgot [burying / to bury] was dug up and opened a few years later.

해설집 p.19

UNIT 12 명사절 목적어 해석하기

01 French law states / (that) employees must receive a minimum of five weeks of vacation annually. <모의>

(S: French law, V: states, O: (that) employees ... annually / S′: employees, V′: must receive, O′: a minimum of five weeks of vacation, M′: annually)

프랑스 법은 명시한다 / 직원들이 매년 최소 5주의 휴가를 받아야 한다는 것을

접속사, 의문사, (복합)관계대명사 등이 이끄는 명사절이 목적어인 경우 각각 아래와 같이 해석한다.

접속사	that	S′가 V′하다고, S′가 V′하다는 것을 *이때 that은 생략될 수 있다.
	if[whether]	S′가 V′하는지를
의문사	who/what/which	<의문사가 명사절 안에서 주어(S′)> 누가/무엇이/어느 것이 V′하는지를
		<의문사가 명사절 안에서 주격 보어(SC′)> S′가 누구인지를/무엇인지를/어느 것인지를
	who(m)/what/which	<의문사가 명사절 안에서 목적어(O′)> S′가 누구를/무엇을/어느 것을 V′하는지를
	where/when/why/how	S′가 어디서/언제/왜/어떻게 V′하는지를
관계대명사	what(= the thing which[that])	V′하는 것을
복합관계대명사	whoever/whatever/whichever	V′하는 누구든지/무엇이든지/어느 것이든지

*what/which/whose와 whatever/whichever는 각각 명사를 꾸며주는 의문형용사와 복합관계형용사로 쓰여 명사 앞에 올 수 있다.

02 The food we eat could improve how our bodies respond to anxiety.

03 One theory suggests that yawning is an attempt to cool the brain and stay more alert.

04 Until you can love who you are, it is difficult or impossible to love anyone else.

05 Several researchers have examined what differentiates the best musicians from lesser ones. <모의>

06 The members of the jury should unanimously decide if the defendant is guilty or innocent.

07 Having only been on a ship once before, he could not remember which side of the ship was called port.

*port: (선박의) 좌현

08 It is possible to see where a person or a vehicle is in real time with a GPS.

09 A DNA test was conducted to determine whether the remains of Christopher Columbus were buried in the Caribbean.

10 CCTV footage can be used to observe who entered and left an area within a period of time.

*footage: 장면

11 The psychologist found that young children can recognize when a person feels pride.

<모의응용>

12 Local historians are doing research in preparation for a documentary that will explore why the monument was initially constructed.

13 The building's security personnel have been instructed to stop whoever they don't recognize as employees and ask for their identification cards.

14 Most stores in large commercial districts accept cash and all major credit cards, so customers can select whichever payment method they prefer.

15 The growing popularity of meal kit delivery services proves that making healthy and delicious food at home doesn't have to be difficult.

고난도

16 Internships give students approaching graduation the chance to understand how the process of work takes place in practical business.

해설집 p.21

전치사의 목적어 해석하기

01 The development (of transportation) / was one of the most important factors in / **allowing modern tourism to develop on a large scale.** <모의>

S / V / SC / 전치사 / O´(전치사의 목적어)

(교통수단의) 발달은 / ~에 있어서 가장 중요한 요인들 중의 하나였다 / 현대 관광이 대규모로 발전하도록 한 것

전치사의 목적어로는 동명사, whether절, 의문사절 등이 올 수 있으며, 해석은 동사의 목적어인 경우와 동일하게 한다.

*to부정사, that절, if절은 전치사의 목적어로 쓰일 수 없으나, that이 이끄는 명사절은 in that(~라는 점에서), except that(~라는 점을 제외하고)과 같은 경우에는 전치사와 함께 쓰일 수 있다.

02 Many experts have discussed the theories on why zebras have stripes.

03 An injunction orders at least one of the parties in a civil trial to refrain from engaging in a certain act specified by the court.

*injunction: (법원의) 금지 명령

04 Scientific progress could not cure the world's ills by abolishing wars and starvation. <모의>

05 Researchers have published a study on whether intrinsic motivation is a key factor in language learning success.

06 We are not sure of how a lot of the Chichimec Indians who invaded central Mexico in the 12th and 13th centuries became hunters and gatherers.

07 There are no differing opinions on whether a fresh watermelon is supposed to sound "solid." <모의응용>

고난도

08 Instead of just assessing students by the grades they receive, their performance could be defined by how hard students study or how much they improve.

TIP

「전치사 to+동명사」 관용 표현

아래는 「전치사 to+동명사」 관용 표현으로, 전치사 to 뒤에는 동사원형이 아닌 동명사가 온다.

contribute to+v-ing ~하는 데 기여하다
be devoted to+v-ing ~하는 데 헌신하다
be committed to+v-ing ~하는 데 전념하다
adjust to+v-ing ~하는 데 적응하다
be close to+v-ing ~에 가깝다
be accustomed to+v-ing ~하는 데 익숙하다
object to+v-ing ~하는 데 반대하다
admit to+v-ing ~한 것을 인정하다
confess to+v-ing ~한 것을 고백하다

해설집 p.23

가목적어 it 해석하기

01 Some cyclists (with small hands) find **it** frustrating / **that they cannot squeeze the brakes easily.** <모의응용>

S V O(가목적어) OC / S′ V′ O′ M′ O(진목적어)

(작은 손을 가진) 몇몇 자전거를 타는 사람들은 불만스럽게 생각한다 / 그들이 브레이크를 쉽게 쥘 수 없다는 것을

가목적어 it은 목적어로 쓰인 to부정사구나 that절 대신 쓰이며, 이때 진목적어인 to부정사구나 that절을 문장 뒤로 보낸다. 가목적어 it은 의미를 가지지 않으므로 따로 해석하지 않고, 진목적어가 원래 목적어 자리에 있던 것처럼 문장을 해석한다.

02 Warriors from the Aztec civilization considered it an honor to be chosen as a human sacrifice to their gods.

03 Some climate scientists think it unrealistic that society will be able to survive the impending ecological consequences of global warming indefinitely.

04 The high cost makes it unlikely that the government will approve of plans to replace existing power plants.

05 Many doctors consider it inappropriate that pharmaceutical companies offer gifts or monetary rewards for prescribing their medications.

06 In the past, the high price of solar panels made it impractical to produce energy using the Sun's rays, but technological advances have made it much more cost efficient.

07 Despite a majority of the country adhering to some sort of faith, many people in the country think it impolite to discuss religion with others in public.

해설집 p.25

위치가 변하는 목적어 해석하기

문장 맨 앞에 오는 목적어 해석하기

01 **Such extreme flooding** / residents had never experienced, // and it was all due to rising sea levels.
(O¹ / S¹ / V¹ / S² V² SC²)

그러한 심각한 홍수를 / 주민들은 경험해 본 적이 없었다 // 그리고 그것은 모두 상승하는 해수면 때문이었다
(= Residents had never experienced **such extreme flooding**, and it was all due to rising sea levels.)

> 목적어가 강조를 위해 문장 맨 앞에 올 때 「목적어+주어+동사」의 어순이 된다. 이때, 목적어에 부정어(구)가 있지 않는 한 일반적으로 주어와 동사는 도치되지 않는다.

02 The Middle Ages we have studied in history class already. Next, our class will be covering the Renaissance.

고난도
03 A compromise Britain proposed instead of war, and the United States accepted it initially, agreeing to split Oregon at the 49th parallel.

목적격 보어나 수식어 뒤에 오는 목적어 해석하기

04 The rapid pace (of technological advancement) / makes *obsolete* / **electronic devices (purchased in the not-so-distant past)**.
(S / V / OC / O)

(기술적인 발전의) 빠른 속도는 / 구식으로 만든다 / (그리 멀지 않은 과거에 구입된) 전자 기기들을
(= The rapid pace of technological advancement makes **electronic devices purchased in the not-so-distant past** *obsolete*.)

> 목적어가 뒤에 오는 목적격 보어나 수식어보다 더 길거나 중요할 때, 자리가 바뀌어 「주어+동사+목적격 보어+목적어」 또는 「주어+동사+수식어+목적어」의 어순이 될 수 있다.

05 Chopin composed, even before he knew how to write down his ideas, brilliant music.

06 An unexpected comment given by a guest on tonight's talk show left speechless the members of the panel.

고난도
07 The farmers cultivate for the purposes of winemaking grapes that are native to Georgia in the Caucasus Mountains.

해설집 p.26

Chapter Test

[01-08] 다음 문장을 해석하시오.

01 Problems with the engine rendered immobile the secondhand vehicle she had just purchased.

02 Executives forgot to announce the new policy during the last meeting, so they sent a memo written about it to everyone.

03 Many employees are now used to working from home and communicating with colleagues via video calls.

04 A few grammatical mistakes the editor found in the article, and they were corrected right before the publication.

05 By creating a budget which includes your income and regular expenses, you can determine what amount you can save each month.

06 People displaying intellectual humility make it clear that they value what others bring up in conversation. <모의>

*humility: 겸손

07 The company performs a series of interviews in order to find out whether the candidates are fit for the position.

고난도
08 Studies show that mothers who do not eat enough during pregnancy sometimes produce children who fail to reach their full cognitive potential.

해설집 p.27

CHAPTER 03

보어

보어는 주어나 목적어를 보충 설명해주는 말이다. 보어는 주어나 목적어만으로는 의미가 완전하지 않은 문장을 완전하게 만들어주므로, 보어를 파악하면 문장 내용을 쉽게 확인할 수 있다. 또한, 보어는 문장에서 그것의 길이나 중요도에 따라 위치가 변할 수 있으므로 다른 문장 성분과 혼동하지 않기 위해 구조를 정확하게 파악해야 한다.

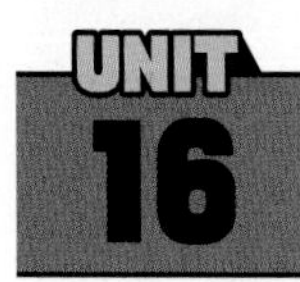

다양한 주격 보어 해석하기

01 What people need to do / is **to accept things [that are beyond their control].** <모의응용>

S V SC

사람들이 해야 하는 것은 / [그들의 통제 밖에 있는] 것들을 받아들이는 것이다

02 The result (of decreased international corporate cooperation) is / **(that) companies worldwide have learned to deal with their own financial hazards.** <모의응용>

S V SC (O' S' V')

(줄어든 국제적 기업 협력의) 결과는 ~이다 / 전 세계의 기업들이 그들 자신의 재정적인 위험을 다루는 것을 배웠다는 것

주격 보어는 주어가 무엇을 나타내는지, 또는 주어의 상태나 동작을 보충 설명해준다. 명사나 형용사뿐 아니라 to부정사, 동명사, 「전치사+명사」, 분사가 이끄는 구나 명사절이 주격 보어로 쓰인다. 이때 주격 보어로 쓰인 that절에서 접속사 that은 생략될 수 있다.

03 The most basic ethical principle is treating others the way you would like to be treated.

04 The building was massive like a megastructure that could be seen in a kingdom.

*megastructure: 거대 고층 건물

05 The measure of the HR department was to let the coworkers handle the conflicts that arose between them by themselves.

06 Dolphin populations are at risk owing to commercial fishing practices, and therefore the industry needs regulations.

07 The sound the first phonographs produced was so distorted that the invention couldn't attract much interest from many investors.

*phonograph: 축음기

08 The main problem is that political parties are focusing on earning voter trust rather than considering proper policies.

09 Emotional displays of frustration are what give many employees a reputation for being difficult to work with.

10 The primary question facing the marketing industry today is how they can discourage the viewers from skipping their ads. <모의응용>

11 The convention turned out rewarding for the small start-ups, for they could establish relationships with distributors.

12 An important decision for the publishing company is who will be delivering today's lecture about the newly released book.

13 The speech Martin Luther King Jr. gave at the march in Washington was the most memorable one in American history.

14 The politician's concern is that he is in danger of losing his next election due to the poor economic situation.

15 The topic of the discussion was where the monument for marking the historic event should be located.

16 One of the most significant indicators of intelligence in animals is the ability to recognize and identify themselves.

고난도
17 The purpose of the mathematical models explored recently was to confirm that black holes behave according to relativistic predictions.

고난도
18 The primary thing discussed over the centuries is when personhood begins, and it impacts the rights assigned to unborn children.

*personhood: 인간성

TIP **원형부정사 주격 보어**

주어를 꾸며주는 관계대명사절 안에 do가 있을 때, to부정사 주격 보어의 to를 생략하고 원형부정사를 쓰기도 한다.

All that visitors need to *do* is (**to**) **bring** the invitation. 방문객들이 해야 하는 전부는 초대장을 가져오는 것이다.

해설집 p.30

명사/형용사 목적격 보어 해석하기

01 Marcellus considered / Archimedes **a valuable scientific asset**, // so he ordered that Archimedes should not be harmed. <모의응용>

(S¹ Marcellus / V¹ considered / O¹ Archimedes / OC¹ a valuable scientific asset / S² he / V² ordered / O² that Archimedes should not be harmed)

마르켈루스는 생각했다 / 아르키메데스가 귀중한 과학적인 자산이라고 // 그래서 그는 아르키메데스가 해를 입으면 안 된다고 명령했다

02 Listening to the bright warm sounds made / her day **more pleasant**. <모의>

(S Listening to the bright warm sounds / V made / O her day / OC more pleasant)

밝고 따뜻한 소리를 듣는 것은 만들었다 / 그녀의 하루를 더 즐겁게

명사나 형용사를 목적격 보어로 가지는 동사는 아래와 같이 해석한다.

make, get, turn, drive	O를 OC로[하게] 만들다
keep, leave	O를 OC한 상태로 두다
think, believe, consider, find	O가 OC라고[하다고] 생각하다
call/name	O를 OC라고 부르다/이름 짓다
elect/appoint	O를 OC로 뽑다/임명하다

03 His classmates' contributing little to the group project made Derek upset.

04 Dark clouds after reports of severe weather kept people in the region anxious.

05 The public thought the city plan a mistake because of the tremendous costs incurred by the policy and its limited benefits.

06 Increased pollution turned many rivers yellowish, and that was vastly different than their original blue.

07 On account of its inflated budget and low returns, analysts called this film "the largest commercial failure in history."

08 In a break with royal tradition, Napoleon appointed himself "Emperor of the French" in an elaborate ceremony at Notre Dame Cathedral.

고난도

09 The workouts prescribed by the trainer left her clients extremely sore, but those who stuck with them saw massive improvements.

해설집 p.33

to부정사/원형부정사 목적격 보어 해석하기

to부정사 목적격 보어 해석하기

01 Good parents allow / their children **to talk about their fears and sadness.** <모의응용>

S: Good parents / V: allow / O: their children / OC: to talk about their fears and sadness

좋은 부모는 허락한다 / 그들의 아이들이 그들의 두려움과 슬픔에 대해 말하도록

to부정사를 목적격 보어로 가지는 동사는 주로 목적어에게 해당 행동을 하기를 유도/요청하거나 강제하는 의미를 나타내는 경우가 많으며, **'O가 OC하기를/하도록/하라고 V하다'**라고 해석한다.

02 Patriotism persuades citizens to be loyal to a common cause for their country.

03 For the first time in history, the composer Richard Wagner asked theaters to darken the auditorium during performances of his operas.

04 Hypnosis enabled patients to overcome a number of clinical conditions, but its mechanisms are being debated continuously.

원형부정사 목적격 보어 해석하기

05 To unwind, / she would watch / dolphins **play in the ocean.** <모의응용>

M: To unwind / S: she / V: would watch / O: dolphins / OC: play in the ocean

긴장을 풀기 위해 / 그녀는 보곤 했다 / 돌고래들이 바다에서 노는 것을

원형부정사를 목적격 보어로 가지는 동사는 아래와 같이 해석한다.

see[watch]/hear/feel 등(지각동사)	O가 OC하는 것을 보다/듣다/느끼다 등
have/make/let(사역동사)	O가 OC하도록 시키다/만들다/허락하다
help	O가 OC하는 것을 돕다 *help의 경우, 원형부정사나 to부정사를 모두 목적격 보어로 가진다.

06 Rather than providing health care directly, the new health insurance law had every adult buy medical insurance.

07 Manufacturers made their clothing have specific colors with chemicals that replaced the natural dyes used previously.

고난도
08 Modern political debate helps viewers understand the positions of each candidate and distinguish those positions from one another.

해설집 p.34

현재분사/과거분사 목적격 보어 해석하기

01 Because of my heart racing so fast, / I couldn't hear / myself **talking**. <모의>
M / S V / O / OC
내 심장이 너무 빠르게 뛰는 것 때문에 / 나는 들을 수 없었다 / 내 자신이 말하는 것을

02 Looking through the camera lens made / the photographer **detached from the scene**.
S V / O / OC <수능응용>
카메라 렌즈를 통해 보는 것은 만들었다 / 사진사가 그 장면으로부터 분리되게

목적격 보어로 현재분사가 올 때는 목적어가 행위의 주체임을 나타내고 **'O가 OC하고 있는 것을/(계속) OC하게/OC하고 있는 채로 V하다'**라고 해석하며, 이때 현재분사 목적격 보어는 to부정사나 원형부정사 목적격 보어에 비해 동작이 진행 중임이 강조된다. 목적격 보어로 과거분사가 올 때는 목적어가 행위의 대상임을 나타내고 **'O가 OC된 것을/OC되게/OC된 채로 V하다'**라고 해석한다.
*사역동사 let은 목적어가 행위의 대상일 때 목적격 보어로 「be+p.p.」가 온다.

03 The water level rose continuously until the residents saw the town flooded.

04 The CEO found himself seeking new creditors to cover the soaring expenses.

*creditor: 채권자

05 Ambush predators remain concealed until they catch their prey walking by.

*ambush predator: 매복 포식자

06 The district attorney had the entrepreneur prosecuted for bribery and promised to root out corruption in the city.

07 We saw no one heading for the exits after the fire alarm, so we thought it must have been a false alarm.

08 Many American stores let a lot of items be sold at significant discounts the day after Thanksgiving.

고난도
09 The wildfires got numbers of trees burned to the ground, and it forced government agencies to plant more trees in the area.

어법
10 Before the standardization of language, travelers on a long journey heard different dialects [speaking / spoken] in different villages.

해설집 p.35

UNIT 20 위치가 변하는 보어 해석하기

문장 맨 앞에 오는 보어 해석하기

01 **Terrified**(SC) were(V) the visitors [who entered the haunted house](S).

[귀신의 집에 들어간] 방문객들은 겁에 질렸다.

(= The visitors who entered the haunted house were **terrified**.)

> 보어가 강조를 위해 문장 맨 앞에 올 때, 주어와 동사가 도치되어 「보어+동사+주어」의 어순이 되며, 해석은 「주어+동사+보어」 또는 「보어+주어+동사」 순으로 한다.
> *주어가 대명사일 경우 주어와 동사가 도치되지 않는다.

02 A quiet neighbor he was, and he always sat patiently with his eyes on a book.

03 Similarly time-consuming are the minute works required in the completion of every project, just like other main tasks.

고난도
04 Compelling are characters in a vivid novel, but the film versions are often more well-identified, on account of human reliance on visual memory.

수식어 뒤에 오는 보어 해석하기

05 The power (of nuclear fission)(S) makes(V) the natural destruction(O), / *despite how fascinating its ability (to generate energy) is*(M), / **more severe**(OC).

(핵분열의) 힘은 자연 파괴를 만든다 / (에너지를 생성하는) 그것의 능력이 얼마나 훌륭한지에도 불구하고 / 더 심하게

(= The power of nuclear fission makes the natural destruction **more severe**, *despite how fascinating its ability to generate energy is.*)

> 보어가 뒤에 오는 수식어보다 더 길거나 중요할 때, 보어와 수식어가 도치되어 「주어+동사+수식어+주격 보어」 또는 「주어+동사+목적어+수식어+목적격 보어」의 어순이 될 수 있다.

06 Primates' innate intelligence and problem-solving abilities are, according to the research, higher than those of other mammals.

07 The size of prey species' herds makes group members, through a strategy called the "dilution effect," avoid an incoming attack.

*dilution effect: 희석 효과

고난도
08 Language lessons that emphasize speaking out loud are, for auditory learners, a welcome recess from pen-and-paper learning.

해설집 p.37

Chapter Test

[01-10] 다음 문장을 해석하시오.

01 Countless species are in trouble due to deforestation and pollution in water sources.

02 Shocked was the traveler whose bag containing a considerable amount of cash was stolen.

03 The shortage of computer chips occurring as a result of the limited supply of materials keeps the prices of computer parts high worldwide.

04 The general ordered his soldiers to march through the totally isolated wildness as a part of their routine survival training.

05 Some animals like cows become restless when they see storm clouds rolling over the horizon.

06 The dreams that people experience are, despite their evoking strong emotions, a phenomenon disconnected from conscious thought.

07 The heat in Death Valley has been already record-setting, but climatologists warn us to beware of its further increment.

08 Thanks to rapid advancements in both engineering and manufacturing, robotics is now helping disabled individuals move even more nimbly.

고난도
09 The greatest question facing physicists is whether the theory of relativity and quantum mechanics can be reconciled with one another.

*quantum mechanics: 양자 역학

고난도
10 Our ability to cultivate stem cells and combine them with synthetic materials lets organs be created in labs rather than transplanted from donors.

해설집 p.38

CHAPTER 04

헷갈리는 문장 성분

서로 다른 문장 성분이 문장 안에서 같은 자리에 같은 형태로 나타나 구분하기 어려울 때, 각 성분이 문장에서 어떤 역할을 하는지를 파악할 수 있다면 문장 구조를 혼동하지 않고 올바른 해석을 할 수 있다.

주격 보어와 수식어 구분해서 해석하기

01 The computers / are **for everybody's use**, // so please handle them gently. <모의>

S¹ / V¹ / SC¹ / M² / V² / O² / M²

그 컴퓨터들은 / 모두의 사용을 위한 것입니다 // 그러므로 그것들을 조심스럽게 다뤄주세요

02 Whales swim **in groups** for survival, // and people call the group "a pod."

S¹ / V¹ / M¹ / M¹ / S² / V² / O² / OC²

고래들은 생존을 위해 무리로 수영한다 // 그리고 사람들은 그 무리를 "작은 떼"라고 부른다

동사 뒤의 「전치사+명사(구)」, to부정사, 절은 주격 보어 또는 수식어로 쓰인다. 주격 보어로 쓰일 때는 주어의 성질이나 상태를 보충 설명하고, 수식어로 쓰일 때는 다른 문장 성분을 꾸며준다.

03 This documentary is about countries that are richly endowed with a particular resource like oil.

*endow: 부여하다

04 The insects attracted by the aroma flew into the flower to feed on pollen. <수능응용>

05 The main goal of the Peace Corps is to promote friendly relations between America and other countries.

*Peace Corps: (미국의) 평화 봉사단

06 Companies work to attract as many customers as possible with a number of strategies.

07 A medical researcher's job is to study health-related issues and medical procedures.

08 Throughout history, a lot of artists have created to glorify the gods they believe in.

고난도
09 Politically, the difference between the Roman Empire and the Roman Republic is that the latter had democratic features.

고난도
10 Neil Armstrong and Buzz Aldrin's mission succeeded when they landed on the Moon's surface in July of 1969.

해설집 p.41

UNIT 22 주격 보어와 목적어 구분해서 해석하기

01 Every achievement [one person makes] / is **a breakthrough** (for all). <수능>

S = SC, V

[한 사람이 만드는] 모든 성취는 / (모두를 위한) 발전이다

02 The company had **a breakthrough** / with a super-accurate thermometer (created in its labs). <모의>

S ≠ O, V, M

그 회사는 돌파구를 찾았다 / (그것의 연구실에서 만들어진) 아주 정밀한 온도계로

동사 뒤의 명사, to부정사, 동명사, 명사절은 주격 보어 또는 목적어로 쓰인다. 주격 보어로 쓰일 때는 주어의 성질이나 상태를 보충 설명하므로 앞에 나온 주어와 같은 대상이고, 목적어로 쓰일 때는 동사가 나타내는 행위의 대상을 나타내므로 앞에 나온 주어와 다른 대상이다.

03 A vital factor in maintaining a healthy weight is eating a balanced diet.

04 The education of young Aztec boys included learning to use a weapon known as the javelin.

*javelin: 창, 투창

05 All failures are opportunities to learn from our mistakes and make improvements.

06 Archaeologists discovered the skeletons of nearly 400 dinosaurs in Canada in the 1800s.

07 The biggest challenge for engineers was to ventilate the structure properly.

08 Patients wish to know better about their illness, and they try to look for various treatment options available. <모의응용>

고난도
09 A frequently debated issue is whether it would be ethical to choose certain traits of the offspring by manipulating genes.

고난도
10 The company is deciding whether they will accept the competitor's offer or propose an alternative.

해설집 p.42

목적어와 목적격 보어 구분해서 해석하기

01 John gave / Anna **an apologetic look**, // and she responded / with a friendly pat (on his shoulder). <수능>

S1 V1 IO1 ≠ DO1 S2 V2 M2

John은 보냈다 / Anna에게 미안해하는 눈빛을 // 그리고 그녀는 응답했다 / (그의 어깨에) 다정한 토닥거림으로

02 One way (to get to know our neighbors) / is to invent a reason (to talk to them), // and I call / this method **the "cup-of-sugar" technique**. <수능응용>

S1 V1 SC1 S2 V2 O2 = OC2

(우리의 이웃들을 알게 되는) 한 가지 방법은 / (그들에게 말을 걸) 이유를 고안해내는 것이다 // 그리고 나는 부른다 / 이 방법을 "설탕 한 컵" 기법이라고

목적어 뒤의 명사는 직접 목적어 또는 목적격 보어로 쓰인다. 직접 목적어로 쓰일 때는 앞에 나온 간접 목적어와 다른 대상이고, 목적격 보어로 쓰일 때는 앞에 나온 목적어와 같은 대상이다.

03 What you do in the 15 minutes after your meal sends your metabolism a powerful signal. <수능응용>

04 Her never-failing kindness and sense of justice made her a leader in every social group. <수능>

05 The native Jamaicans provided the navigator and his crew food and other supplies while they were stranded there.

06 People believed Mozart a prodigy because he completed ten symphonies by the time he was 12.

07 When Queen Maria II of Portugal died in 1853, she left her eldest son the throne.

08 Social psychologists call self-interested interactions expressions of "exchange theory," while philosophers call them "utilitarianism." <모의응용>

*utilitarianism: 공리주의

09 American inventor and marketer Ron Popeil sold customers over seven million units of a BBQ oven through his infomercials.

*infomercial: (해설적) 정보 광고

10 In a commercial society, people may consider things that can be brought by wealth status symbols. <수능응용>

11 All the hardships that the businessman went through eventually taught him priceless lessons.

12 UNESCO designated the Changdeokgung Palace Complex in Seoul a World Heritage Site in 1997, and in Korea, it was the fourth site which received that honor.

13 With the Homestead Act of 1862, the government promised families land in exchange for settling in the Western United States.

*Homestead Act: 자영 농지법

14 A lot of large corporations appointed environmental experts vice presidents for sustainability, since they wanted to make the companies more efficient by reducing waste. <모의응용>

고난도
15 Guy Mayraz, a behavioral economist, asked people to predict where the wheat price would move next, and offered them a reward if their forecasts became true. <모의응용>

고난도
16 When a new political party took power in India, it renamed Bombay Mumbai to rid the city of the legacy of British colonialism.

해설집 p.44

UNIT 24 목적격 보어와 수식어 구분해서 해석하기

「전치사+명사(구)」 목적격 보어와 수식어 구분해서 해석하기

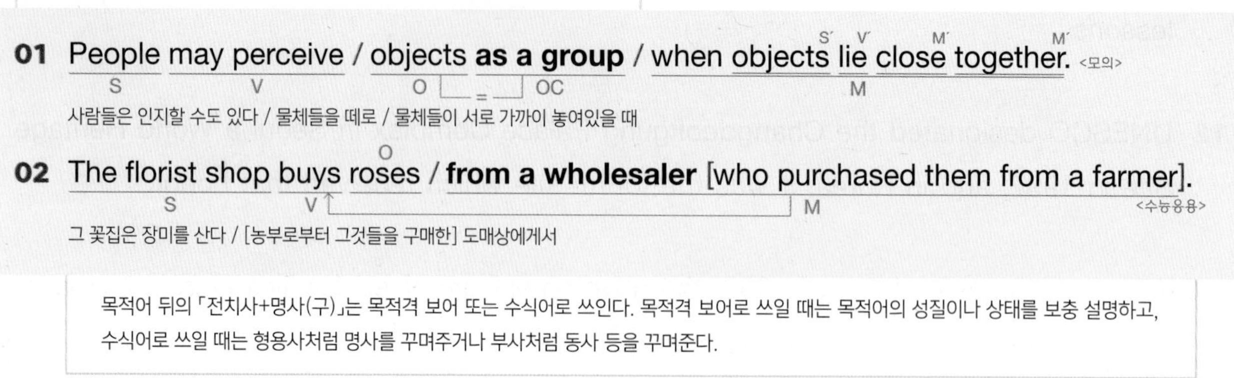

01 People may perceive / objects **as a group** / when objects lie close together. <모의>

S V O = OC M (S′ V′ M′ M′)

사람들은 인지할 수도 있다 / 물체들을 떼로 / 물체들이 서로 가까이 놓여있을 때

02 The florist shop buys roses / **from a wholesaler** [who purchased them from a farmer]. <수능응용>

S V O M

그 꽃집은 장미를 산다 / [농부로부터 그것들을 구매한] 도매상에게서

목적어 뒤의 「전치사+명사(구)」는 목적격 보어 또는 수식어로 쓰인다. 목적격 보어로 쓰일 때는 목적어의 성질이나 상태를 보충 설명하고, 수식어로 쓰일 때는 형용사처럼 명사를 꾸며주거나 부사처럼 동사 등을 꾸며준다.

03 Green appears often in nature, so we associate the color with feelings of tranquility and purity.

04 Many species of butterflies face threats from human activities, and one day, these will lead to the species' extinction.

05 Centuries ago, philosophers regarded memory as a soft wax tablet that would preserve anything imprinted on it. <모의>

06 The contemporaries of American poet Marianne Moore admired her for her discipline that even followed a syllabic count strictly.

to부정사 목적격 보어와 수식어 구분해서 해석하기

07 Praise may encourage / children **to do** an activity / only while an adult is watching. <수능응용>

S V O OC M (S′ V′)

칭찬은 장려할 수도 있다 / 아이들이 활동을 하도록 / 어른이 보고 있는 동안에만

08 Patience means / the ability (**to continue** doing something even if you do not see any results immediately). <모의응용>

S V O M

인내는 의미한다 / (비록 당신이 즉각적으로 어느 결과를 보지 못할지라도 무언가를 하는 것을 계속할) 능력을

목적어 뒤의 to부정사는 목적격 보어 또는 수식어로 쓰인다. 목적격 보어로 쓰일 때는 목적어의 성질이나 상태를 보충 설명하며 '**O가 OC 하기를/하도록/하라고**'라고 해석하고, 수식어로 쓰일 때는 형용사처럼 명사를 꾸며주거나 부사처럼 동사 등을 꾸며주며 '**~할, ~하기 위해**'라고 해석한다.

09 The bright colors of male birds allow them to compete with other males during mating season.

10 Executives from both companies discussed various issues to merge the companies, hoping to widen their territory in the market.

11 Studying the brightest star called Sirius enabled ancient Egyptian priests to predict the annual flooding of the Nile River.

고난도
12 Whether they want to stop an unwanted behavior or simply manage their mental health, people who attend therapy have a desire to change in some way.

분사 목적격 보어와 수식어 구분해서 해석하기

13 One good break can keep / the workers **dedicating** themselves to their job.
S V O OC
한 번의 좋은 휴식은 계속하게 할 수 있다 / 직원들이 그들의 일에 전념하는 것을

14 The first settlers were either soldiers or aristocrats (**looking** for adventure or wealth). <모의>
S V O M
첫 정착민들은 (모험이나 부를 찾는) 군인들이나 귀족들 둘 중 하나였다.

목적어 뒤의 분사는 목적격 보어 또는 수식어로 쓰인다. 목적격 보어로 쓰일 때는 목적어의 상태나 동작을 보충 설명해주고, 수식어로 쓰일 때는 형용사처럼 명사를 꾸며주며, 이때 보통 구를 이루어 쓰인다.

15 Neurons in the brain help us to determine the source, when we notice a sound coming from a certain location.

16 In the financial industry, we can meet many interns or potential employees majoring in economics.

17 Flying into the spider web left the birds' feathers covered with sticky threads. <모의>

고난도
18 Repeatedly recounting shared incidents strengthens the cohesion based on key group values held by the members. <수능응용>

해설집 p.46

Chapter Test

[01-10] 다음 문장을 해석하시오.

01 The future of the Amazon rainforest is in doubt due to deforestation, drought, fires, and climate change.

02 The process of aging begins in adolescence, yet most of us will not suffer any significant cognitive loss for decades. <모의응용>

03 In a play, the climax is the moment at which all the preceding plot developments reach a peak.

04 We have expanded our range of vision through infrared technology and now can interpret information that was previously inaccessible.

05 Technological developments often force uncomfortable changes, so some think of them as a threat. <모의응용>

06 We can renew our energy by changing the focus of a task when we are completely out of energy. <모의응용>

07 Ray Tomlinson, who was an American computer programmer, sent himself the world's first e-mail after implementing the first e-mail program.

08 Colombians elected Alvaro Uribe president in 2001 as he promised to end the violence of guerilla groups and bring security back.

고난도
09 A great many of the chemicals plants produce can compel other creatures to leave the plants: deadly poisons, foul odors, and toxins. <모의>

고난도
10 Blogs give the ability to express readers' opinions, which satisfies both the blogger and the reader. <모의>

해설집 p.49

CHAPTER 05

시제와 조동사

시제는 동사가 나타내는 행위가 발생한 시간을 표현하며, 조동사는 동사 앞에 쓰여 여러 가지 의미를 더한다. 각 시제에 맞는 동사의 형태와 의미를 배우고, 조동사가 각 문장에서 나타내는 의미를 학습하면 문장을 정확하게 해석할 수 있다.

UNIT 25 단순시제 해석하기

현재시제 해석하기

01 Adventure-seeking tourists **walk** / across this narrow, swinging bridge. <모의응용>

모험을 추구하는 관광객들은 걷는다 / 이 좁고 흔들리는 다리를 건너서

현재시제는 주로 현재의 사실이나 상태, 현재의 습관이나 반복되는 일, 일반적·과학적 사실을 나타내며, '**~한다**'라고 해석한다. 현재시제는 이미 확정된 미래의 일을 나타낼 때도 쓰이는데, 이때 '**~할 것이다**'라고 해석한다.

02 The train for London leaves at 2 P.M., and it takes almost three hours to get there. <수능응용>

고난도
03 A nerve called the chorda tympani runs through the middle ear to the brain, where it delivers messages about what the tongue just tasted. <모의>

*chorda tympani: 고삭 신경

과거시제 해석하기

04 Several years ago, / I **judged** people only by their appearance / and **missed** the chance (to make a good friend). <수능응용>

몇 년 전에 / 나는 사람들을 그들의 겉모습으로만 판단했다 / 그리고 (좋은 친구를 사귈) 기회를 놓쳤다

과거시제는 과거의 동작이나 상태, 역사적 사실을 나타내며, '**~했다**'라고 해석한다.

05 In the late Joseon Dynasty, people making maps attempted to define the borders of the country precisely.

미래시제 해석하기

06 Building a meaningful and successful East-West relationship / **will be** possible / only with a proper understanding (of each other). <수능응용>

의미 있고 성공적인 동서양 관계를 구축하는 것은 / 가능할 것이다 / 오직 (서로에 대한) 올바른 이해가 있을 때

미래시제는 앞으로 일어날 일이나 주어의 의지, 말하는 시점에 결정할 일을 나타내며, '**~할 것이다**'라고 해석한다.

*시간/조건을 나타내는 부사절(when, before/after, until[till], if, unless절 등) 안에서는 미래시제 대신 현재시제가 쓰인다. 단, when, if 등이 이끄는 절이 명사절인 경우에는 그대로 미래시제를 쓴다.

고난도
07 The tech company will complete the acquisition of the small start-up when it raises enough capital by selling large quantities of stock to investors.

해설집 p.51

UNIT 26 진행시제 해석하기

현재진행시제 해석하기

01 The populations (of many species) **are declining** rapidly / because of disappearing food sources. <모의응용>

(많은 종들의) 개체수가 빠르게 감소하고 있다 / 사라지고 있는 식량 자원 때문에

현재진행시제는 「am/are/is+v-ing」의 형태로 지금 진행되고 있는 동작을 나타내며, '**~하고 있다**'라고 해석한다. 현재진행시제는 예정된 가까운 미래의 일을 나타낼 때도 쓰이는데, 이때 '**~할 것이다**'라고 해석한다.

02 The employees are holding a strike over management's cuts to their pensions.

03 All of the major party candidates who decided to run for mayor are sending out advertisements for their candidacy on TV from tomorrow.

*candidacy: 출마

과거진행시제 해석하기

04 While Joan **was looking for** a tablecloth, / Kate **was wandering** around the room, / looking at the pictures (on the walls). <수능>

Joan이 식탁보를 찾고 있었던 동안 / Kate는 방을 어슬렁거리고 있었다 / (벽에 걸린) 그림들을 보면서

과거진행시제는 「was/were+v-ing」의 형태로 과거의 특정 시점에 진행되고 있던 동작을 나타내며, '**~하고 있었다**'라고 해석한다.

05 When the domestic economy reached new heights, the stock prices were also recovering gradually.

고난도

06 At the same time Isaac Newton was inventing calculus, another mathematician was independently developing the same concept.

*calculus: 미적분학

미래진행시제 해석하기

07 Fremont Art College **will be hosting** / its 11th Annual Art Exhibition / next week. <수능>

Fremont 예술 대학은 개최하고 있을 것이다 / 그것의 11번째 연례 미술 전시회를 / 다음 주에

미래진행시제는 「will be+v-ing」의 형태로 미래의 특정 시점에 진행될 동작을 나타내며, '**~하고 있을 것이다**'라고 해석한다.

08 A newspaper will be publishing articles detailing the latest leak of financial documents.

해설집 p.52

UNIT 27 완료시제 해석하기

현재완료시제 해석하기

01 Treasure hunters **have accumulated** / valuable historical artifacts [that can reveal much about the past]. <수능>

보물 사냥꾼들은 축적했다 / [과거에 대해 많은 것을 밝힐 수 있는] 귀중한 역사적 유물들을

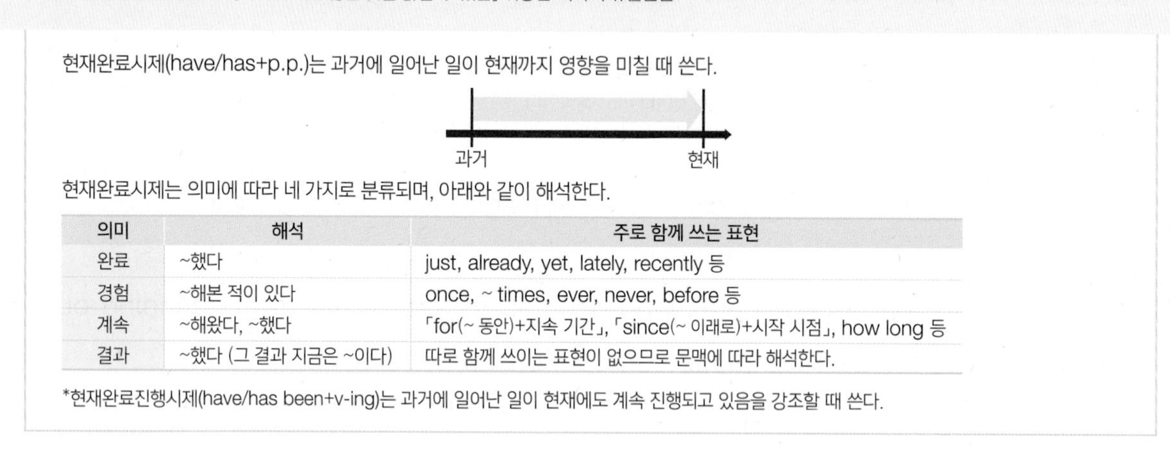

현재완료시제(have/has+p.p.)는 과거에 일어난 일이 현재까지 영향을 미칠 때 쓴다.

현재완료시제는 의미에 따라 네 가지로 분류되며, 아래와 같이 해석한다.

의미	해석	주로 함께 쓰는 표현
완료	~했다	just, already, yet, lately, recently 등
경험	~해본 적이 있다	once, ~ times, ever, never, before 등
계속	~해왔다, ~했다	「for(~ 동안)+지속 기간」, 「since(~ 이래로)+시작 시점」, how long 등
결과	~했다 (그 결과 지금은 ~이다)	따로 함께 쓰이는 표현이 없으므로 문맥에 따라 해석한다.

*현재완료진행시제(have/has been+v-ing)는 과거에 일어난 일이 현재에도 계속 진행되고 있음을 강조할 때 쓴다.

02 The company has just decided that it will lower the retail price of the product.

03 Have you ever spoken to someone at length and realized that person hasn't heard a single thing? <모의>

04 Many diplomats from different countries have remained in the conference room for more than six hours, trying to reach an agreement.

*diplomat: 외교관

05 Scientists have recently presented the first-ever photograph of a black hole, which finally confirmed the theories about its behavior.

06 Since 1798, the world's population has grown by eight times, but farms haven't increased production accordingly.

07 Over the course of their evolution, ostriches began to gain weight, and they have lost the ability to fly while adapting to land life.

고난도

08 For decades, critics have been predicting the death of classical music, suggesting that the classical music audience has grown old with no younger generation to take its place. <모의>

과거완료시제 해석하기

09 I **had** never **seen** this book before / until somebody left it on my desk. <모의응용>

나는 전에 그 책을 한 번도 본 적이 없었다 / 누군가가 그것을 내 책상 위에 놔두고 가기 전까지

과거완료시제(had+p.p.)는 과거의 특정 시점 이전에 일어났던 일이 그 시점까지 영향을 미칠 때 쓴다.

의미	해석	의미	해석
완료	~했었다	계속	~해왔었다, ~했었다
경험	~해본 적이 있었다	결과	~했었다 (그 결과 과거의 특정 시점에는 …였다)

*과거완료진행시제(had been+v-ing)는 과거의 특정 시점 이전에 일어났던 일이 그 시점에도 계속 진행되고 있었음을 나타낼 때 쓴다.

10 Hurricane Gilbert in 1988 had been the hurricane with the highest pressure until Hurricane Wilma took the record in 2005.

고난도
11 People had used blockchain technology for more than a decade to record the date and time of documents before it was applied to cryptocurrency.

*cryptocurrency: 암호화폐, 가상화폐

미래완료시제 해석하기

12 By the time the penguins are ready to return to the ocean, / their natural oil [that keeps them waterproof] **will have come** back. <모의>

펭귄들이 바다로 돌아갈 준비가 되었을 무렵에는 / [그들을 방수인 채로 유지하는] 그들의 자연 기름은 되돌아왔을 것이다

미래완료시제(will have+p.p.)는 미래의 특정 시점까지 완료되거나 계속될 일을 나타낼 때 쓰며, 「by+미래 시점」, if 등과 주로 함께 쓴다.

의미	해석	의미	해석
완료	~했을 것이다	계속	~해왔을 것이다
경험	~해봤을 것이다	결과	~했을 것이다 (그 결과 미래의 특정 시점에는 …일 것이다)

*미래완료진행시제(will have been+v-ing)는 미래의 특정 시점에도 계속 진행될 일을 나타낼 때 쓴다.

13 By the end of this month, the new space telescope will have taken thousands of images of distant celestial bodies.

*celestial body: 천체

고난도
14 If the current study replicates the previous findings once more, then it will have provided definitive evidence that the preceding results were not a coincidence.

해설집 p.53

UNIT 28 to부정사와 동명사의 완료형 해석하기

01 *Beowulf* is believed / **to have existed** since between 700 and 1000 A.D., / though determining the exact date from the surviving manuscript is impossible.

'베어울프'는 믿어진다 / 기원후 700년에서 1000년 사이부터 존재해왔다고 / 비록 현존하는 필사본으로부터 정확한 날짜를 밝히는 것은 불가능하지만

02 A currently popular attitude / is to blame technology or technologists / for **having brought on** the environmental problems [we face today]. <수능응용>

현재 대중적인 사고방식은 / 기술이나 과학 기술자를 비난하는 것이다 / [우리가 현재 직면하는] 환경적인 문제들을 초래했던 것으로

to부정사와 동명사가 각각 「to have+p.p.」, 「having+p.p.」와 같은 완료형으로 쓰이면 주절의 시제보다 앞선 시점에 일어난 일을 나타낸다.

03 Pharaoh Ramses II is said to have ruled Egypt for 66 years, greatly expanding its borders.

04 The extinct African elephant that was nearly five meters tall is likely to have been the largest land mammal in history.

05 Although the international community still struggles to agree on issues, having cooperated in the 1980s was significant in saving the ozone layer.

06 While the judges did not deny reports about their controversial ruling, they criticized reporters for having leaked it.

07 Some dinosaurs are thought to have succeeded in attacking their prey by stalking them quietly for a long time.

08 Despite having made numerous incorrect forecasts, some meteorologists continue to be certain about their forecasting abilities.

*meteorologist: 기상학자

09 Polynesian tribes were known for having explored many islands, and they also made maps covering thousands of kilometers around their homes.

고난도
10 Education based on theories of intrinsic motivation appears to have been an effective approach to enhancing learning among students. <수능응용>

해설집 p.55

추측을 나타내는 조동사 해석하기

01 A number of studies suggest / that the state (of your desk) **might** affect / how you work. <모의응용>

많은 연구들은 시사한다 / (당신의 책상의) 상태가 영향을 미칠 수도 있다는 것을 / 당신이 어떻게 일하는지에

추측을 나타내는 조동사는 확신의 정도에 따라 다르게 쓰이며, 아래와 같이 해석한다.

might, may, could	~일 수도 있다
should, ought to, would, will	~일 것이다
must(↔ cannot)	~임이 틀림없다(↔ ~일 리가 없다)

might — may — could — should/ought to — would — will — must(↔ cannot)

약한 추측 ↔ 강한 추측

02 The playwright thinks that the audiences must love his play, given the number of people buying tickets.

03 Error in DNA replication may lead to gene mutations, though environmental factors have been shown to induce these variances as well.

04 Adding a new lane to an existing road would temporarily ease congestion, but this extra capacity tends to attract new traffic.

05 For the instructor of early-stage learners, pouring energy into explaining every mistake they make will only bring discouragement.

06 The government ought to be aware of the low efficacy of their previous policy by now, so they may start making appropriate adjustments soon.

07 The overprescription of medication could be related to pressure from patients, but pharmaceutical companies also play a role.

고난도

08 That "trying harder" can substitute for talent and method cannot be true, since environmental, physical, and psychological factors often limit our potential. <모의응용>

해설집 p.56

UNIT 30 should의 다양한 쓰임 해석하기

요구/제안을 나타내는 that절 안의 should 해석하기

01 Science demands / that observations **should** be subject to public verification. <모의응용>

과학은 요구한다 / 관측이 공개 검증의 대상이 되어야 한다고

요구/제안의 의미를 가진 동사/형용사/명사 뒤 that절 안의 should는 '**~해야 한다**'라고 해석한다. 이때 should는 생략될 수 있으며, should가 생략되어도 should 뒤 동사원형의 형태는 바뀌지 않는다.

02 With drought conditions continuing, it has become necessary that cities in affected areas should find ways of reducing water waste.

03 Some insist that parents should stimulate their children in the traditional ways through reading or playing sports, instead of computers. <모의>

04 In the early phases of the pandemic, it was suggested that patent protections of the vaccine be deferred in order to assist distribution.

05 The declaration in 1848 demanded that women should be granted equal status under the law.

06 The ad agency's advice was that the manufacturer stop expanding its product lineup, so that it can narrow the product range.

고난도

07 Though legal terms can seem confusing to us, it is essential that we should learn them and precisely define what is being discussed in Congress.

어법

08 The researcher advises that a person with chronic fatigue [sleep / sleeps] well to fully make up for inadequate rest. <모의응용>

TIP

that절이 요구/제안을 나타내지 않을 때

that절 안의 내용이 요구/제안이 아닌 단순 사실을 나타낼 때는 should가 쓰이지 않는다.

The attorney insisted that his client **was** at home at the time the crime was committed downtown.

그 변호사는 시내에서 범행이 저질러진 시각에 그의 의뢰인은 집에 있었다고 주장했다.

판단을 나타내는 that절 안의 should 해석하기

09 Coins reflect both a country's history and its aspirations, // so it is natural / that coin collections (based on place of origin) **should** prevail. <수능>

동전들은 한 나라의 역사와 그것의 염원을 반영한다 // 그래서 자연스럽다 / (주조지를 기반으로 한) 동전 수집이 유행하는 것은

판단의 의미를 가진 동사/형용사/명사 뒤 that절 안의 should는 '**~하다니, ~하는 것은**'이라고 해석한다.

10 It was surprising that the Nobel Prize for Literature should be awarded to a man known for accomplishments as a musician.

11 It is strange that a puma from the mountains should roam in a city area, which may show the severity of California's water shortage.

12 I regret that I should inform you your application for a scholarship has not been accepted by the university.

13 It is natural that toddlers should assert their individuality through a constant chorus of saying "no."

고난도
14 It is a shame the CEO should decide to go through massive financial restructuring despite always having been in favor of awarding adequate compensation to employees.

해설집 p.57

다양한 조동사 표현 해석하기

01 We **used to** think / that the brain never changed, // but according to a neuroscientist, / specific brain circuits grow stronger / through practice. <모의응용>

이전에 우리는 생각했다 / 뇌는 절대 변하지 않는다고 // 그러나 한 신경과학자에 따르면 / 특정 뇌 회로들은 강해진다 / 연습을 통해

다양한 조동사 표현들은 각각 아래와 같이 해석한다.

used to	~하곤 했다(= would), (이전에) ~이었다
would like to	~하고 싶다(= want to)
would rather	(차라리) ~하겠다 *「would rather+A+than+B」: B하느니 차라리 A하겠다
may as well	~하는 편이 낫다
may well	아마 ~할 것이다, ~할 법하다
cannot ~ too …	아무리 ~해도 지나치지 않다
cannot help+v-ing	~하지 않을 수 없다(=「cannot help but+동사원형」)

02 Up until the 19th century, passenger pigeons, once the most common birds in North America, would darken the sky during migration season.

*passenger pigeon: 나그네비둘기

03 Because we cannot be too careful when it comes to cybersecurity, it's mandatory to create strong passwords.

04 Nearly every city in the developed world used to have cable cars in the past, though most have now been removed to accommodate automobiles.

05 After winning the case, prosecutors couldn't help feeling relieved to finally convict the accused who they thought was the real criminal.

*the accused: 피의자

06 I would like to make preserving old forests a top priority, rather than make efforts to replant trees.

07 The Padrón Real map may well be the first scientifically accurate world map, although much of the Americas was unknown at the time.

고난도

08 Critics of Johannes Brahms's compositions said he was a person who would rather make his work be admired than be enjoyed.

해설집 p.60

조동사+have+p.p. 해석하기

과거에 대한 추측을 나타내는 「조동사+have+p.p.」 해석하기

01 In traditional societies, / high status **may have been** extremely hard to acquire, // but it was also hard to lose. <모의>

전통적인 사회에서 / 높은 지위는 획득하기에 극도로 어려웠을 수도 있다 // 그러나 그것은 또한 잃기도 어려웠다

과거에 대한 추측을 나타내는 「조동사+have+p.p.」는 확신의 정도에 따라 다른 조동사가 쓰이며, 아래와 같이 해석한다.

might[may/could] have p.p.	~했을 수도 있다
must have p.p.(↔ cannot have p.p.)	~했음이 틀림없다(↔ ~했을 리가 없다)

might have p.p. — may have p.p. — could have p.p. — must have p.p.(↔ cannot have p.p.)

약한 추측 ↔ 강한 추측

02 Living in a time when the cost of property was low must have been satisfying to the middle-income family that could expect to own a house.

03 Professional sports may not have turned central to modern life if they didn't afford so many opportunities to advertise for companies.

과거에 대한 후회를 나타내는 「조동사+have+p.p.」 해석하기

04 Today **should have been** the first day (of the Cannes Film Festival), // but the virus outbreak has temporarily delayed all public events.

오늘이 (칸 영화제의) 첫날이었어야 했다 // 그러나 바이러스의 발발이 모든 공식 행사를 일시적으로 연기했다

과거에 대한 후회를 나타내는 「조동사+have+p.p.」는 아래와 같이 해석한다.

should have p.p.	~했어야 했다 (하지만 하지 않았다)
could have p.p.	~했을 수도 있었다 (하지만 못했다)
needn't have p.p.	~할 필요가 없었다 (하지만 했다)

05 You needn't have researched Mars so thoroughly on the Internet, since this book about all the planets in our solar system explains even the tiny details.

고난도

06 The two rival scholars could have made great friends, for they shared many mutual interests and remarkable capabilities.

해설집 p.61

Chapter Test

[01-10] 다음 문장을 해석하시오.

01 The king's lavish gift-giving is said to have depressed the local price of gold.

02 The referee should have taken control of the situation and spoken with both players who made different claims.

03 In the nature film we are watching, a cheetah is running after a gazelle, attempting to capture it.

04 The school's policy demands that each student wear name badges when they are in school.

05 People had called Istanbul Constantinople before it was formally renamed following the establishment of the Turkish Republic.

06 The president's decision to raise petrol taxes cannot be a popular one, as it has recently inspired a protest movement.

07 Reversing the current trend of mass insect extinction will require a commitment from multiple governments to prevent further habitat loss.

08 It is a shame that subscription systems of media consumption should deprive us of physical collections of films, music, and even literature.

09 Even when your problem gets worse, you may as well embrace it because being discouraged doesn't help make things better.

고난도
10 The writers of the country's constitution must have been aware that it contained unsustainable contradictions, but they hurried to proceed for their own good.

해설집 p.62

CHAPTER 06

태

주어가 행위의 주체가 되는 것을 능동태라고 하며 주어가 행위의 대상이 되는 것을 수동태라고 한다. 수동태는 동사의 형태뿐만 아니라 문장의 구조 또한 바뀌므로, 이러한 패턴을 알아두면 구문 분석이 훨씬 쉬워진다.

UNIT 33 3/4/5형식 문장의 수동태 해석하기

3형식 문장의 수동태 해석하기

01 Each time you experience true happiness, / the stored emotions **are activated**, // and you **will be flooded** / with even deeper joy. <모의응용>

네가 진정한 행복을 느낄 때마다 / 축적된 감정들은 활성화된다 // 그리고 너는 넘쳐나게 될 것이다 / 훨씬 더 깊은 기쁨으로

> 3형식 문장의 수동태는 일반적으로 「S+be동사+p.p.」의 형태로 쓰며, '~**되다[받다/당하다]**'라고 해석한다. 수동태의 진행형은 「be동사+being+p.p.」, 완료형은 「have/had been+p.p.」의 형태로 쓴다.

02 Our senses are heightened during frightening situations due to the release of adrenaline.

03 Except for the Arctic and Antarctic, most of Earth's surface had already been explored by the start of the 20th century.

고난도
04 How our solar system will be transformed when the Sun dies five billion years from now is being studied by astronomers.

4형식 문장의 수동태 해석하기

05 I **was asked** a question / by someone, // and my mind suddenly went blank. <모의응용>
(I: S, was asked: V, a question: O)

나는 질문을 받았다 / 누군가에 의해 // 그리고 나의 정신이 갑자기 멍해졌다

(← Someone asked me a question, and my mind suddenly went blank.)
(Someone: S, asked: V, me: IO, a question: DO)

06 A trade discount **is offered** / *to* businesses / by the wholesaler. <수능응용>
(A trade discount: S, is offered: V, to businesses: M)

영업 할인은 제공된다 / 사업체들에게 / 도매업자에 의해

(← The wholesaler offers businesses a trade discount.)
(The wholesaler: S, offers: V, businesses: IO, a trade discount: DO)

> 4형식 문장은 목적어가 두 개이므로 각 목적어를 주어로 하는 두 개의 수동태 문장을 만들 수 있다. 간접 목적어가 주어 자리로 간 수동태는 「S+be동사+p.p.+O」의 형태로 쓰며, 직접 목적어는 원래 있던 자리에 그대로 남아 목적어 역할을 한다. 직접 목적어가 주어 자리로 간 수동태는 「S+be동사+p.p.+M(전치사 to/for/of+O′)」의 형태로 쓰며, 간접 목적어는 원래 있던 자리에 그대로 남아 전치사의 목적어 역할을 한다.

07 After flight ticket purchases, confirmation e-mails are sent to the customers.

08 In 1788, Congress was granted the power to regulate the value of money, according to the US Constitution.

09 Free animal-shaped balloons were made for the children visiting the amusement park by a clown.

5형식 문장의 수동태 해석하기

10 The accused **is considered** innocent / until proven guilty / by the court, / under the legal principle (called "the presumption of innocence.") <수능응용>

(The accused = S, is considered = V, innocent = C)

피의자는 무죄라고 생각된다 / 유죄임이 입증되기 전까지 / 법정에 의해 / ("무죄추정의 원칙"이라고 불리는) 법리 하에

(← The court considers the accused innocent until proven guilty, under the legal principle called "the presumption of innocence.")

(The court = S, considers = V, the accused = O, innocent = OC)

11 The task force **was made** / to set plans (for the upcoming hurricane) / by the government.

(The task force = S, was made = V, to set plans (for the upcoming hurricane) = C)

대책 위원회는 강요받았다 / (다가오는 허리케인에 대한) 계획을 세우도록 / 정부에 의해

(← The government made the task force set plans for the upcoming hurricane.)

(The government = S, made = V, the task force = O, set plans for the upcoming hurricane = OC)

5형식 문장의 수동태는 「S+be동사+p.p.+C」의 형태로 쓴다. 목적격 보어가 명사/형용사/to부정사/분사인 경우 목적격 보어는 동사 뒤에 그대로 남고, 목적격 보어가 원형부정사인 경우에는 to부정사로 바뀐다.

12 In England, a number of famous actors and singers have been appointed knights for their contributions to society.

13 The ingredients of the dish had been kept frozen and then left out for a while, so the quality of it was not much praiseworthy.

고난도

14 The company was seen to embrace social ideals, which attracted consumers focusing on issues like climate change and the ethical treatment of workers.

TIP

수동태 관용 표현

be credited with ~으로 인정받다	be equipped with ~을 갖추고 있다	be involved in ~에 관여하다
be occupied with ~으로 바쁘다	be based on ~에 근거하다	be devoted[dedicated] to ~에 헌신하다

해설집 p.64

구동사의 수동태 해석하기

01 Like a normal bus, / the school bus follows a timetable, // so students can **be picked up** / at scheduled times / by the bus. <모의응용>

일반적인 버스처럼 / 학교 버스는 시간표를 따른다 // 그래서 학생들은 태워질 수 있다 / 예정된 시간에 / 버스에 의해

(← Like a normal bus, the school bus follows a timetable, so the bus can **pick up** students at scheduled times.)

구동사를 수동태로 바꿀 때, 동사만 「be동사+p.p.」의 형태로 쓰고 전치사, 부사 등은 동사 뒤에 그대로 쓴다. 이때 구동사에 수동의 의미를 더해 해석한다.

be looked up to 존경받다	be picked up (차에) 태워지다	be referred to as ~라고 불리다
be looked down on 무시받다	be put off (일정 등이) 미뤄지다	be laughed at 비웃어지다
be set up 준비되다, 세워지다	be turned down 거절되다	be made use of 이용되다
be brought up 길러지다, 키워지다	be run over (차에) 치이다	be taken care of 돌봐지다

02 Some children are taken care of when they become ill by an organization providing free health care.

03 A range of media including images, video, and text is made use of by e-commerce websites when displaying product information.

04 The New Deal policy was set up by President Franklin D. Roosevelt's administration in order to help America recover from the Great Depression.

05 Play for adults is sometimes looked down on, for grown-ups tend to be judged by cultural norms that despise "frivolity." <수능응용>

*frivolity: 바보 같은 짓

06 The manuscript for the first Harry Potter novel was turned down by numerous publishers who didn't think the book would be a commercial success.

07 She was brought up with great care, and skilled in all areas of knowledge that are necessary to the education of a decent person. <모의응용>

고난도

08 Excessive bureaucratic processes are referred to as "red tape" because administrative documents were once bound together with red string.

*bureaucratic: 관료주의적인

해설집 p.66

UNIT 35 목적어가 that절인 문장의 수동태 해석하기

01 *It* **is thought** / *that* very slight changes in the position (of the Earth (relative to the Sun)) / can be the cause (of climate change). <모의>

생각된다 / ((태양과 관련된) 지구의) 위치에의 아주 약간의 변화가 / (기후 변화의) 원인이 될 수 있다고

(← People[They] think that very slight changes in the position of the Earth relative to the Sun can be the cause of climate change.)

02 *Video conferencing* **is said** / *to be* one of the most effective ways (to communicate) / these days. <모의>

화상회의는 말해진다 / (의사소통하는) 가장 효과적인 방법들 중 하나라고 / 요즘

(← People[They] say that video conferencing is one of the most effective ways to communicate these days.)

say, think, believe, find, know 등의 목적어가 that절인 능동태 문장을 수동태로 바꿀 때, 주어 자리에 that절 대신 가주어 it을 쓰고 that절은 수동태 동사 뒤에 쓴다. 이때 '**(that절)이라고 ~되다**'라고 해석한다. that절의 주어를 수동태 문장의 주어 자리에 쓸 때는 that 절의 동사를 to부정사로 바꾼다. 이때 '**(that절의 주어)는 …라고 ~되다**'라고 해석한다.

03 It is known that regularly consuming an excessive amount of salt can increase blood pressure.

04 Respect for the elderly is thought to be very natural and important traditionally.

05 It is said that some of the trees the Pilgrims planted in the 1620s are still standing today.

*Pilgrim: 청교도

06 It is believed that fully autonomous self-driving cars will be available even to private buyers within the next couple of decades.

07 Red roses are known to symbolize romantic love and affection, while white roses are often used to convey purity and innocence.

08 It was thought that it was in the 1800s that peanuts started to be grown commercially although they were cultivated also in the 1700s.

고난도

09 Some animals are believed to have the ability to predict earthquakes shortly before the occurrence, as they behave in abnormal patterns as soon as they sense danger.

해설집 p.67

to부정사와 동명사의 수동형 해석하기

01 More manpower needs / **to be allocated** / to provide diverse services / for greater efficiency. <모의>

더 많은 인력이 필요하다 / 할당되는 것이 / 다양한 서비스를 제공하기 위해 / 더 큰 효율성을 위해

02 Only a few customers remembered / **having been kept** waiting long / when their problem was solved right away. <모의응용>

몇 안 되는 손님들만 기억했다 / 길게 기다리는 채로 두어졌었던 것을 / 그들의 문제가 바로 해결되었을 때

to부정사나 동명사가 의미상 주어와 수동 관계일 경우 아래와 같이 수동형으로 쓴다. 문장의 동사보다 더 앞선 시제를 나타낼 때는 완료 수동형으로 쓴다.

	수동형	완료 수동형
to부정사	to be+p.p.	to have been+p.p.
동명사	being+p.p.	having been+p.p.

03 The tradition of afternoon tea is thought to have been popularized in the Victorian era.

04 The fear of being criticized can stop people from speaking their mind and making steady progress.

05 Uranus, originally thought of as a comet, was the first planet to be discovered using a telescope.

06 Applicants who make a good first impression are more likely to be considered for future opportunities.

07 Despite being protected by Arizona law, the Gila monster is often killed due to people thinking it is dangerous.

*Gila monster: 미국독도마뱀

고난도

08 Microfossils are the remains of bacteria, animals, and plants that are too small to be observed without a microscope.

*microfossil: 미세 화석

고난도

09 Nearly a quarter of participants in a study on how suggestion can create false memory identically recalled having been lost in a shopping mall as a child, which they had never actually experienced.

해설집 p.69

수동의 의미를 가지는 능동태 해석하기

01 If someone argues in a raised voice, / their blood pressure **builds** up. <모의>

누군가가 고조된 목소리로 언쟁하면 / 그 사람의 혈압이 높아진다

능동태로 쓰였지만 수동의 의미를 가지는 동사는 아래와 같이 해석한다.

build 높아지다, 고조되다	catch 걸리다, 얽히다	clean 깨끗해지다
write (펜 등이) 써지다	cook (음식이) 요리되다	cut 잘리다
read 읽히다, 쓰여있다	sell 팔리다	open (문 등이) 열리다

02 One thing that prevents a pen from writing smoothly is dried ink stuck in the pen point.

03 The comb completely caught in her thick hair while she was attempting to untangle it after a shower.

04 Vinyl flooring cleans easily and is very durable, which is the reason many homeowners choose it for their kitchens and bathrooms.

05 The wood didn't cut well with a blunt axe, but after the blade was filed sharp, the work proceeded with much less exertion. <모의응용>

06 *Robinson Crusoe* read like an account of true events, with many readers of the first edition believing the book to be a travelogue.

*travelogue: 여행담

07 Some products like videogame consoles sell so extensively worldwide that they have an impact on popular culture.

08 Although fresh pasta cooks quickly, making it from scratch is a demanding process that can be difficult to master.

고난도

09 When the door of residents not knowing anything about the situation opened, the Boy Scouts launched into their prepared speech about the importance of recycling. <모의응용>

해설집 p.70

Chapter Test

[01-10] 다음 문장을 해석하시오.

01 We all have a strong desire to be acknowledged by others in our lives.

02 She was picked up at the airport by a limousine service she had bought a ticket for to get to the hotel.

03 The sale is thought to draw large crowds of shoppers as it will take place over a holiday weekend.

04 Brexit, or the United Kingdom's withdrawal from the European Union, was put off, since the consultation process with other EU members was not simple.

05 Because of my experience as a traveler, I was taught a lesson that people all over the world are very much the same, despite differences in dress or language. <수능>

06 It was found that people are less prone to offer assistance to victims of accidents or crimes when there are other people around.

07 Having been denied admission at his first choice for university made him apply to a number of schools across the country.

08 Four-leaf clovers are considered lucky because of their relative rarity, and it was also believed that carrying them brought magical powers of protection.

고난도
09 Geological processes on the ocean floor cause magma to rise upward with gases, and as pressure builds, the possibility of a volcanic eruption is increased.

고난도
10 Before the modern scientific era, creativity was attributed to a superhuman force, so all innovative ideas were believed to have originated with the gods. <모의>

해설집 p.72

CHAPTER 07

형용사구와 관계사절

형용사구는 명사를 꾸며주는 수식어구이며, 관계사(관계대명사, 관계부사)가 이끄는 절인 관계사절 또한 형용사의 역할을 한다. 이들은 문장에서 핵심적인 역할을 하는 명사를 꾸며주므로, 이를 학습해두면 문장 구조 파악을 더욱 쉽게 할 수 있다.

UNIT 38 명사를 뒤에서 꾸며주는 형용사구 해석하기

01 Using emotional language / is *a way* (**to get your audience not only to understand your argument but also to feel it**). <모의>

감정을 자극하는 언어를 사용하는 것은 / (당신의 청중이 당신의 주장을 이해할 뿐만 아니라 그것을 느낄 수도 있게 하는) 방법이다

명사 뒤에서 형용사처럼 명사를 꾸며주는 형용사구는 주로 아래의 형태로 쓰인다.

		전치사+명사(구)
명사	+	to부정사(구)(+전치사)
		형용사+전치사+명사(구)

*명사가 -thing/-body/-one으로 끝날 때, 형용사는 구를 이루지 않아도 명사 뒤에 위치한다.

02 The residents have made a compelling argument about road repairing for years.

03 There are countless approaches to consider, so we should weigh the options carefully and select the best one.

04 Often, business leaders become close with their rivals because they are helpful people to learn a lot from.

05 Critical analysis is a skill vital for philosophy and debate, so it is crucial for students to master the skill.

06 The ideal job candidate must have the motivation to succeed in a competitive environment in addition to years of experience.

07 Someone knowledgeable and willing to answer questions can be an excellent resource for learning.

고난도
08 Our intuitions are not always trustworthy moral indicators useful for the newer complexities of the modern world. <모의응용>

해설집 p.74

명사를 꾸며주는 분사 해석하기

01 Since what we remember is selective, / it is likely / that we tell one another **edited** *stories* (**interpreted within our respective views**). <모의응용>

우리가 기억하는 것은 선택적이기 때문에 / 있을 법하다 / 우리가 서로에게 (우리 각자의 관점 안에서 해석된) 편집된 이야기를 말하는 것은

형용사처럼 명사를 꾸며주는 현재분사는 능동·진행을 나타내며 '**~하는/하고 있는**'이라고 해석한다. 과거분사는 수동·완료를 나타내며 '**~된/해진**'이라고 해석한다. 분사가 단독으로 쓰이면 보통 명사 앞에 오지만, 구를 이루어 쓰이면 명사 뒤에 온다. 이때 분사구가 끝나는 부분까지 포함하여 해석한다.

02 The injured man had spent months with his arm in a cast until he fully recovered.

03 The question asked to the presenter surprised her and left her unsure of what to say.

04 A group of athletes practicing for the baseball season went to the field to train new strategies.

05 The test contained some problems entailing finding solutions to complex calculations in a logical manner.

06 The prepared remarks were sympathetic and kind, but later they came across as insincere because they were found to be written by someone else.

07 The auditorium was filled with competing dancers showing off their dance routines for the judges.

*dance routine: (정해진) 춤 동작

08 The return policy written on the bottom of the receipt explains when items purchased at the store can be returned.

TIP **감정을 나타내는 분사**

분사가 꾸며주거나 설명하는 대상이 감정을 일으키는 원인일 경우 현재분사를 쓰고, 감정을 느끼는 주체일 경우 과거분사를 쓴다.

We had a **satisfying** dinner at the new restaurant. 우리는 새로운 식당에서 만족스러운 저녁을 먹었다.
The **satisfied** consumers wanted to buy more products. 만족한 소비자들은 더 많은 제품들을 사기를 원했다.

해설집 p.75

명사를 꾸며주는 관계대명사절 해석하기

01 Making friends with *people* [**who are not involved in your immediate social circle**] / can be more exciting. <모의>

[당신의 가까운 사회적 모임에 관련되지 않은] 사람들과 친구가 되는 것은 / 더 신날 수 있다

선행사의 종류와 관계사절 안에서의 관계대명사의 역할에 따라 쓰이는 관계대명사가 다르며, 관계대명사는 '~하는/한'이라고 해석한다.

선행사	관계사절 안에서의 관계대명사의 역할		
	주어 (주격 관계대명사)	목적어 (목적격 관계대명사)	소유격 (소유격 관계대명사)
사람	who/that	who(m)/that	whose
사물	which/that	which/that	whose *이때 「whose+명사」는 「명사+of which」로 바꿔 쓸 수 있다.

*관계대명사가 전치사의 목적어인 경우 「관계대명사+S'+V'+전치사」나 「전치사+관계대명사+S'+V'」의 형태로 쓰며, 전치사가 관계대명사 앞에 올 때는 who나 that을 쓸 수 없다.

02 The man who was cleaning the building let me go inside when I left my access card in the office.

03 A new species introduced into existing ecosystems may be exposed to a disease that it has not yet developed immunity for. <모의응용>

04 Doctors informed the woman whose heart had been transplanted from a donor that the surgery had been a complete success.

05 The band which is on stage right now is world-famous, so their entrance caused the audience to stand up and cheer wildly.

06 The students were asked to request a reference letter from teachers for whom they had the most opportunity to demonstrate their abilities. <모의응용>

07 The objects that the dog was biting were large bones that were leftovers from making soup the night before.

*leftover: 음식 잔여물

08 The general whose strategy had won the war was awarded a medal for his service and dedication.

09 The anthropology department spends a lot of time studying the humans that lived in this area thousands of years ago.

10 Elephants have evolved elaborate greeting behaviors, the form of which reflects the strength of the social bond. <모의>

11 The number of people whom we can continue stable relationships with might be limited naturally by circumstances. <모의응용>

12 Researchers are working on developing prosthetic arms whose fingers will be capable of far more intricate movements.

*prosthetic arm: 의수(인공으로 만들어 붙이는 손)

13 Optimal experiences are moments that we make happen by stretching our body and mind to the limit. <모의응용>

14 A good education encourages learners to seek out the opinions of intelligent people with whom they disagree, in order to prevent "confirmation bias." <모의>

*confirmation bias: 확증 편향

고난도
15 Someday, we will be able to read the genetic information from a plant and reconstitute the plant's genes, the information of which was once a part. <모의응용>

TIP
관계대명사 that을 주로 쓰는 경우

• 선행사가 「사람+사물/동물」인 경우
The boy and the dog **that** are walking together are crossing the street. 함께 걷고 있는 소년과 개가 길을 건너고 있다.

• 선행사가 -thing으로 끝나는 대명사인 경우
Our company needs to produce *something* **that** is new to the market. 우리 회사는 시장에 새로운 무언가를 생산할 필요가 있다.

• 선행사에 최상급, 서수, the only, the same, the very, all, every, no 등이 포함되는 경우
The very person **that** I talked about is coming to the office today. 내가 말했던 바로 그 사람이 오늘 사무실로 올 것이다.

해설집 p.77

명사를 꾸며주는 관계부사절 해석하기

01 Anger often indicates ignored values, // so we need to think of / *specific times* [**when we were mad**] / to find our values. <모의응용>

화는 종종 간과된 가치관을 나타낸다 // 그래서 우리는 떠올릴 필요가 있다 / [우리가 화났던] 특정 시기들을 / 우리의 가치관을 찾기 위해

관계부사 where, when, why, how는 아래와 같이 해석하며, 「전치사+관계대명사」로 바꿔 쓸 수 있다. 선행사가 place, time, reason, way와 같은 일반적인 명사인 경우 관계부사 대신 that이 올 수도 있다.

관계부사	선행사	해석	전치사+관계대명사
where	place/house/city 등	~하는/한 (장소)	at/on/in/to+which
when	time/day/year 등	~하는/한 (시간)	at/on/in/during+which
why	reason	~하는/한 이유	for+which
how	way	~하는/한 방법	in+which

*how는 way와 함께 쓸 수 없으며, 둘 중 하나만 쓴다. how를 way that이나 way in which로 바꿔 쓸 수도 있다.

02 A recent study suggested that vegetation scarcity due to changes in weather patterns is the reason why mammoths went extinct.

03 The year 2000 was a year when people were panicking about numerous upcoming technological changes.

04 You're the only artist in the world who can draw the way you do, since each of us has our own unique style. <모의응용>

05 The factory where my company manufactures products is currently closed to replace the old machines with new ones.

06 The days during which we are the busiest are often the times that teach us how to respond to stressful situations.

07 Researchers found how the African village weaverbirds tell their eggs from cuckoos' by identifying those eggs with different freckles. <모의응용>

*village weaverbird: 마을 피리새

고난도

08 The reason why herbivores have eyes on the sides of their heads is that it enables them to watch out for approaching predators.

*herbivore: 초식동물

해설집 p.79

관계사가 생략된 관계사절 해석하기

목적격 관계대명사가 생략된 관계사절 해석하기

01 *A lot of sophisticated products* [**we use today**] / have developed / through a long period of technological evolution. <모의응용>

[오늘날 우리가 사용하는] 많은 정교한 제품들은 / 발전해왔다 / 오랜 기간의 기술적 진화를 통해

목적격 관계대명사는 생략될 수 있다. 명사 뒤에 「주어+동사」가 바로 이어지고, 해당 절에 목적어가 빠져 있다면 목적격 관계대명사가 생략된 구문임을 알 수 있다. 단, 전치사 바로 뒤에서 전치사의 목적어 역할을 하는 관계대명사는 생략될 수 없다.

02 There were some delays with the athlete we attempted to recruit for the team, as she was considering other offers then.

03 The book the writer put a lot of work into was revolutionary, and it has influenced almost every author since it was first published.

04 The whole office tried to find the answer to the question the manager asked them, but they could never get it.

관계부사가 생략된 관계사절 해석하기

05 The birth of a child in a family / is often *the reason* [**people begin to take up photography**]. <모의>

한 가족 안에서 아이의 탄생은 / 종종 [사람들이 사진 찍기를 배우기 시작하는] 이유이다

관계부사의 선행사가 place, time, reason과 같은 일반적인 명사인 경우 관계부사가 생략될 수 있다.

06 At the corporate dinner, the CEO stood up and told a story about the time he first imagined founding the company.

07 The fear of making a mistake is exactly the reason I spend so much time on research before taking on a project.

고난도
08 Whenever people experience hardships or loss, the chest is generally the place they feel the most physical discomfort.

해설집 p.81

UNIT 43 콤마와 함께 쓰인 관계사절 해석하기

콤마와 함께 쓰인 관계대명사절 해석하기

01 The Netherlands has *the world's largest tidal surge barrier*, / **which was constructed after disastrous floods (in 1953)**. <모의응용>

네덜란드는 세계에서 가장 큰 해일 장벽을 가지고 있다 / 그리고 그것은 (1953년의) 처참한 홍수 이후에 건축되었다

02 *Phyllium giganteum*, / **which is called the "walking leaf,"** / disguises itself / to hide from the enemy. <모의응용>

큰나뭇잎벌레는 / "걸어 다니는 잎사귀"라고 불리는데 / 그것 자신을 위장한다 / 적으로부터 숨기 위해

관계대명사 who, which, whose 앞에 콤마(,)가 쓰인 관계대명사절은 선행사에 대한 부가적인 정보를 덧붙인다. 이때 문맥에 따라 **'그리고/그런데 (선행사)는 ~이다'** 또는 **'(선행사)는 ~이며/인데'**라고 앞에서부터 차례대로 해석한다. 이런 역할의 which는 앞에 나오는 구나 절도 선행사로 가질 수 있다.

03 It took years for the market to respond positively to the automobile, which was originally considered unsafe by the public.

04 The survey respondents, who the researchers selected entirely at random, strangely had much in common.

05 Climate change had a tremendous impact on the average temperatures in cities, which motivated more people to move to the countryside.

고난도
06 Declining the previous offer, which forced the importer to offer a larger amount of money, was the strategy that the export company lawyer recommended.

콤마 뒤에서 수량 표현과 함께 쓰인 관계대명사절 해석하기

07 Dr. Lambert recommended *many hands-on activities*, / **all of which contribute to a reduction in stress and anxiety**. <모의응용>

Lambert 박사는 손으로 하는 많은 활동들을 추천했다 / 그리고 그것들 중 모두는 스트레스와 불안의 감소에 기여한다

콤마 뒤에서 「수량 표현+of+관계대명사」의 형태로 쓰인 관계대명사절은 **'그리고/그런데 그(것)들 중 …는 ~이다'**라고 해석한다.

08 The provocative advertisement was rejected by the focus group's participants, most of whom were very firm about their disapproval.

*focus group: 소비자 그룹(테스트 대상을 토의하는 샘플 그룹)

09 The vineyard grows a wide selection of grapes, only some of which are aged and turned into wines.

10 On January 10, 1992, a ship traveling through rough seas lost 12 cargo containers, one of which held 28,800 floating bath toys. <모의>

11 The nation has a massive population, half of which disagree about current national policies and are working together for change.

콤마와 함께 쓰인 관계부사절 해석하기

12 Dutch auctions are different from *regular auctions*, / **where an item starts at a minimum price.** <모의응용>

역경매는 일반적인 경매와 다르다 / 그리고 그곳에서 물품은 최소 가격에서 시작한다

관계부사 where와 when도 콤마와 함께 쓰여 선행사에 대한 부가적인 정보를 덧붙일 수 있다. 이때 문맥에 따라 '**그리고/그런데 그곳에/그때 ~하다**'라고 해석한다. 관계부사 why와 how는 이런 역할로 쓰지 않는다.

13 Those in their 50s may get nostalgic about their youth, when they had almost no concerns or responsibilities to deal with.

14 Farmers often gather in co-operative markets, where they sell their produce to local customers.

15 Many people stay inside more and become less social during the rainy season, when the weather prohibits a number of activities.

고난도

16 A colony that explores more widely for food has a more "risk-taking" personality, and this is more common in the north, where the climate is colder. <모의응용>

해설집 p.82

UNIT 44 다양한 형태의 관계사절 해석하기

「명사+형용사구+관계사절」 해석하기

01 Future Drive Motor Show is / *the most popular motor show* **(in the world)** [**that has been held annually since 2001**]. <모의>

Future Drive Motor Show는 ~이다 / [2001년 이래로 매년 개최되어온] (세상에서) 가장 인기 있는 모터쇼

관계사절은 주로 꾸며주는 명사 바로 뒤에 오지만, 형용사구와 관계사절이 동시에 하나의 명사를 꾸며줄 때 형용사구 뒤에 올 수 있다.

02 Many modern accomplishments were achieved by generations of people worldwide that preceded the current one.

03 Every living thing includes components essential for survival that are paradoxically from the nonliving universe. <모의응용>

고난도
04 The scientist on the project who first reported the discovery was extremely excited about the potential applications it could lead to.

「명사+관계사절+관계사절」 해석하기

05 Mature workers often have / *skills* [**that are quite specific to the firm**] but [**that are not general enough to move between jobs**]. <모의응용>

원숙한 근로자들은 종종 가지고 있다 / [회사에 꽤 특정적인] 그러나 [이직할 만큼 충분히 보편적이지 않은] 기술들을

두 개 이상의 관계사절이 동시에 하나의 명사를 꾸며줄 수 있다. 이때 명사 뒤에 관계사절이 연달아 쓰이며, 관계사절끼리 콤마(,)나 등위접속사로 연결되기도 한다.

06 We tried to find an opportunity that wasn't being taken advantage of by other businesses, that filled a gap in the market.

07 Each idea that our team comes across that is outside our current strategies is worth considering fully as a means of finding the key to the problem.

고난도
08 Students who are given responsibility in choosing what to learn or who are allowed flexibility in determining class schedules tend to achieve more academic success.

주어와 떨어진 관계사절 해석하기

09 *The time* may soon come [**when we have to take an oxygen tank with us**]. <수능>

[우리가 산소 탱크를 가지고 다녀야 하는] 때가 곧 올 수도 있다.

주어를 꾸며주는 관계사절의 내용이 술부보다 더 중요하거나 술부의 길이가 비교적 짧을 때 술부 뒤에 올 수 있다.

10 A label is required which explicitly describes the substances included in food products.

11 The technology classes were offered that have generated the greatest interest by the top universities.

고난도
12 The best place was found where the researchers can study the new toxic substance without harming the local residents.

「관계대명사+삽입절」 해석하기

13 I would like to thank you / for your recent orders / and also make *a suggestion* [which ((**I think**)) will be agreeable to you]. <모의응용>

저는 당신에게 감사하고 싶습니다 / 당신의 최근 주문에 대해 / 그리고 또한 [((제가 생각하기에)) 당신에게 알맞을] 제안을 하고 싶습니다

관계대명사 뒤에 「S+V」 형태의 절이 삽입되기도 하며, 주로 아래 표현들이 삽입된다.

I think[suppose]	내가 생각하기에	I believe	내가 믿기에
I hear/feel	내가 듣기에/느끼기에	I'm certain[sure]	내가 확신하는데
I'm afraid	유감이지만	it seems	(그것이) 보이기에

14 The medical researchers made a breakthrough that they believe will be beneficial for countless diabetes patients.

15 The chef has altered her recipe and added a special ingredient that she feels you will enjoy to your meal.

고난도
16 The politician is holding a press conference that I'm afraid will not provide the information people all have been seeking.

해설집 p.85

Chapter Test

[01-10] 다음 문장을 해석하시오.

01 In summer, we find public parks the most relaxing place to gather with friends.

02 The reason you should communicate problems promptly is that it leads to better results.

03 People who have limited experience with a particular subject are often a valuable resource, as they provide an unbiased perspective.

*unbiased: 편견 없는

04 Coastal cities facing the threat of flooding often use sandbags to control the water coming into the area.

05 The book had a plot structure confusing for the general public, so it couldn't hold their attention.

06 Salt is the ingredient that is the easiest to overuse but that is also the most important for improving food taste.

07 Some people make their own versions of programs, which may indicate technologies from certain companies are not trusted.

08 The car that the customer brought into the shop was an older model, and it was hard to find parts for it.

고난도

09 Police may offer commutations for criminals providing information about a person by whom a larger crime was committed.

*commutation: 감형

고난도

10 The quality of the story, sound effects, and acting can enhance a film's power, but even those cannot save a film whose images are mediocre or poorly edited. <모의응용>

해설집 p.87

CHAPTER 08

부사구

부사구는 문장의 다양한 요소를 꾸며준다. 쓰이는 위치와 의미가 다양해서 문장의 핵심 성분과 헷갈리기 쉬우므로, 부사구의 다양한 형태들을 알아두면 해석을 정확하게 할 수 있다.

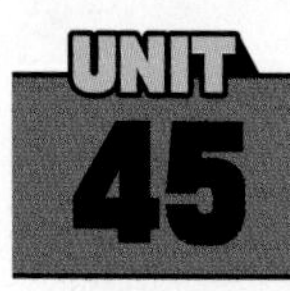

다양한 의미를 나타내는 to부정사 해석하기

목적을 나타내는 to부정사 해석하기

01 The initial approach (of Method acting) / was recalling a past experience / **to apply** it to the scene. <모의응용>

(메소드 연기의) 초기 접근법은 / 과거의 경험을 회상하는 것이었다 / 그것을 무대에 적용하기 위해

(= The initial approach of Method acting was recalling a past experience **in order to**[**so as to**] **apply** it to the scene.)

목적을 나타내는 to부정사는 '**~하기 위해**'라고 해석하며, to 대신 in order to나 so as to가 올 수 있다. 목적을 나타내는 to부정사 앞에 not이 오면 '**~하지 않기 위해**'라고 해석한다.

02 The company produced a commercial featuring customer reviews to convince people to buy the new product.

03 The traveler acted as carefully as possible so as not to break social customs or offend the local residents.

04 Challenging our own convictions and attacking others' beliefs should be accepted in order to revitalize public conversation. <모의응용>

감정의 원인/판단의 근거를 나타내는 to부정사 해석하기

05 We are glad / **to announce** that we will offer the Summer Aviation Flight Camp / with student pilot certificates. <모의>

저희는 기쁩니다 / 저희가 여름 항공 비행 캠프를 제공할 것을 발표하게 되어 / 학생 조종사 수료증과 함께

감정의 원인을 나타내는 to부정사는 '**~하게 되어, ~해서**'라고 해석하며, 감정을 나타내는 어구 뒤에 온다. 판단의 근거를 나타내는 to부정사는 '**~하다니, ~하는 것을 보니**'라고 해석하며, 판단이나 추측을 나타내는 어구 뒤에 온다.

06 The boy must be clever to use a piece of wood to stabilize the object while he painted it.

*stabilize: 고정시키다

07 Ms. Davis was annoyed to learn that the road she takes to work would be closed for construction throughout the month.

고난도

08 He is foolish to stick to his old vision in the face of new data, when modifying it is even better. <모의응용>

결과를 나타내는 to부정사 해석하기

09 You might pick a choice [that looks familiar], / only **to find** that it wasn't the best answer. <모의응용>

너는 [익숙해 보이는] 선택지를 고를 수도 있다 / 그러나 결국 그것이 최선의 답이 아니었다는 것을 알게 된다

결과를 나타내는 to부정사는 '**(…해서 결국) ~하다**'라고 해석하며, 아래 표현으로 자주 쓰인다.

grow up to-v 자라서 ~하다	live to-v 살아서 ~하다
only to-v 그러나 (결국) ~하다	never to-v 그리고/그러나 (결국) ~하지 못하다

10 Aaron grew up to graduate with top honors from his university and is now at a graduate school learning engineering. <모의응용>

*top honors: 최우등

조건을 나타내는 to부정사 해석하기

11 **To see** everything as unique / without generalization, / we would lack the language (to describe what we saw). <모의응용>

모든 것을 고유한 것으로 본다면 / 일반화 없이 / 우리는 (우리가 본 것을 설명할) 언어가 부족할 것이다

(← If we saw everything as unique without generalization, we would lack the language to describe what we saw.)

조건을 나타내는 to부정사는 '**~한다면**'이라고 해석하며, 가정법의 if를 대신해서 쓰일 수도 있다.

12 To watch the players showing such team coordination, you would think that they were a professional team.

앞에 있는 형용사를 꾸며주는 to부정사 해석하기

13 Objective judgment is difficult **to make**, / particularly if we have personal opinions (about the case). <모의응용>

객관적인 판단은 하기에 어렵다 / 특히 우리가 만약 (그 문제에 대한) 개인적인 견해를 가지고 있다면

to부정사가 앞에 있는 형용사를 꾸며줄 때는 '**~하기에**'라고 해석한다.

14 The specific method of assembling the table was unnecessary to demonstrate because the instructions were written clearly.

해설집 p.90

to부정사 구문 해석하기

to부정사를 이용한 여러 가지 구문 해석하기

01 The context (for ecological interactions) / changes **too** *frequently* / **to be regulated.** <모의>

(생태계의 상호작용에 대한) 상황은 / 너무 자주 바뀐다 / 규정되기에

(≒ The context for ecological interactions changes **so** *frequently* **that it can't be regulated**.)

02 He knows his body *well* **enough** / **to figure out** how much exercise is appropriate for him. <모의응용>

그는 그의 몸을 충분히 잘 안다 / 얼마만큼의 운동이 그에게 적절한지 알아낼 만큼

(≒ He knows his body **so** *well* **that he can figure out** how much exercise is appropriate for him.)

03 The writer is **so** *delicate* / **as to express** elusive and vague concepts / in words. <수능응용>

그 작가는 매우 섬세하다 / 파악하기 어렵고 모호한 개념들을 표현할 만큼 / 단어들로

to부정사 구문은 정도나 결과를 나타내며, 문맥에 따라 아래와 같이 자연스럽게 해석하면 된다.

too+형용사/부사+to-v	~하기에 너무 …한/하게, 너무 …해서 ~할 수 없는
형용사/부사+enough+to-v	~할 만큼 (충분히) …한/하게, (충분히) …해서 ~할 수 있는
so+형용사/부사+as to-v	~할 만큼 (매우) …한/하게, (매우) …해서 ~하는

04 The restaurant was too crowded to fit any more diners, so it stopped admitting guests.

05 The man spoke to the cashiers so rudely as to receive shocked looks from the other customers.

06 The students in the library talked quietly enough to avoid bothering other people who were reading there.

07 All the players in the championship matches were so competitive as to prolong the games.

08 Strong negative feelings are too hard for us to control or avoid, but those feelings are also a part of being human. <모의응용>

고난도

09 The clauses in the contract were straightforward enough to be understood easily, even by those who do not know the law.

*clause: 조항

to부정사를 이용한 관용 표현 해석하기

10 Some theories treat artists / as similar to scientists. // **So to speak**, / both are involved in describing the external world. <모의>

어떤 이론들은 예술가들을 취급한다 / 과학자들과 비슷하게 // 말하자면 / 둘 다 외부 세계를 묘사하는 것에 관련이 있다

아래 to부정사 관용 표현은 문장 전체를 꾸며줄 수 있다.

to begin with 우선, 먼저	so to speak 말하자면
to be sure 확실히	strange to say 이상한 얘기지만
to be frank (with you) 솔직히 말하면	to make matters worse 설상가상으로
to tell (you) the truth 사실대로 말하면	to make a long story short 간단히 말하면
not to mention ~은 말할 것도 없이	to sum up 요약하자면

11 Strange to say, the criminal who committed a felony felt somewhat relieved that the police had arrested him.

12 To begin with, we don't have enough people for the construction, which is the reason we should hire additional contractors.

13 Not to mention the length of it, there will be huge changes with our presentation because of the new directions from the boss.

14 The legislators are ignorant of the issue they are currently dealing with. To make matters worse, they are also indifferent.

*legislator: 입법자

고난도
15 The price of leaving environmental issues unsettled is too high. To sum up, every country will suffer from having failed to act on the problem promptly.

해설집 p.92

다양한 의미를 나타내는 분사구문 해석하기

01 **Listening** to the stories (about people (punished for breaking promises)), / I decided that I would not break any promises. <수능>

((약속을 깬 것에 대해 처벌받는) 사람들에 대한) 이야기를 들으면서 / 나는 어떤 약속도 깨지 않겠다고 결심했다
(= **As** I listened to the stories about people punished for breaking promises, I decided that I would not break any promises.)

분사구문은 아래 접속사들의 의미를 표현할 수 있다. 분사구문과 주절의 문맥을 잘 파악하여 가장 자연스러운 것으로 해석한다.

시간	when ~할 때 after ~한 후에 as soon as ~하자마자
동시 동작	as ~하면서, ~한 채로 while ~하는 동안
연속 동작	and ~하고 나서
이유	because/since/as ~하기 때문에, ~해서
조건	if 만약 ~한다면
양보	although/though 비록 ~이지만 *양보의 의미를 나타내는 분사구문은 잘 쓰이지 않고, 쓰더라도 보통 접속사를 함께 쓴다.

02 Letting go of one end of the shelf, the movers knocked over valuable items.

03 Removing the light bulb that has gone out, I inserted the replacement into the socket.

04 Arriving at the airport, I ran to the ticket counter and got in line to check in for my flight.

05 Hanging the coat on the back of his chair, the doctor sat down to discuss the situation with the patient.

06 Challenging the complex rules of the present day, we might be able to have various ground-breaking ideas and create a new era.

고난도
07 Publishing one of the most acclaimed novels in history, the writer unexpectedly retired and left fans waiting for her return.

TIP **동작의 결과를 나타내는 분사구문**

동작의 결과를 나타내는 분사구문은 문장 뒤에 와야 하며, '…해서 ~하다'라고 해석한다.

The athlete hurt herself during practice, **missing** the tournament as a result.
그 선수는 운동 중에 다쳐서, 결과적으로 시합에 참가하지 못했다.

해설집 p.94

분사구문의 완료형과 수동형 해석하기

분사구문의 완료형 해석하기

01 **Having arrived** in regions (with poorer soils), / rye later proved its strength / by producing better crops. <모의>

(더 척박한 토양을 가진) 지역에 도착하고 나서 / 호밀은 나중에 그것의 힘을 증명했다 / 더 좋은 작물을 생산함으로써
(= Rye **had arrived** in regions with poorer soils, and it later **proved** its strength by producing better crops.)

「Having+p.p.」로 시작하는 분사구문은 분사구문의 시제가 주절의 시제보다 앞선다는 것을 나타낸다.

02 Having realized that he had been mean during the argument, he apologized to his friend.

03 Not having studied the guidelines from the professor in advance, the students couldn't go straight to work on the project.

04 Having dropped the ball in the outfield, the baseball player collided with the other player that had been racing for it.

*outfield: 외야

분사구문의 수동형 해석하기

05 **(Having been) Helped** by an unfamiliar person, / they started to provide help / to unrelated individuals. <모의응용>

낯선 사람에 의해 도움을 받았었던 후에 / 그들은 도움을 제공하기 시작했다 / 관련 없는 개인들에게
(= After they **had been helped** by an unfamiliar person, they started to provide help to unrelated individuals.)

「Being[Having been]+p.p.」로 시작하는 분사구문은 주어와 분사의 관계가 수동임을 나타낸다. 이때 Being이나 Having been은 주로 생략된다.

06 Required to file taxes within a few days, she regretted putting off the work for so long.

07 Having been informed that the treatment had been successful, the patient felt an incredible wave of relief.

고난도
08 Chased by others, he couldn't help but keep running even when he entered an unknown landscape holding hidden dangers. <모의응용>

해설집 p.95

분사로 시작하지 않는 분사구문 해석하기

의미상의 주어로 시작하는 분사구문 해석하기

01 *Liquid* **being drawn** out of some animals naturally, / the animals continually drink water / to replace it. <모의응용>

액체가 몇몇 동물들에게서 자연스럽게 빠지기 때문에 / 그 동물들은 계속해서 물을 마신다 / 그것을 대체하기 위해

분사구문의 주어가 주절의 주어와 다를 때 분사 앞에 의미상의 주어를 쓰며, 이때 그 의미를 살려서 해석한다.

02 The bus driver pressing the brake pedal so hard, many riders fell down due to the sudden stop.

03 The day of the trial quickly approaching, the lawyers worked hard to prepare their arguments and build a case.

*build a case: 소송을 내다

04 The situation becoming more and more desperate, the lost campers began to ration their food to ensure that it would last longer.

*ration: (식량 등이 부족할 때) 제한적으로 배급하다

고난도

05 The environment and emotions determining the particular color the octopuses take, they change their colors very often, which helps them communicate as well as hide.

TIP **비인칭 독립분사구문**

분사구문의 의미상 주어가 막연한 일반인인 경우 주어를 생략하고 관용적으로 쓰기도 한다.

Generally speaking 일반적으로 말하면	Strictly speaking 엄밀히 말하면	Frankly speaking 솔직히 말하면
Roughly speaking 대략 말하면	Putting it simply 간단히 말하자면	Judging from ~으로 판단하건대
Speaking of ~에 대해 말하자면	Considering (that) ~을 고려하면	Granted (that) ~을 인정하더라도

접속사로 시작하는 분사구문 해석하기

06 *Although* **having written** many beautiful pieces of music, / he still dressed badly / and hardly ever cleaned his room. <수능>

비록 많은 아름다운 음악들을 썼었지만 / 그는 여전히 형편없게 옷을 입었다 / 그리고 그의 방을 거의 청소하지 않았다

분사구문의 의미를 분명하게 하기 위해 분사 앞에 접속사를 쓰기도 하며, 이때 그 의미를 살려서 해석한다.

07 After learning a faster way to get to the office, I no longer need to leave my house early in the morning.

08 If kept in a properly sealed container, nuts can maintain freshness for up to three months.

09 Though appearing to be focusing intently, the student was actually avoiding his studies and drawing a picture in the notebook.

10 When driving down the street, it is important to always leave enough space between your car and the one in front of you.

「with+명사+분사」 해석하기

11 He was sitting in the rented truck / **with his head slumped** down. <모의>

그는 빌린 트럭 안에 앉아있었다 / 그의 머리가 아래로 숙여진 채로

「with+명사+분사」는 '**~한/된 채로, ~하면서/되면서**'라고 해석한다. 명사와 분사의 관계가 능동이면 현재분사를 쓰고, 수동이면 과거분사를 쓴다.

12 With time running out, my team worked furiously to find a solution to the problem that was plaguing our project.

13 Soccer fans around the country began cheering, with the game being over and the local team being declared the champions.

14 According to a British study, a person who sleeps on their back with their arms stuck to their sides like a "soldier" is usually quite reserved. <모의응용>

고난도
15 With stock prices plummeting, millions of people lost money and had no choice but to wait for the market to rebound.

TIP **「with+명사+형용사/부사/전치사구」**

「with+명사」 뒤에 분사 대신 형용사, 부사, 전치사구가 쓰일 수도 있다.

Aaron kept talking *with his mouth* **full**. Aaron은 입에 음식이 가득 찬 채로 계속 말했다.

I walked into the room *with the lights* **off**. 나는 불이 꺼진 채로 방으로 걸어 들어갔다.

With her arms **around the baby**, the mother sang a lullaby. 그녀의 팔이 아기를 두른 채로, 그 엄마는 자장가를 불렀다.

해설집 p.97

Chapter Test

[01-10] 다음 문장을 해석하시오.

01 Standing in line for more than three hours, the fans eagerly awaited the re-release of their favorite movie.

02 Construction companies enforce strict rules while they work on a project, so as to protect the safety of the employees.

03 Being adapted to certain climates, animals have difficulty living in other environments different from their original habitat.

04 During the blizzard, the snow was falling too heavily for us to enable businesses, schools, and roads to reopen.

05 Having stayed in the mother's pouch for eight months, the baby kangaroo became fully independent.

06 Accused of a crime she hadn't committed, the woman discussed the options for her defense with the attorney.

07 The storm approaching rapidly from the southeast, the captain ordered his crew to prepare for the impact of waves.

08 The soldier was sad to be relocated to another country and prevented from leaving, never to see his military colleagues again.

고난도
09 Although having remained a mystery for decades, the movement of rocks across the California desert was finally explained by the researchers.

고난도
10 With the number of customers decreasing, the marketing team continued to search for the best ways to attract new patrons and keep the existing ones.

해설집 p.99

CHAPTER 09

부사절

부사절은 문장에서 부사 역할을 한다. 부사절을 이끄는 다양한 접속사의 의미를 알아두면 부사절에서 말하고자 하는 부가적인 내용을 빠르게 해석할 수 있다.

의미가 다양한 접속사 해석하기

01 **Since** the Industrial Revolution began, / the proportion of carbon (in the atmosphere) has increased. <모의응용>

산업혁명이 시작된 이후로 / (대기에 있는) 탄소의 비율이 증가해왔다

02 **Since** water is always moving, / the Earth cannot hold onto it. <모의>

물은 언제나 움직이고 있기 때문에 / 지구는 그것을 붙들 수 없다

접속사 when, while, since, as는 다양한 의미를 가지며, 각 의미에 따라 아래와 같이 해석한다.

접속사	해석	접속사	해석
when	~할 때 <시간>	since	~한 이래로, ~한 이후로 <시간>
	만약 ~한다면(= if) <조건>		~하기 때문에, ~이므로 <원인>
	~에도 불구하고 <양보>	as	~할 때, ~하면서 <시간>
	~인데 <대조>		
while	~하는 동안 <시간>		~하기 때문에, ~이므로 <원인>
	~에도 불구하고(= although) <양보>		비록 ~이지만 <양보> *「명사/형용사/부사+as+S′+V′」의 형태로 쓴다.
	~인 반면에(= whereas) <대조>		~인 것처럼, ~듯이 <양태>

03 As the topic was fascinating, I listened more intently to the speaker's presentation.

04 I couldn't understand why so many people laughed when nothing funny happened.

05 The front left tire popped while the truck was driving on the highway, and it caused the truck to curve into another lane of traffic.

06 As you get older, managing your health gets more and more important because the body becomes less capable of recovery.

07 Many people lose weight by using a temporary diet, while the only effective method is to change one's habits and lifestyle.

08 The company has been continuously restoring the servers since it lost most of the data in a system crash last month.

09 The potential buyers raised their hands to bid on the item when the auctioneer called out a new price.

*bid: 입찰하다

10 Many wanted to change their situation as the innovative businessman turned the crisis into his advantage. <모의응용>

11 Researchers found that male Wistar rats tend to stay closer to the nest, while their female counterparts are more active.

12 According to the announcement the plane's captain just made, we should expect some turbulence as we are landing.

13 He introduced the offer as an opportunity to easily achieve a success, when I knew it was just an expedient.

*expedient: 편법

14 They had to close the bridge to make repairs on it, since workers discovered some faults in the pillars supporting it.

고난도
15 Athletes will be immediately disqualified and banned from competition, when they are caught using performance-enhancing drugs in the Olympics.

고난도
16 Short as the duration was, the city, which is normally a sweltering desert, experienced a powerful thunderstorm that troubled most of the citizens.

*sweltering: 무더운

TIP **쓰임에 따라 의미가 다른 접속사**

접속사 if와 whether는 부사절을 이끌 때와 명사절을 이끌 때 다른 의미를 가진다.

부사절		명사절	
if	만약 ~한다면 <조건>	if	~인지
whether ~ or …	~이든 …이든 <양보>	whether	

If you study hard, you will get a good score in the final test.
만약 네가 열심히 공부한다면, 너는 기말고사에서 좋은 점수를 받을 것이다.
Whether we have dishes from the franchise in Seoul **or** Busan, we can expect them to taste the same.
우리가 프랜차이즈 음식을 서울에서 먹든 부산에서 먹든, 우리는 그것들이 맛이 똑같이 나는 것을 기대할 수 있다.
The manager was not very sure **if**[**whether**] her own idea is the best option for the company.
그 경영자는 그녀 자신의 생각이 회사를 위한 최선의 방안인지 그렇게 확실하지는 않았다.

해설집 p.101

UNIT 51 시간/원인/조건을 나타내는 접속사 해석하기

시간을 나타내는 접속사 해석하기

01 The aircraft makers tied each other up / in patent lawsuits / and slowed down innovation / **until** the US government stepped in. <모의>

항공기 제조사들은 서로를 묶었다 / 특허 소송에 / 그리고 혁신을 늦췄다 / 미국 정부가 개입할 때까지

시간을 나타내는 접속사는 아래와 같이 해석한다.

until/till	~할 때까지	not … until ~	~할 때까지 …하지 않다
once	일단 ~하면, ~하는 대로	as soon as	~하자마자
before	~하기 전에	every[each] time	~할 때마다(= whenever)
after	~한 후에	the moment[instant/minute]	~하는 순간
by the time	~할 무렵에는	no sooner ~ than …	~하자마자 …하다(= hardly[scarcely] ~ when[before] …)

02 The moment the firefighters find out the cause of the fire, they'll be sure to let the residents know.

03 Every time we eat food, we bombard our brains with a feast of chemicals, triggering an explosive hormonal chain reaction. <모의>

04 No sooner had the speech begun than the audience started criticizing the speaker's controversial remarks.

고난도
05 By the time the Erie Canal was finished, the railroad had been established as the fittest technology for transportation, so the canal became obsolete. <모의응용>

원인을 나타내는 접속사 해석하기

06 Creativity is strange / **in that** it finds a way / in any kind of situation. <모의>

창의력은 기묘하다 / 그것이 방법을 찾는다는 점에서 / 어떤 종류의 상황에서도

원인을 나타내는 접속사는 아래와 같이 해석한다.

because	~하기 때문에	in that	~라는 점에서, ~이므로
now (that)	~이니까, ~이므로	that	~해서, ~하다니
seeing (that)	~이니까, ~인 것으로 보아		

*접속사처럼 쓰이는 「전치사+명사+that」: for the reason that(~라는 이유로), on the grounds that(~라는 근거[이유]로)

07 Now that my nephew is four, he no longer needs to ride in a child's car seat.

08 The dogs immediately started barking because the delivery man was approaching the door.

09 The research team was happy that they had been approved for another round of funding which allowed continuing the studies.

10 Seeing that a number of roads into the area are closed, traffic congestion must be extremely bad on the one remaining path.

조건을 나타내는 접속사 해석하기

11 **Unless** you spend a reasonable amount of time / with your friend, / the friendship might go away. <수능>

만약 네가 상당한 시간을 보내지 않는다면 / 너의 친구와 / 우정은 사라질 수도 있다

조건을 나타내는 접속사는 아래와 같이 해석한다.

if	만약 ~한다면	as[so] long as	~하기만 하면, ~하는 한
unless	만약 ~하지 않는다면(= if ~ not)	provided[providing] (that)	~라는 조건하에, 만약 ~한다면
in case (that)	~한 경우에	suppose[supposing] (that)	~라고 가정하면, 만약 ~한다면

*접속사처럼 쓰이는 「전치사+명사+that」: on (the) condition that(~라는 조건하에)

12 We might execute the contingency plan in case something goes wrong with the operation to rescue the trapped workers.

*contingency plan: 비상시 대책

13 The veterinarian said that the dog would recover from the leg surgery in a few days, supposing that it doesn't run during that time.

14 Provided that there are no injuries, it will be an easy victory for the team, which has been dominant all season.

고난도

15 There's a strong chance that current consumer spending habits maintain, as long as there aren't any problems with shipping and imports.

해설집 p.103

양보/목적/결과를 나타내는 접속사 해석하기

양보를 나타내는 접속사 해석하기

01 **Although** the Sun has much more mass than the Earth, / humans (living on Earth) feel its gravity more. <모의응용>

비록 태양이 지구보다 훨씬 더 많은 질량을 가지고 있지만 / (지구에 살고 있는) 인간들은 그것의 중력을 더 많이 느낀다

양보를 나타내는 접속사는 아래와 같이 해석한다.

(al)though	비록 ~이지만
even though	비록 ~이지만 (사실인 내용이 뒤에 온다.)
even if	비록 ~일지라도 (가정하는 내용이 뒤에 온다.)
whether ~ or ···	~이든 ···이든

02 Whether a beef steak gets a little undercooked or overcooked, it will still be edible.

03 Even if the company's stock price rises a bit, everyone would expect it to fall again due to the recent scandals.

04 Even though Hippocrates lived about 2,500 years ago, his idea that the family health history should be inquired about with the patients sounds very familiar even today. <모의응용>

고난도
05 Though Ethan knew nothing about the city he was about to visit, he enjoyed the sense of uncertainty that the new destination provided.

목적을 나타내는 접속사 해석하기

06 Divers use a snorkel / **so that** they can breathe with it / in shallow water. <모의>

잠수부들은 잠수호흡관을 사용한다 / 그들이 그것으로 호흡할 수 있도록 / 얕은 물에서

목적을 나타내는 접속사는 아래와 같이 해석한다.

so (that)	~하도록, ~하기 위해
in order that	
lest+S´(+should)+V´	~하지 않도록, ~하지 않기 위해

07 Fixed rules that may be burdensome to follow are still necessary lest we live in chaos. <모의응용>

08 Jonas Salk insisted on distributing the polio vaccine for free so that all people would be immune to the disease.

*polio: 소아마비

09 We stayed perfectly still while sitting in the garden in order that we could avoid frightening the butterflies.

10 People began stacking sandbags lest the incoming storm lead to flooding in the city on the coast.

고난도
11 A second layer of walls was built for some medieval castles, so opposing armies could not invade through the wall.

결과를 나타내는 접속사 해석하기

12 Many industrial fisheries are now **so** intensive / **that** only a few animals survive beyond the age of maturity. <수능>

많은 산업용 어업이 이제 너무 집중적이어서 / 몇 안 되는 동물들만 성숙기를 넘어서 살아남는다

결과를 나타내는 접속사는 아래와 같이 해석한다.

so+형용사/부사+that …	너무 ~해서 …하다
such(+a/an)(+형용사)+명사+that …	
so+형용사(+a/an)+명사+that …	

13 The crash was so powerful a force that the ground shook and trees collapsed.

14 The weather in winter was so cold in the area that many newcomers could hardly tolerate it.

15 The extinct species was such an unusual animal that the researchers had a difficult time estimating its size.

16 The match was so close that the crowd fell completely silent, since they were worried that even a small sound would affect the game's outcome.

고난도
17 When many airlines offer seemingly cheap tickets, they are often accompanied by such unreasonable commissions that a flight ends up more expensive.

*commission: 수수료

해설집 p.105

부사절을 이끄는 복합관계사 해석하기

부사절을 이끄는 복합관계대명사 해석하기

01 **Whatever** our project is, / we should wait until the right time to start it. <모의>

우리의 프로젝트가 무엇이더라도 / 우리는 그것을 시작할 적절한 시간까지 기다려야 한다

(= **No matter what** our project is, we should wait until the right time to start it.)

복합관계대명사는 부사절을 이끌 때 아래와 같이 해석한다.

who(m)ever	누가[누구를] ~하더라도, ~가 누구더라도(= no matter who(m))
whatever	무엇이[을] ~하더라도, ~가 무엇이더라도(= no matter what)
whichever	어느 것이[을] ~하더라도, ~가 어느 것이더라도(= no matter which)

*whatever와 whichever는 복합관계형용사로 쓰여 명사를 꾸며줄 수 있다.

02 Whomever they give the award to, all nominees deserve winning it.

03 Mr. Evans won't be satisfied with his new suit, whichever color he chooses for it.

04 Whoever is running for office, the people will decide who their next leader will be via a vote.

05 Whatever the cause of our discomfort is, most of us have to convince ourselves to seek feedback from others. <모의>

06 Whoever is interested in applying to our internship program, we will offer a chance to attend lectures from professional leaders.

07 Whatever data is presented to us, the tendency to give more weight to information that supports our beliefs may distract our comprehending the whole data. <모의응용>

고난도

08 Finding true freedom has more to do with staying on course and following your sense of who you truly are, whichever way the wind leads you to. <모의응용>

부사절을 이끄는 복합관계부사 해석하기

09 **Whenever** you worry that something might happen, / stop thinking on problems [that do not exist]. <모의응용>

네가 무언가가 일어날 수도 있다고 걱정할 때마다 / [존재하지 않는] 문제들에 대해 생각하는 것을 멈춰라
(= **Every time that** you worry that something might happen, stop thinking on problems that do not exist.)

복합관계부사는 부사절을 이끌 때 아래와 같이 해석하며, 부사절 안에서 부사의 역할을 한다.

복합관계부사	장소·시간·방법의 부사절	양보의 부사절
wherever	~하는 곳은 어디든 (= at/in/to any place that)	어디에(서) ~하더라도 (= no matter where)
whenever	~할 때마다, ~할 때는 언제든 (= every/any time that)	언제 ~하더라도 (= no matter when)
however	~하는 어떤 방법으로든 (= in whatever way that)	아무리 ~하더라도 (= no matter how) *이때 however 뒤에는 형용사나 부사가 온다.

10 However a fish is prepared, it is palatable and provides the best source of protein.

*palatable: 맛있는

11 The managers warned us that there must be powerful tools to overcome the company's stop in growth, whenever the company's profit decreased.

12 Wherever the idol group went, they were recognized and surrounded by fans, which caused the group's stress.

13 The public continues to throw money at their car products relentlessly, no matter how often recall issues erupt at the company.

14 There are countless procedures to follow whenever we get through security, so being prepared helps us accelerate the process.

고난도
15 Wherever he stays, Ted always establishes routines that he can stick to and that he can maintain.

고난도
16 However poorly the situation was resolved, the managers considered it a relatively satisfying end result, though they weren't certain of what the result would bring.

해설집 p.107

Chapter Test

[01-10] 다음 문장을 해석하시오.

01 Flames exploded outward when the firefighters opened the door to the burning building.

02 Although he didn't know what effect his speech would have, he spoke with confidence and certainty.

03 No sooner had the sound of thunder growled through the clouds than rain began to pour down over the city.

*growl: 우르르 울리다

04 However frequently the parents offer words of inspiration to their children, trusting them would improve their self-esteem more.

05 The two movies were similar in that they followed the same general plot structure and featured similar themes.

06 Uncomfortable as it may be, the truly important task a person must do is to face their fears and overcome them.

07 They hired an exterminator the moment they saw a cockroach, lest the infestation grow and become a larger problem.

*exterminator: 해충 구제업자

08 The results of the experiments would be reliable, provided that the researchers adhere to the protocols that they established.

고난도
09 The new cars were so fast that new safety mechanisms needed to be developed, as they increased damage from collisions.

고난도
10 Whichever the companies select between emotional and logical appeals to use in their advertisements, it will be very effective on consumers.

해설집 p.110

CHAPTER 10

가정법

가정법은 사실과 반대되거나 실현 가능성이 거의 없는 일을 가정하여 말하는 것이다. 가정법의 시제는 실제로 그것이 가리키는 시점과 일치하지 않아 혼동하기 쉽지만, 공식처럼 쓰이는 구문이 있으므로 이를 학습해두면 쉽고 빠르게 문장을 해석할 수 있다.

가정법 과거 해석하기

01 **If** children **were required** to excel / only in certain areas, / they **might cope** with their parents' expectations better. <모의>

만약 아이들이 뛰어나도록 요구받는다면 / 특정 분야에서만 / 그들은 그들의 부모의 기대에 더 잘 대응할 수도 있을 텐데

가정법 과거는 현재의 사실과 반대되거나 실현 가능성이 거의 없는 일을 가정할 때 쓴다. 「If+S'+동사의 과거형(be동사는 were) ~, S+would/could/might+동사원형 …」의 형태로 자주 나타나며, '**만약** (현재에) **~한다면** (현재에) …**할 텐데**'라고 해석한다.

02 If the team had more exceptional players, it could potentially win the championship this year.

03 If the knife were sharp, the chef would not have a hard time cutting through the meat and vegetables.

04 The studio might make more money if its movie were filmed on a set rather than at remote locations.

05 If multi-celled organisms were found to have evolved before single-celled organisms, the theory of evolution would be rejected. <모의>

고난도
06 If the Earth rotated twice as quickly, centrifugal force would pull water toward the equator, raising sea levels in the area dramatically.

*centrifugal force: 원심력

고난도
07 If birds grew their young inside their bodies instead of laying eggs, they might be very vulnerable to predators because they would be too heavy to fly. <모의응용>

TIP **가정법이 아닌 if절**

if절에 과거시제가 쓰였다고 해서 무조건 가정법인 것은 아니다. 과거의 사실이나 습관에 대한 내용일 수도 있으므로, 문맥을 잘 파악하여 해석해야 한다.

If my parents **had** time off, we always **took** a trip to a foreign country.
나의 부모님이 휴가를 낼 때면, 우리는 항상 외국으로 여행을 갔다.

If Joy **went out** with her friends, she **would stay up** all night dancing. She can't do that anymore.
Joy가 그녀의 친구들과 외출하면, 그녀는 춤을 추며 밤을 새곤 했다. 그녀는 더 이상 그렇게 할 수 없다.

해설집 p.112

가정법 과거완료 해석하기

01 **If** the student **had dropped** the bottle (containing chemicals), / it **could have led** to a serious accident. <모의응용>

만약 그 학생이 (화학 물질을 담고 있는) 병을 떨어뜨렸더라면 / 그것은 심각한 사고로 이어질 수 있었을 텐데

가정법 과거완료는 과거의 사실과 반대되는 일을 가정할 때 쓴다. 「If+S'+had p.p. ~, S+would/could/might+have p.p. …」의 형태로 자주 나타나며, '**만약** (과거에) **~했더라면** (과거에) …**했을 텐데**'라고 해석한다.

02 If I had invited all of my family to the dinner, there might have been arguments amongst some of them.

03 If the explorers had moved a few kilometers east, they could have made important historical discoveries.

04 The climber would have fallen a tremendous distance and been badly injured if he had missed that last handhold.

05 If the orchestra had practiced harder, they might have seemed more synchronized during their performance.

06 If the designers had positioned the legs of the bench farther apart, it could have remained stable while supporting more people.

고난도

07 The US would have dealt with fewer health issues if the government had passed laws guaranteeing the right to health care.

TIP

혼합가정법

혼합가정법은 if절과 주절의 시점이 서로 다를 때 쓰며, 아래 두 가지 형태로 나타난다.

If+S'+had p.p. ~, S+would/could/might+동사원형 …	만약 (과거에) ~했더라면 (현재에) …할 텐데
If+S'+동사의 과거형(be동사는 were) ~, S+would/could/might+have p.p. …	만약 (현재에) ~한다면 (과거에) …했을 텐데

If the patient **had stopped** the medication earlier, he **wouldn't be suffering** severe side effects now.

만약 그 환자가 더 일찍 그 약을 중단했더라면, 그는 지금 심한 부작용을 겪고 있지 않을 텐데.

If the patient **weren't** allergic to the medication, the doctor **would have prescribed** it for him.

만약 그 환자가 그 약에 알레르기가 있지 않으면, 의사는 그에게 그것을 처방했을 텐데.

해설집 p.113

if+주어+should/were to 가정법 해석하기

01 **If** manufacturers **should fail** to produce good food, / the state **would punish** them / for threatening the interests (of its citizens). <모의응용>

만약 제조업체들이 좋은 식품을 생산하는 것을 하지 않는다면 / 국가는 그들을 처벌할 텐데 / (그것의 시민들의) 이익을 위협한 것에 대해

if절에 should나 were to가 있는 가정법은 미래에 실현 가능성이 거의 없거나 불가능한 일을 가정할 때 쓰며, 둘 다 '**만약** (미래에) **~한다면** (미래에) …**할 텐데**'라고 해석한다.

「If+S´+should」 가정법	If+S´+should+동사원형 ~, S+would/could/might+동사원형 …
「If+S´+were to」 가정법	If+S´+were to+동사원형 ~, S+would/could/might+동사원형 …

*「If+S´+should」는 주절에 조동사의 현재형(will/can/may)이나 명령문이 올 수 있다.

02 If the snow on the roads were to melt, we could drive again without any fear of crashing.

03 If such a golden opportunity should arise again, I may be inclined to accept the offer.

04 Franklin would succeed much more frequently in job interviews if he were to put a little more effort into preparing.

05 If the museum should open its doors on public holidays, it would attract a greater number of visitors.

06 The contractor could receive a big incentive if he should complete the construction by the end of the month.

07 If I were to step in quicksand, the pressure from my foot would cause it to act like a liquid, and I would sink right in. <모의응용>

*quicksand: 유사

고난도
08 If you were to pull out of a deal after a minor amendment in the terms of the agreement, you might be considered an irresponsible person.

해설집 p.114

if가 생략된 가정법 해석하기

01 **Had I taken** package tours, / I **wouldn't have had** the eye-opening experiences / [that changed my perspective (on life)]. <모의응용>

만약 내가 패키지 여행을 했더라면 / 나는 놀랄 만한 경험을 가지지 못했을 텐데 / [(삶에 대한) 나의 관점을 바꿨던]
(= If I had taken package tours, I wouldn't have had the eye-opening experiences ~.)

가정법에서 if절의 (조)동사가 were, had, should인 경우 if를 생략할 수 있으며, 이때 주어와 (조)동사의 위치가 바뀐다. 해석은 if가 쓰인 가정법과 동일하게 한다.

구분	if가 생략된 가정법의 형태 (← 가정법의 기본 형태)
가정법 과거	Were+S´ ~ (← If+S´+were ~)
가정법 과거완료	Had+S´+p.p. ~ (← If+S´+had p.p. ~)
「If+S´+should」 가정법	Should+S´+동사원형 ~ (← If+S´+should+동사원형 ~)

02 Were the dog trained well, it would be able to respond to specific commands and perform various tricks.

03 Had the assignment been more clearly explained, the students could have understood what was required of them.

04 Should the products sell out, we would close the store early so as not to waste the time of either the customers or ourselves.

05 Were the watermelon ripe enough, it would sound somewhat hollow when you knocked on it.

06 Had a meteor not hit the Earth millions of years ago, an entire ice age might have been avoided or delayed.

07 Should the lizard be trapped under the rock, it could detach its tail to escape, as the species commonly does.

고난도
08 Had the researchers noticed the error in the initial stages of the study, the subsequent data might not have been corrupted.

해설집 p.115

UNIT 58 S+wish 가정법 해석하기

01 Many people insist / that knowledge is power, // but we sometimes **wish** / we **didn't know** about something. <모의응용>

많은 사람들이 주장한다 / 아는 것이 힘이라고 // 그러나 우리는 때때로 바란다 / 우리가 무언가에 대해 모르길

「S+wish」 가정법 과거는 주절의 시제와 같은 시점에 실현 가능성이 거의 없거나 불가능한 일을 소망할 때 쓴다. 「S+wish」 가정법 과거완료는 주절의 시제보다 앞선 시점에 이루지 못했던 일 또는 이미 일어난 일에 대한 아쉬움을 나타낼 때 쓴다.

주절	가정법 과거	해석
S+wish	S'+(조)동사의 과거형(be동사는 were) ~	S'가 ~하면 좋을 텐데/~하길 바란다
S+wished		S'가 ~하면 좋았을 텐데/~하길 바랐다
주절	**가정법 과거완료**	**해석**
S+wish	S'+had p.p. ~	S'가 ~했더라면 좋을 텐데/~했길 바란다
S+wished		S'가 ~했더라면 좋았을 텐데/~했길 바랐다

02 I wish I had remembered to pack a phone charger, but I didn't think of it until I arrived at the hotel.

03 The organizers wish they could afford to rent a larger venue that would allow their exhibitors plenty of room to maneuver.

04 Ms. Green wished she argued more forcefully for her vision of the project at the meeting with her boss.

05 The pilot wished he had checked to ensure that the helicopter rotors were working properly before he departed that morning.

*rotor: 회전 날개

06 Julie wishes she were better at understanding technology, but she even finds herself unable to fix simple computer problems.

07 Vincent wished he had listened to his manager's advice not to move to the Accounting Department. <모의응용>

고난도

08 The stunt performer wishes he had turned the bike in the opposite direction in the air, because he timed the landing of the jump incorrectly.

해설집 p.116

UNIT 59 as if[though] 가정법 해석하기

01 When watching the news last night, / it **felt** / **as if** the whole world **were** in crisis.

어젯밤에 뉴스를 볼 때 / 느껴졌다 / 마치 전 세계가 위기 속에 있는 것처럼

as if[though] 가정법 과거는 주절의 시제와 같은 시점의 사실과 반대되는 일을 가정할 때 쓰고, as if[though] 가정법 과거완료는 주절의 시제보다 앞선 시점의 사실과 반대되는 일을 가정할 때 쓴다.

주절	가정법 과거	해석
S+현재시제	as if[though]+S´+동사의 과거형(be동사는 were) ~	마치 S´가 ~한 것처럼 …한다
S+과거시제		마치 S´가 ~한 것처럼 …했다
주절	**가정법 과거완료**	**해석**
S+현재시제	as if[though]+S´+had p.p. ~	마치 S´가 ~했던 것처럼 …한다
S+과거시제		마치 S´가 ~했던 것처럼 …했다

02 Rumors spread rapidly through a population as if they possessed lives of their own.

03 The actor stood up smiling as though the host had announced his name, but someone else won the award.

04 Even though the child hasn't gotten any injuries, he sits around all day as if he had broken his legs.

05 The car started to sputter and slow down as though it had run out of fuel or its engine had been destroyed.

06 The runner was sprinting as if he weren't in the first few minutes of running a marathon, with the intensity used for shorter races.

07 To show sympathy, many people tend to speak about situations as if they had experienced them personally.

고난도
08 Words like "lavender" and "soap" activate the areas of the brain that respond to smells as though we physically smelled them. <모의응용>

고난도
09 The prosecutor described the night of the robbery as though the suspect had definitely committed the crime he was accused of.

해설집 p.117

다양한 가정법 표현 해석하기

without[but for] 가정법 해석하기

01 **Without[But for]** the formation (of social bonds), / early human beings **could not have adapted** / to their environments. <모의응용>

만약 (사회적 유대감의) 형성이 없었더라면 / 초기 인류는 적응할 수 없었을 텐데 / 그들의 환경에
(= If it had not been for[Had it not been for] the formation of social bonds, early human beings could not have adapted ~.)

「Without[But for]+명사」는 가정법의 if절을 대신하며, 아래와 같이 해석한다.

without[but for] 가정법 과거	해석
Without[But for]+명사, S+would/could/might+동사원형 ··· = If it were not for[Were it not for]+명사	만약 (현재에) ~가 없다면, (현재에) ···할 텐데
without[but for] 가정법 과거완료	**해석**
Without[But for]+명사, S+would/could/might+have p.p. ··· = If it had not been for[Had it not been for]+명사	만약 (과거에) ~가 없었더라면, (과거에) ···했을 텐데

02 But for restrictions governing our behavior, we might take advantage of each other.

03 Without his job to keep him occupied, Ashton would be bored during summer break.

고난도
04 If it had not been for the quick reactions of the residents, the house would have caught fire when the oil spilled near the stove.

otherwise 가정법 해석하기

05 The paddy itself has to have a hard clay floor; // **otherwise** the water **would** simply **seep** / into the ground. <모의응용>

논 자체는 단단한 진흙층을 가지고 있어야 한다 // 그렇지 않으면 물이 그저 스며들 것이다 / 땅 속으로

otherwise 가정법은 뒤에 가정법 과거가 올 때 '**그렇지 않으면 ~할 것이다**'라고 해석하고, 가정법 과거완료가 올 때 '**그렇지 않았더라면 ~했을 것이다**'라고 해석한다.

06 Fortunately, Steve brought an umbrella. Otherwise he would have gotten drenched in the rain.

07 We should pay attention to what the teacher says in class, otherwise we might be filled with regret while sitting for an exam.

고난도
08 The passengers dutifully followed the flight attendant's instructions; otherwise they could have been removed from the flight.

suppose[supposing] (that) 가정법 해석하기

09 **Suppose that** you **got into** your top choice of university, / what **would** you **want** to major in?

만약 네가 가장 원했던 대학교에 입학한다면 / 너는 무엇을 전공하기를 원할 거니

suppose[supposing] (that) 가정법은 뒤에 가정법 과거가 올 때 '**만약 ~한다면**'이라고 해석하고, 가정법 과거완료가 올 때 '**만약 ~했더라면**'이라고 해석한다.

10 Supposing that the book were full of misprints, the publisher would have to issue a recall.

11 Suppose you were unable to access your bank account, you would need some cash to survive.

고난도
12 Supposing the company had hired new employees who just graduated, it might have spent a considerable amount of time on training them.

it's time 가정법 해석하기

13 Given the current status (of global warming), / **it's time** / **that** we **took** stronger action.

(지구 온난화의) 현재 상황을 고려하면 / 때이다 / 우리가 더 강력한 조치를 취해야 할

it's time 가정법은 '(S'가) **~해야 할 때이다**'라고 해석하며, 아래와 같은 형태이다.

It's (high/about) time (that) +	S'+동사의 과거형(be동사는 were) S'+should+동사원형

14 It's about time that Mr. Grant should begin planning for his retirement by setting money aside for the future.

고난도
15 With the increasing use of social media, many people prefer online communication, but it's high time that they learned how to interact with one another in real life.

해설집 p.119

Chapter Test

[01-10] 다음 문장을 해석하시오.

01 If critics had given positive reviews to our play, attendance could have gone up significantly.

02 Should the bugs in the software be fixed soon, the company might be able to launch it in November as scheduled.

03 Without your timely decision, the situation we were dealing with would have gotten worse quickly.

04 If doctors had noticed the small irregularity on the patient's x-rays, she might not be in critical condition now.

05 It's time that the children carried out more chores around the house, as they're already 13 years old.

06 The hair stylist wished she had taken appointments for the day. She hadn't expected the shop to be so busy and unmanageable.

07 In the West, if a farmer wanted to become more efficient or to improve his yield, he introduced more sophisticated equipment. <모의>

08 They built a number of support structures into the floors and walls; otherwise the building would collapse under its own weight.

고난도
09 Supposing that people were to ride their bicycles more often rather than drive, carbon emissions could be greatly reduced throughout the world.

고난도
10 The artist's piece looked as if it had been her first time working with wood, but there were subtle advanced techniques beneath the surface.

해설집 p.121

CHAPTER 11

비교구문

비교구문은 두 가지 이상의 대상을 서로 견주어 비교하는 문장이다. 비교구문은 기존 형용사와 부사의 의미에 더욱 풍부한 내용을 더해준다. 다양한 비교구문 학습을 통해 비교하는 대상이 무엇인지 파악하면 문장을 빠르게 해석할 수 있다.

UNIT 61 원급 비교 해석하기

01 Though all of our brains have the same basic structures, / our neural networks are **as unique** / **as** our fingerprints. <수능>

비록 우리의 뇌 모두가 같은 기본 구조를 가지고 있지만 / 우리의 신경망은 독특하다 / 우리의 지문만큼

「as+형용사/부사의 원급+as」는 두 비교 대상의 정도가 비슷하거나 같음을 나타내며, '**…만큼 ~한/하게**'라고 해석한다. 부정문인 「not as[so]+형용사/부사의 원급+as」는 '**…만큼 ~하지 않은/않게**'라고 해석한다. 원급을 강조하는 부사는 just/exactly(딱, 꼭), nearly/almost(거의, ~이나) 등이 있다.

02 Jerry does not think as creatively as Susan does, but he's excellent in critical thinking.

03 The employee is exactly as dedicated to his job as his references indicated he would be.

04 The watch on display is as expensive as a small-sized house, even with the discounts the store is offering.

05 The burglar crept toward the bank vault as quietly as a cat sneaking up on a mouse, preparing to break in.

06 To her disappointment, Laura found herself sleeping as poorly in her new bed as she had in her old one.

07 In the fall, the sun rises as high in the sky as it does in the spring, but it gets further overhead during the summer.

고난도
08 Electric cars are not so beneficial to the environment as they appear to be, since that electricity is still largely generated with fossil fuels.

TIP **비교 대상의 다양한 형태**

두 비교 대상에서 공통된 부분은 생략하거나, 대동사(do/dose/did) 또는 대명사(one(s)/that/those)를 쓴다.

One cup of broccoli *contains* as much vitamin C as an orange **(does)**.
한 컵의 브로콜리는 한 개의 오렌지만큼 많은 비타민 C를 함유하고 있다.

A dog's *night vision* is not as good as **that** of a cat.
개의 야간 시력은 고양이의 것만큼 좋지 않다.

해설집 p.123

원급이 쓰인 표현 해석하기

01 Producing one kilogram of meat / requires about **five times as much** water / **as** producing one kilogram of vegetables. <모의응용>

1킬로그램의 고기를 생산하는 것은 / 약 다섯 배 많은 물을 필요로 한다 / 1킬로그램의 채소를 생산하는 것보다

원급을 이용한 표현은 아래와 같이 해석한다.

as+many[much]/few[little]+as+숫자	~나 되는/~밖에 안 되는
배수사+as+원급+as	…보다 -배 ~한/하게
as+원급+as+possible	가능한 한 ~한/하게
as+원급+as+주어+can/could	(주어)가 할 수 있는 한 ~한/하게
as+원급+as can/could be	굉장히 ~한/하게, 더할 나위 없이 ~한/하게
as+원급+as ever	여전히[변함없이] ~한/하게

02 The dog was as fascinated as could be by the snow outside, and it was also very pleased.

03 Carl's new route to work in the morning is twice as fast as the one he was using before.

04 Due to the emergence of Internet journalism, as many as 1,800 newspapers have shut down in the US since 2004.

05 The professor made the lectures as interesting as possible to keep the attention of her students.

06 Upon seeing Josephine for the first time in a few years, I was relieved that she was as cheerful as ever.

07 As little as ten percent of the world's population carries the genes that contribute to being left-handed.

고난도
08 The salesperson spoke as persuasively as he could in order to convince the potential customers to purchase his company's products, but they remained hesitant.

해설집 p.124

UNIT 63 비교급 비교 해석하기

01 Computers can perform simple calculations / **faster** and **more accurately** / **than** any human can. <모의응용>

컴퓨터는 간단한 계산을 할 수 있다 / 더 빠르고 더 정확하게 / 어떤 인간이 할 수 있는 것보다

「형용사/부사의 비교급+than」은 두 비교 대상의 차이를 나타내며, '…**보다 더 ~한/하게**'라고 해석한다. 「less+형용사/부사의 원급+than」은 '…**보다 덜 ~한/하게**'라고 해석한다. 비교급을 강조하는 부사는 much/even/far/a lot(훨씬) 등이 있다.

02 The pizza we got delivered was less delicious than the one we ate at the restaurant.

03 Essential oils from plants are purer and more healthful than chemical antibacterial agents. <모의>

*antibacterial agent: 항세균제

04 The children took the baseball game very seriously, so they played a lot more competitively than their opponents.

05 Dinner with your friends is generally more fun than corporate dinners, because there's less pressure associated with the situation.

06 The opera singer was able to use his voice more beautifully than his world-famous father could.

07 A snack with the label "99% natural" seems much more appealing than it would if labeled "1% unnatural." <모의>

고난도

08 The ability to analyze certain information in depth and understand all parts of it is far less prevalent than most people would like to believe.

TIP

절에서 주어/목적어 역할을 하는 than

비교급에 쓰이는 than은 마치 관계대명사처럼 절에서 주어나 목적어 역할을 하기도 한다.

Do not take more sleeping pills **than** are necessary.
필요한 것보다 더 많은 수면제를 복용하지 마시오.

The stationery shop sent us more supplies **than** we had ordered.
그 문구점은 우리가 주문했었던 것보다 더 많은 물품을 보냈다.

해설집 p.125

비교급이 쓰인 표현 해석하기

01 Most plastics break down into **smaller and smaller** pieces / when exposed to ultraviolet light, / forming microplastics. <모의>

대부분의 플라스틱은 점점 더 작은 조각들로 분해된다 / 자외선에 노출될 때 / 미세 플라스틱을 형성하면서

비교급을 이용한 표현은 아래와 같이 해석한다.

배수사+비교급+than	…보다 -배 더 ~한/하게
the+비교급, the+비교급	…하면 할수록 더 ~하다
비교급+and+비교급	점점 더 ~한/하게
A not more ~ than B	A가 B보다 더 ~한 것은 아니다(= A가 B보다 덜 ~하거나 같다)
A not less ~ than B	A가 B보다 덜 ~한 것은 아니다(= A가 B보다 더 ~하거나 같다)
A no more ~ than B	A는 B와 마찬가지로 ~하지 않다(= A와 B 둘 다 ~하지 않다)
A no less ~ than B	A는 B만큼이나 ~하다(= A와 B 둘 다 ~하다)

02 It is often said that the greater the hardships we face in life are, the more we can learn.

03 The water levels in the lake were getting higher and higher due to the melting glaciers.

04 For me, meeting a new person is not less intimidating than speaking in front of a large crowd.

05 The test itself was not more difficult than the entry-level exam, despite the warnings the students had received.

06 The mountain is estimated to be five times more dangerous to climb than other mountains of a similar size.

07 The stranger was behaving no more suspiciously than anyone else, yet there was something unsettling about him.

고난도
08 Taking the delicate clock apart, I could see that the mechanisms involved were no less intricate than other advanced machines.

해설집 p.126

최상급 비교 해석하기

01 Negotiators may focus only on **the largest**, **most salient** issues, / leaving more minor ones unresolved. <모의>

협상자들은 가장 크고 가장 두드러진 문제들에만 집중할 수도 있다 / 더 사소한 것들을 해결되지 않은 상태로 두면서

「the+형용사/부사의 최상급」은 셋 이상의 비교 대상 중 하나의 정도가 가장 높음을 나타내며, '**가장 ~한/하게**'라고 해석한다. 최상급을 강조하는 부사는 by far/quite/easily(단연코), the very(단연코, 정말), much(정말, 그야말로) 등이 있다.

02 Many would argue that the oboe is by far the hardest musical instrument to learn.

03 The restaurant always uses the very best ingredients, which are sourced daily from local farms.

04 Property crime is perhaps the most common type of crime that happens to individuals and organizations.

05 The gymnast leapt around the most nimbly, securing the gold medal through her perfectly executed routine.

06 Social media has been regarded as the most effective way to raise public awareness of a newly launched brand.

07 The longest baseball game in history was a 1981 minor-league game that lasted for 32 consecutive innings.

고난도

08 The keyboard design strategy was to position the most frequently pressed keys as far apart as possible to minimize the possibility that they would stick together. <모의>

TIP

최상급의 의미를 나타내는 원급/비교급 표현

원급/비교급을 써서 최상급의 의미를 나타낼 수 있다.

Ms. Diaz is **the most experienced** teacher in our school. Diaz 선생님은 우리 학교에서 가장 경력이 많은 선생님이다.
= **No** teacher is **as experienced as** Ms. Diaz in our school. 우리 학교에서 어떤 선생님도 Diaz 선생님만큼 경력이 많지 않다.
= **No** teacher is **more experienced than** Ms. Diaz in our school. 우리 학교에서 어떤 선생님도 Diaz 선생님보다 경력이 많지 않다.
= Ms. Diaz is **more experienced than any other** teacher in our school. Diaz 선생님은 우리 학교에서 다른 어떤 선생님보다 경력이 많다.
= Ms. Diaz is **more experienced than all the other** teachers in our school. Diaz 선생님은 우리 학교에서 다른 모든 선생님보다 경력이 많다.

해설집 p.128

최상급이 쓰인 표현 해석하기

01 The e-book reading rates (of **the second youngest** group) / increased from 25% in 2019 to 42% in 2020. <모의응용>

(두 번째로 가장 어린 그룹의) 전자책 독서율은 / 2019년 25퍼센트에서 2020년 42퍼센트로 증가했다

최상급을 이용한 표현은 아래와 같이 해석한다.

one of the+최상급+복수명사	가장 ~한 (명사) 중 하나
the+서수+최상급	… 번째로 가장 ~한
the+최상급+명사+that+have ever+p.p.	지금까지 …한 (명사) 중에서 가장 ~한 (명사)
the+최상급+명사(+that)+주어+have ever+p.p.	지금까지 (주어)가 …한 (명사) 중에서 가장 ~한 (명사)

02 The cassowary, one of the biggest species of birds on Earth, stands nearly two meters tall.

*cassowary: 화식조(타조와 비슷한 새)

03 Sending people to the Moon is possibly the most significant and impressive accomplishment that humans have ever achieved.

04 According to recently published statistics, the gender pay gap in Germany is the fifth widest in Europe.

05 In just a few decades, Seoul has become one of the most technologically advanced cities in the world, with its powerful electronics manufacturers.

06 After spending a lifetime racing the fastest cars that had ever been built, driving ordinary cars on the freeway seemed slow to him.

07 Edvard Munch's *The Scream* is one of the highest priced paintings that has ever been sold at auction.

고난도
08 The nation's welfare budget for the elderly represents only 16 percent of its total welfare expenditure, reaching the third lowest among the OECD states. <모의응용>

해설집 p.129

Chapter Test

[01-10] 다음 문장을 해석하시오.

01 The concert was no more entertaining than the band's worst previous performance.

02 Venus, which shines the brightest in the solar system, is closer to Earth than all the other planets.

03 Most medical procedures aren't painful as much as they are frightening, and the hesitation we feel is created by our own fears.

*procedure: 수술

04 The speaker emphasized certain words more heavily than others in order to highlight their importance to the topic.

05 With a depth of approximately 200 meters, the Yangtze River in Asia is twice as deep as the Amazon River in South America.

06 In the summer, the populations of parks reflect the weather; the hotter it gets, the more unwilling people are to go outside.

07 The bakery located at the corner of Fifth Avenue and Hill Street is known for producing one of the most exquisite desserts in the area.

08 Scientists have discovered that babies and young children understand more than we would ever have thought possible. <모의응용>

09 Elena wanted to provide solutions that were as good as or better than those of her peers, so she stayed up late considering a range of options.

고난도
10 It was even more concerning that cracks were developing in the building's foundation than that mold was growing on the walls.

해설집 p.130

CHAPTER 12

특수구문

특수구문은 문장에서 말하고자 하는 내용을 더욱 효과적으로 전달하기 위해 기본적인 문장 구조를 변형한 것이다. 기본적인 문장 구조와는 다른 형태를 가지고 있기 때문에 어렵게 보일 수 있지만, 구문 별로 주요한 패턴이 있으므로 이를 학습해두면 쉽게 문장 구조를 파악할 수 있다.

강조 구문 해석하기

동사/명사/부정어/의문문 강조 구문 해석하기

01 In the early 1990s, / Norway introduced a carbon tax, // and it **did** *seem* to facilitate / environmental innovation. <수능응용>

1990년대 초에 / 노르웨이는 탄소세를 도입했다 // 그리고 그것은 분명히 촉진한 것처럼 보였다 / 환경적 혁신을

동사, 명사, 부정어, 의문문은 아래와 같이 강조할 수 있으며, 문맥을 잘 파악하여 자연스럽게 해석한다.

강조 대상	형태	해석
동사	do/does/did+동사원형	분명히/정말로 ~하다
명사	the very+명사	바로 그 ~, 맨/가장 ~
부정어	not ~ at all/in the least/by any means	전혀 ~ 않다
의문문	의문사+on earth/in the world	도대체 ~

02 Amino acid deficiency was not limited to the pre-industrial world by any means. <모의응용>

*amino acid: 아미노산

03 I do think my dog understands the things I say; it responds to my commands immediately and consistently.

04 Julia's dislike of waking up early was the very reason she didn't want to take a job that required a long commute.

05 How on earth did the ancient Egyptians manage to build the colossal pyramids without the use of electric construction equipment?

06 The arguments that the conspiracy group makes for their beliefs are not accepted at all, as there is no evidence supporting them.

07 Although the defendant was unaware of how much damage his actions would do, he did know that they were illegal.

고난도

08 In the 1850s, Louis Pasteur discovered the very cause of many diseases plaguing humanity, which had long eluded scientists.

*elude: ~에게 이해가 되지 않다

It ~ that 강조 구문 해석하기

09 **It was** *newfound self-confidence* / **that** encouraged John D. Rockefeller to achieve / anything [he went after]. <모의>

바로 새로 얻은 자신감이었다 / 존 D. 록펠러가 성취하도록 용기를 북돋았던 것은 / [그가 추구했던] 어떤 것이든

동사와 보어를 제외한 문장 성분(주어, 목적어, 부사구/절)은 「It is/was ~ that …」 구문으로 강조할 수 있으며, '**…한/했던 것은 바로 ~이다/였다**'라고 해석한다. is/was와 that 사이에 사람이 올 때 that 대신 who(m)을, 사물이 올 때 which를 쓰기도 한다.

10 It was when she was ten years old that Vera Rubin started to develop an interest in astronomy. <모의응용>

11 Thanks to the investigation, we learned that it was the CFO who had leaked the confidential information to our competitors.

*CFO(Chief Financial Officer): 최고 재무 책임자

12 It was in recent times that people came to see the relationships between the structural elements of materials and their properties. <모의응용>

13 The musician can play a wide range of musical instruments, but it is the trumpet that he primarily uses in his songs.

14 It was because everyone was wearing protective gear that no one was seriously hurt in the accident.

15 It was within minutes of placing the call for assistance that I saw the ambulance arrive at my door.

고난도
16 It was whom the voters had elected that provoked such alarm throughout the international community.

해설집 p.132

부정 구문 해석하기

01 **No** one has to let / errors (of the past) destroy their present / or cloud their future. <수능>

아무도 허락해서는 안된다 / (과거의) 실수가 그들의 현재를 파괴하도록 / 또는 그들의 미래를 흐리게 하도록

부정 구문은 크게 세 가지 유형으로 나눌 수 있으며, 아래와 같이 해석한다.

	형태	해석
전체 부정	no+명사, none/neither of+명사	어떤/아무 …도 ~않다, … 중 아무(것)도/어느 쪽도 ~않다
부분 부정	not+always/necessarily/entirely/all/every	항상/반드시/완전히/모두/모든 ~은 아니다
이중 부정	not+부정의 의미를 나타내는 표현	~하지 않지는 않다(= ~하다)

02 It is not unusual for a book of 30 or more pages to be full of repetitive phrases. <모의응용>

03 Personality tests are not always accurate in that they are based largely on the respondent's self-assessment of their own behavior.

04 Neither of my parents pushed me to study hard, but both gave me practical advice when I was choosing a career.

05 Recently, an international team of mathematicians has devised a solution that proves black holes are not unstable.

06 The citizens commonly believed, not entirely unreasonably, that there would be someone to help them if anything terrible happened.

07 None of the people visiting the Sydney Opera House has a bad view of the stage, as the theater has been designed well.

08 Even though a number of hypotheses for why we stutter were suggested, not all of them have been examined.

TIP **부정어 없이도 부정의 의미를 나타내는 표현**

above ~을 초월한, ~하지 않는
beyond ~을 넘어서는, ~할 수 없는
free from ~이 없는
far from ~과 거리가 먼
anything but ~이 결코 아닌
be[have] yet to-v 아직 ~하지 않(았)다

해설집 p.134

병렬 구문 해석하기

01 Desert locusts **gather** in vast groups, / **feed** together, / and **overwhelm** their predators simply through numbers. <모의>

사막 메뚜기들은 거대한 무리를 지어 모여 있고 / 함께 먹이를 먹고 / 그리고 그저 숫자만으로 그들의 포식자를 압도한다

등위접속사나 상관접속사로 연결되는 말은 병렬 구문을 이루며, 보통 문법적으로 형태와 기능이 같다. 문장 안에서 연결되는 대상을 찾아 병렬 구문임을 파악한 후 해석한다.

등위접속사	and 그리고, ~이고, ~와	but 그러나, ~이지만	or 또는, 아니면, ~이나
상관접속사	both A and B A와 B 둘 다 either A or B A나 B	not only[just] A but (also) B A뿐만 아니라 B도(= B as well as A) neither A nor B A도 B도 아닌	 not A but B A가 아니라 B

02 The latest product release from the technology company is behind schedule, but it's still within budget.

03 Honest communication and mutual respect are critical to maintaining a healthy relationship.

04 Not only the British but also the French were revered for the power of their navies during the age of mercantilism.

*mercantilism: 중상주의

05 Physical reactions such as an increased heart rate prepare your body either to fight a threat or to escape from it. <모의응용>

06 There were quite a few additional rules to consider regarding both attendance and punctuality.

07 It is not individual accomplishment but cohesive teamwork that will lead us to win the championship.

08 A spokesperson for the organization neither admitted nor denied the allegations of corruption, which were published by several newspapers yesterday.

09 After a troublesome class last year, the teacher was pleased to find her students this semester attentive, well-behaved, and diligent.

10 Neither administering medicines early nor applying particular treatments is enough to cure some maladies.

*malady: 고질병

11 The new phone model includes improvements to its web security and underlying operating system, but failed to incorporate extended battery life.

12 Precious metals have been desirable as money across the millennia not just because they have intrinsic beauty but also because they exist in fixed quantities. <모의>

13 Both working from home and having a flexible work schedule are seen as acceptable alternatives to traditional office hours.

고난도
14 Scientific explanations can be made either by seeking the least number of principles covering all observations or by finding general patterns drawn from each phenomenon. <수능응용>

고난도
15 Whether professionals have a chance to develop intuitive expertise depends essentially on the quality and speed of feedback, as well as on sufficient opportunity to practice. - Daniel Kahneman

어법
16 The city needs to invest in attracting businesses, [build / building] infrastructure, or promoting foreign investment.

TIP **상관접속사의 수 일치**

both A and B 뒤에는 항상 복수동사를 쓰고, 나머지 상관접속사 뒤에 오는 동사는 B와 수를 일치시킨다.

Both *Anthony and his brother* **enjoy** playing table tennis on weekends.
Anthony와 그의 형 둘 다 주말에 탁구를 치는 것을 즐긴다.

Neither the builders nor *the construction manager* **knows** what caused the collapse.
건축자들도 공사 관리자도 무엇이 그 붕괴를 야기했는지를 알지 못한다.

해설집 p.136

UNIT 70 동격 구문 해석하기

01 *Salvador Dali*, **one of the most famous surrealist painters**, / used to nap / with a key in his hand. <모의응용>

가장 유명한 초현실주의 화가들 중 하나인 살바도르 달리는 / 낮잠을 자곤 했다 / 그의 손에 열쇠를 든 채로

명사 A 뒤에 또 다른 명사(구)나 명사절을 써서 구체적인 설명을 덧붙인 동격 구문은 아래와 같이 해석한다.

A, 명사(구)	~인 A
A of 명사(구)	~인/하는 A
A, or 명사(구)	A, 즉 ~
A+that절	~라는 A
A+whether절	~인지에 대한 A

02 The concept of seasonal fruit is fading away, as consumers can now buy fruits from all seasons all year round. <모의응용>

03 Underwater earthquakes and other types of seismic activity trigger a tsunami, or a tidal wave, in nearby areas.

*seismic: 지진의

04 The emphasis on individual productivity reflects an opinion that independence is a necessary factor for success. <모의응용>

05 The prime minister has yet to announce a decision whether or not she will change the composition of her cabinet.

*cabinet: 내각

06 Urban Structures, the architectural firm behind the proposed building, has said the construction will end up being more expensive than anticipated.

고난도
07 The media's optimistic belief that the people would settle the issues without protest fell apart, and reports quickly adopted a more negative outlook.

TIP **동격의 that/whether절과 자주 쓰이는 명사**

belief that ~라는 신념/믿음	opinion that ~라는 의견	possibility that ~라는 가능성
question whether ~인지에 대한 의문	decision whether ~인지에 대한 결정	doubt whether ~인지에 대한 의구심

해설집 p.138

삽입 구문 해석하기

01 To produce something worthwhile/((—**if we go through with it**—))/will require years of hard labor. <모의응용>

가치 있는 무언가를 생산하는 것은 / ((만약 우리가 그것을 관철한다면)) / 수년 동안의 노고를 필요로 할 것이다

삽입 구문은 콤마(,)나 대시(—) 사이에 쓰여 부가적인 내용을 덧붙이거나 표현을 완곡하게 만든다. 종종 삽입되는 표현들은 아래와 같다.

if any	만약 있다고 해도	if ever	만약 한다 할지라도
in any case	어쨌든, 어차피	in a sense	어떤 의미로는
in fact	사실	that is (to say)	즉
on the other hand	반면에	as it were	말하자면, 이를테면

02 The primate's responses, researchers say, demonstrate an impressive amount of self-awareness.

*primate: 영장류

03 Very few of the residents, if any, were fully prepared for the hurricane which hit the town last night.

04 Most ideas—but not all—are open to tests of verification. This means that ideas can be tested to see if they are correct or false. <모의>

05 The nurses' union had rarely, if ever, had difficulty reaching a compromise agreement with the hospital board.

06 The editor, when possible, tried to suggest edits that would improve the novelist's usual writing style.

07 We had gathered everything and filled the truck to capacity, that is, there was no way to load more boxes.

고난도
08 The record, long thought to be unbreakable before yesterday's achievement, was, in a sense, just another castle waiting to be conquered.

해설집 p.139

UNIT 72 생략 구문 해석하기

반복되는 어구가 생략된 구문 해석하기

(bring their own telescope or binoculars)
01 Participants can bring their own telescope or binoculars / if they want to. <모의응용>

참석자들은 그들 자신의 망원경이나 쌍안경을 가져올 수 있다 / 만약 그들이 그러기를(= 그들 자신의 망원경이나 쌍안경을 가져오기를) 원한다면

문장에서 반복되는 어구는 주로 생략되며, 그 상태로 자연스럽게 해석한다. 하지만 문맥이 어색한 경우, 생략된 부분을 다시 넣거나 대명사 또는 대동사를 추가해 해석하기도 한다.

02 Far too much time is spent on thinking about the future or dwelling on the past, and far too little on living in the moment.

03 When particles accelerate to high enough speeds and collide with one another, a complex series of reactions takes place.

*particle: 분자

고난도
04 The politician had pledged that he would raise corporate taxes in order to fund public benefits, but he didn't in the end.

부사절의 「주어+be동사」가 생략된 구문 해석하기

(biodiesel is)
05 Though derived from biological sources such as soybean, / biodiesel is a processed fuel [that can be readily used in diesel cars]. <모의응용>

비록 (바이오디젤은) 대두와 같은 생물적 공급원으로부터 얻어지지만 / 바이오디젤은 [디젤 차에 쉽게 사용될 수 있는] 가공된 연료이다

부사절의 주어와 주절의 주어가 같을 때, 일부 부사절의 「주어+be동사」는 생략될 수 있다. 해석은 주로 생략한다.

06 You should keep deadlines in mind, ensure all documents are in order, and write a compelling personal essay when applying to university.

07 The zoologist spotted some curious behavior while observing a group of Asian elephants at Washington Park Zoo in Indiana. <모의>

고난도
08 The price for all items will be set at $30 each, unless otherwise specified, until the sale of all relevant objects has concluded.

해설집 p.140

Chapter Test

[01-10] 다음 문장을 해석하시오.

01 The very prospect of failing the exam and having to do it all over again terrified her. <모의응용>

02 The government, in any case, will provide 24-hour protection to the witnesses who give testimony crucial to the prosecution's case.

03 It was the loss of confidence in his abilities as a soccer player that he felt most concerned by after the match.

04 None of the candidates we invited for the interview seemed to be a good fit for the position, so we decided to repost the job advertisement.

05 Though explained in the full text of the article, the significance of the study could not be clearly understood.

06 Doubts whether the economic strategy will be successful are beginning to spread, making some people nervous.

07 The search for an appropriate medium through which you can realize your creative potential is not always easy, but it is far from impossible. <모의응용>

08 Nikola Tesla's contributions to developments in engineering and advancements in design impact nearly everything we use today.

고난도
09 Firefighters need to be careful of backdrafts, or the rapid burning of oxygen from an enclosed space, when they are trying to put out fires.

*backdraft: 역기류

고난도
10 Not only experts but also committed music enthusiasts often voice the opinion that the beauty of music lies in an expressive deviation from the exactly defined score. <모의응용>

해설집 p.142

수능 영어 꽉 잡는 직독직해 훈련서

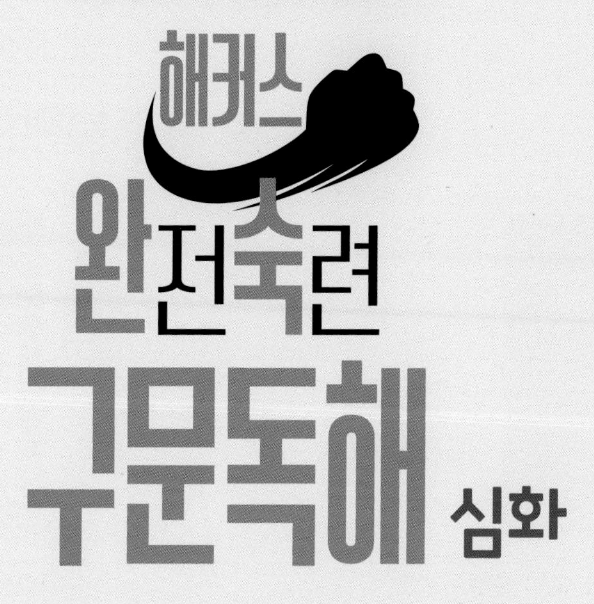

초판 2쇄 발행 2023년 12월 4일
초판 1쇄 발행 2023년 1월 10일

지은이	해커스 어학연구소
펴낸곳	㈜해커스 어학연구소
펴낸이	해커스 어학연구소 출판팀

주소	서울특별시 서초구 강남대로61길 23 ㈜해커스 어학연구소
고객센터	02-537-5000
교재 관련 문의	publishing@hackers.com 해커스북 사이트(HackersBook.com) 고객센터 Q&A 게시판
동영상강의	star.Hackers.com

ISBN	978-89-6542-518-2 (53740)
Serial Number	01-02-01

| 해커스 중고등 교재 MAP |

나에게 맞는 교재 선택!

	초5	초6	예비중	중1	중2
문법			Hackers Grammar Smart Starter	Hackers Grammar Smart Level 1	Hackers Grammar Smart Level 2
문법				기출로 적중 해커스 중학영문법 1학년	기출로 적중 해커스 중학영문법 2학년
서술형				해커스 쓰기 자신감 Level 1	해커스 쓰기 자신감 Level 2
구문					
독해	Hackers Reading Smart Starter Level 1	Hackers Reading Smart Starter Level 2	Hackers Reading Smart Level 1	Hackers Reading Smart Level 2	Hackers Reading Smart Level 3
독해				Hackers Reading Ground Level 1	Hackers Reading Ground Level 2
독해				Hackers Reading Path Level 1	Hackers Reading Path Level 2
독해					해커스 첫수능 영어 기초독해
듣기				해커스 중학영어듣기 모의고사 24회 Level 1	해커스 중학영어듣기 모의고사 24회 Level 2
어휘				해커스 3연타 중학영단어	
어휘				해커스 보카 중학 기초	해커스 보카 중학 필수
어휘					해커스 보카 중학 숙어

토플

READING	LISTENING	VOCA
HACKERS APEX READING for the TOEFL iBT Basic/Intermediate/Advanced/Expert	HACKERS APEX LISTENING for the TOEFL iBT Basic/Intermediate/Advanced/Expert	HACKERS APEX VOCA for the TOEFL iBT HACKERS VOCABULARY

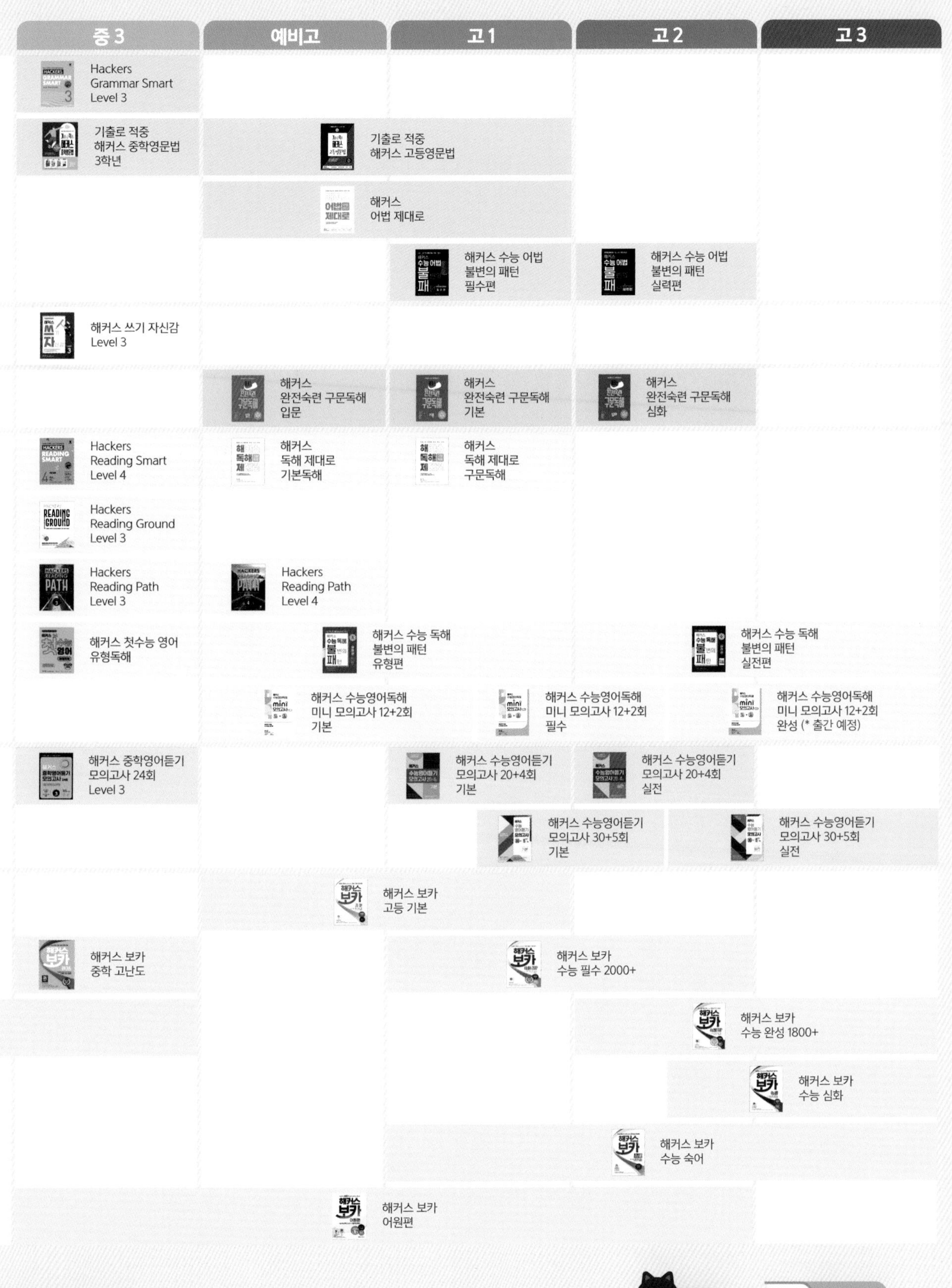

중 3
예비고
고 1
고 2
고 3
Hackers Grammar Smart Level 3
기출로 적중 해커스 중학영문법 3학년
기출로 적중 해커스 고등영문법
해커스 어법 제대로
해커스 수능 어법 불변의 패턴 필수편
해커스 수능 어법 불변의 패턴 실력편
해커스 쓰기 자신감 Level 3
해커스 완전숙련 구문독해 입문
해커스 완전숙련 구문독해 기본
해커스 완전숙련 구문독해 심화
Hackers Reading Smart Level 4
해커스 독해 제대로 기본독해
해커스 독해 제대로 구문독해
Hackers Reading Ground Level 3
Hackers Reading Path Level 3
Hackers Reading Path Level 4
해커스 첫수능 영어 유형독해
해커스 수능 독해 불변의 패턴 유형편
해커스 수능 독해 불변의 패턴 실전편
해커스 수능영어독해 미니 모의고사 12+2회 기본
해커스 수능영어독해 미니 모의고사 12+2회 필수
해커스 수능영어독해 미니 모의고사 12+2회 완성 (* 출간 예정)
해커스 중학영어듣기 모의고사 24회 Level 3
해커스 수능영어듣기 모의고사 20+4회 기본
해커스 수능영어듣기 모의고사 20+4회 실전
해커스 수능영어듣기 모의고사 30+5회 기본
해커스 수능영어듣기 모의고사 30+5회 실전
해커스 보카 고등 기본
해커스 보카 중학 고난도
해커스 보카 수능 필수 2000+
해커스 보카 수능 완성 1800+
해커스 보카 수능 심화
해커스 보카 수능 숙어
해커스 보카 어원편

수능 영어 꽉 잡는 직독직해 훈련서

입문 · 기본 · 심화

입문
(예비고)

기본
(고1)

심화
(고2)

해커스 완전숙련 구문독해가 특별한 이유!

독해에 꼭 필요한 핵심 구문을 모두 담았으니까!

1. 해석에 꼭 필요한 모든 구문을 **실제 기출 문장으로 학습**
2. 독해를 쉽고 빠르게 할 수 있는 **친절하고 간결한 구문 설명**

촘촘한 훈련으로 배운 구문을 완전히 내 것으로 만드니까!

3. 어떤 문장이든 자신 있게 직독직해할 수 있는 **800여 개의 문장 끊어 읽기 연습**
4. 영작/해석 워크시트, 어휘 리스트/테스트 등 **다양한 부가 학습 자료로 독해 완전숙련**

부가 자료

해커스북(HackersBook.com)에서
본 교재에 대한 다양한
부가 학습 자료를 이용하세요!

53740
9 788965 425182
ISBN 978-89-6542-518-2

수능 영어 꽉 잡는 직독직해 훈련서

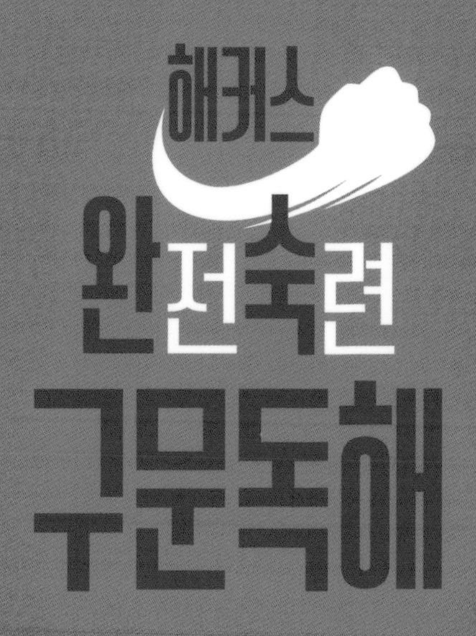

심화

깊은 이해로 이끄는

친절한 해설집

해커스 완전정복 구문독해 심화

깊은 이해로 이끄는

해커스 어학연구소

CHAPTER 01 주어

명사구 주어 해석하기

본책 p.18

01 **To use everyday items in new ways** / is helpful for solving problems creatively. <모의응용>
S / V / SC / M

일상적인 물품들을 새로운 방식으로 사용하는 것은 / 문제들을 창의적으로 해결하는 데 도움이 된다

= It is helpful to use everyday items in new ways for solving problems creatively.

02 **Combining the conventional engine with an electric motor** / makes cars run more efficiently. <모의응용>
S / V / O / OC

전통적인 엔진을 전기 모터와 결합하는 것은 / 자동차를 더 효율적으로 달리게 만든다

「make+목적어(cars)+목적격 보어(run more efficiently)」의 구조이다.

어휘 conventional 형 전통적인

03 **Putting off tough decisions indefinitely** / is also an option / in certain cases.
S / V / M / SC / M

어려운 결정을 무기한으로 미루는 것은 / 또한 선택지이다 / 특정 상황들에서 → 어려운 결정을 무기한으로 미루는 것은 특정 상황들에서 또한 선택지이다.

어휘 put off 미루다, 연기하다 indefinitely 부 무기한으로

04 As Kant said, / **to be honest in every situation** / is reckless.
S´ V´ / M / S / V / SC

칸트가 말한 것처럼 / 모든 상황에서 정직한 것은 / 무모하다

= As Kant said, it is reckless to be honest in every situation.

어휘 reckless 형 무모한

05 **Calculating longitude at sea** / remained impractical / until the mid-19th century.
S / V / SC / M

바다에서 경도를 계산하는 것은 / 실행 불가능한 상태로 있었다 / 19세기 중반까지 → 바다에서 경도를 계산하는 것은 19세기 중반까지 실행 불가능한 상태로 있었다.

어휘 longitude 명 경도 impractical 형 실행 불가능한

06 In a rapidly developing field (like physics), / **to publish your discoveries speedily** / is necessary.
M / S / V / SC

(물리학처럼) 빠르게 발전하는 분야에서 / 당신의 발견을 신속하게 발표하는 것은 / 필수적이다

= In a rapidly developing field like physics, it is necessary to publish your discoveries speedily.

어휘 physics 명 물리학

07 **Studying Ibn Battuta's travel itinerary** / revealed the economic conditions (faced by many 14th-century countries).
S / V / O

이븐 바투타의 여정을 연구한 것은 / (많은 14세기 나라들에 의해 직면된) 경제적 상황을 드러냈다

⊙ 과거분사구 faced ~ countries는 conditions를 꾸며준다.

어휘 itinerary 명 여정, 기행 reveal 동 드러내다 face 동 직면하다

08 **To construct a whole world (with its own history and language)** / is the aim (of so-called fantasy fiction).

S / V / SC

(그것 자신의 역사와 언어를 가진) 온전한 세계를 구성하는 것은 / (소위 공상 소설의) 목표이다

⊙ = It is the aim of so-called fantasy fiction to construct a whole world with its own history and language.

고난도

09 **Exposing young children to the world's musical cultures** / brings them into the cultural conversation / and allows them to learn about others in an artistic way. <모의>

S / V¹ O¹ M¹ / V² O² OC²

어린 아이들을 세계의 음악 문화에 노출시키는 것은 / 그들을 문화적 담화로 데려온다 / 그리고 그들이 예술적인 방식으로 다른 사람들에 대해 배울 수 있게 한다
→ 어린 아이들을 세계의 음악 문화에 노출시키는 것은 그들을 문화적 담화로 데려오고 그들이 예술적인 방식으로 다른 사람들에 대해 배울 수 있게 한다.

⊙ 동사 brings와 allows가 등위접속사 and로 연결되어 병렬 구문을 이룬다.

어휘 expose 동 노출시키다

어법

10 **Texting during meal times** / is considered rude / in many societies.

S / V C / M

식사 시간 중에 문자를 하는 것은 / 무례하다고 여겨진다 / 많은 사회에서 → 식사 시간 중에 문자를 하는 것은 많은 사회에서 무례하다고 여겨진다.

⊙ 「consider+목적어(texting ~ times)+목적격 보어(rude)」의 구조가 수동태로 바뀐 문장이다.

정답 is
해설 주어 Texting during meal times가 단수로 취급되는 동명사구이므로 단수 동사 is가 정답이다.

UNIT 02 명사절 주어 해석하기

본책 p.19

01 **Whether an animal can feel anything (resembling the loneliness [humans feel])** / is hard to say. <모의>

S' V' O' — S / V SC M

동물이 ([인간들이 느끼는] 외로움과 유사한) 어떤 것을 느낄 수 있는지는 / 말하기에 어렵다

⊙ = It is hard to say whether an animal can feel anything resembling the loneliness humans feel.
⊙ 현재분사구 resembling ~ feel은 anything을 꾸며준다.
⊙ loneliness와 humans 사이에는 목적격 관계대명사절이 생략되어 있다.

어휘 resemble 동 유사하다, 닮다

02 **That my friend had told my secret** / made me angry.

S' V' O' — S / V O OC

나의 친구가 나의 비밀을 말했다는 것은 / 나를 화나게 만들었다

⊙ = It made me angry that my friend had told my secret.

03 **What will happen in the future** / is unknown to anybody.

S' V' M' — S / V SC M

미래에 무엇이 일어날지는 / 누구에게도 알려져 있지 않다

⊙ = It is unknown to anybody what will happen in the future.

04 **Where you live** / may be a major factor [that affects quality (of life)].

(S′ V′ / S / V / SC)

네가 어디서 사는지는 / [(삶의) 질에 영향을 미치는] 주요 요소일 수도 있다

- that ~ life는 factor를 꾸며주는 주격 관계대명사절이다.

어휘 factor 명 요소

05 **Whether we use soy milk instead of milk** / does not matter for this recipe.

(S′ V′ O′ M′ / S / V / M)

우리가 우유 대신에 두유를 사용하는지는 / 이 조리법에서 중요하지 않다

- = It does not matter whether we use soy milk instead of milk for this recipe.

06 Under medieval Scotland's custom, / **who became the next tribal chieftain** / was mostly determined by force.

(M / S′ V′ SC′ / S / M / V / M)

중세 스코틀랜드의 풍습 아래 / 누가 다음 부족장이 되었는지는 / 대부분 힘으로 결정되었다

- = Under medieval Scotland's custom, it was mostly determined by force who became the next tribal chieftain.

어휘 medieval 형 중세의 tribal 형 부족의, 종족의

07 **Whether an artist will succeed or fail** / is impossible to tell from their talent alone.

(S′ V′ / S / V / SC / M)

예술가가 성공할지 실패할지는 / 그 사람의 재능만으로 분간하기에 불가능하다

- = It is impossible to tell from their talent alone whether an artist will succeed or fail.
- to부정사구 to tell ~ alone은 impossible을 꾸며주는 부사적 용법으로 쓰였다.

08 **Which course of action a nation takes** / is usually decided by its financial interests.

(O′ S′ V′ / S / M / V / M)

한 나라가 어느 행동 방침을 택하는지는 / 보통 그것의 재정적인 이익에 의해 결정된다

- = It is usually decided by its financial interests which course of action a nation takes.

어휘 financial 형 재정적인, 금융의 interest 명 이익, 흥미

09 **When a lunar eclipse will occur** / is difficult to forecast accurately / due to the irregular shape (of the Moon and Earth).

(S′ V′ / S / V / SC / M / M)

월식이 언제 일어날지는 / 정확하게 예측하기에 어렵다 / (달과 지구의) 불규칙한 모양 때문에

→ 월식이 언제 일어날지는 달과 지구의 불규칙한 모양 때문에 정확하게 예측하기에 어렵다.

- = It is difficult to forecast accurately when a lunar eclipse will occur due to the irregular shape of the Moon and Earth.
- to부정사구 to forecast accurately는 difficult를 꾸며주는 부사적 용법으로 쓰였다.

어휘 lunar eclipse 명 월식 forecast 동 예측하다 irregular 형 불규칙한

10 **How we perceive colors** / is related to cone cells, / which help us detect colors.

(S′ V′ O′ / S / V / M / V′ O′ OC′ / M)

우리가 어떻게 색을 인지하는지는 / 추상 세포들과 관련이 있다 / 그리고 그것들은 우리가 색을 감지하는 것을 돕는다

→ 우리가 어떻게 색을 인지하는지는 추상 세포들과 관련이 있고, 그것들은 우리가 색을 감지하는 것을 돕는다.

- = It is related to cone cells, which help us detect colors, how we perceive colors.
- 관계대명사 which 앞에 콤마(,)가 쓰이면 콤마 앞의 선행사에 대한 부가적인 정보를 덧붙인다.

어휘 perceive 동 인지하다 detect 동 감지하다

11 **Whichever plan we adopt to combat climate change** / must include a reduction (in overall energy consumption).

(O′ S′ V′ M′ / S / V / O)

우리가 기후 변화를 방지하기 위해 채택하는 어느 계획이든지 / (전체적인 에너지 소비의) 감소를 포함해야 한다

- to부정사구 to combat climate change는 목적을 나타내는 부사적 용법으로 쓰였다.

어휘 adopt 통 채택하다 combat 통 방지하다, 싸우다 reduction 명 감소 consumption 명 소비

12 **That vitamins are harmful if consumed too often** / should be noted / by those (taking them every day).

(S′ V′ SC′ M′ / S / V / M)

비타민이 만약 너무 자주 섭취되면 해롭다는 것은 / 유념 되어야 한다 / (그것들을 매일 먹는) 사람들에 의해
→ 비타민이 만약 너무 자주 섭취되면 해롭다는 것은 그것들을 매일 먹는 사람들에 의해 유념 되어야 한다.

- = It should be noted that vitamins are harmful if consumed too often by those taking them every day.
- those는 '(~하는) 사람들'이라고 해석하며, 현재분사구 taking ~ day는 those를 꾸며준다.
- vitamins 대신 대명사 them이 쓰였다.

어휘 consume 통 섭취하다, 소비하다 note 통 유념하다, 주의하다

고난도
13 **What the traveler saw / when he returned to the same desolate area after 25 years** / was very different from the scene [he had pictured].

(O′ S′ V′ M′ / S / V SC M)

그 여행자가 본 것은 / 그가 25년 후에 같은 황량한 곳으로 돌아왔을 때 / [그가 상상했었던] 장면과 매우 달랐다
→ 그 여행자가 25년 후에 같은 황량한 곳으로 돌아왔을 때 본 것은 그가 상상했었던 장면과 매우 달랐다.

- = It was very different from the scene he had pictured what the traveler saw when he returned to the same desolate area after 25 years.
- scene과 he 사이에는 목적격 관계대명사가 생략되어 있다.

어휘 desolate 형 황량한 picture 통 상상하다

UNIT 03 다양한 it 해석하기 I

본책 p.21

01 Oil is important. // **It** is used / to heat homes and keep machines running. <모의>

기름은 중요하다. // 그것은 사용된다 / 집을 따뜻하게 만들고 기계들이 계속 작동하도록 하기 위해
→ 기름은 중요하다. 그것은 집을 따뜻하게 만들고 기계들이 계속 작동하도록 하기 위해 사용된다.

- Oil 대신 대명사 it이 쓰였다.
- heat과 keep이 등위접속사 and로 연결되어 있으며, 목적을 나타내는 to부정사의 동사원형에 해당한다.
- 「keep+목적어(machines)+목적격 보어(running)」의 구조이다.

02 Patrick ruined my shirt / by spilling coffee, // but **it** didn't bother me at all.

Patrick은 나의 셔츠를 엉망으로 만들었다 / 커피를 쏟음으로써 // 하지만 그것은 전혀 나를 성가시게 하지 않았다
→ Patrick은 커피를 쏟음으로써 나의 셔츠를 엉망으로 만들었지만, 그것은 전혀 나를 성가시게 하지 않았다.

- Patrick ~ coffee 대신 대명사 it이 쓰였다.

어휘 ruin 통 엉망으로 만들다, 망치다 bother 통 성가시게 하다

03 Charles Darwin introduced the theory of evolution, // and **it** explains / how species develop and change over time.

찰스 다윈은 진화론을 발표했다 // 그리고 그것은 설명한다 / 종이 시간이 지나면서 어떻게 발달하고 변화하는지를
→ 찰스 다윈은 진화론을 발표했고, 그것은 종이 시간이 지나면서 어떻게 발달하고 변화하는지를 설명한다.

- the theory of evolution 대신 대명사 it이 쓰였다.
- how ~ time은 동사 explains의 목적어 역할을 하는 명사절이다.

고난도
04 On December 7, 1941, / the Imperial Japanese Navy Air Service / launched an attack / on the US naval base (in Hawaii's Pearl Harbor). // **It** resulted in the US officially entering World War II.

1941년 12월 7일에 / 일본 제국의 해군 항공대는 / 공격을 개시했다 / (하와이의 진주만에 있는) 미 해군 기지에 // 그것은 미국이 제2차 세계대전에 공식적으로 참여하는 것을 초래했다. → 1941년 12월 7일에, 일본 제국의 해군 항공대는 하와이의 진주만에 있는 미 해군 기지에 공격을 개시했다. 그것은 미국이 제2차 세계대전에 공식적으로 참여하는 것을 초래했다.

- On December ~ Harbor 대신 대명사 it이 쓰였다.
- 동명사구 officially entering World War II의 의미상 주어로 the US가 쓰였다.

어휘 imperial 형 제국의 launch 동 개시하다, 시작하다 naval 형 해군의, 해상의

05 **It**'s becoming colder and colder, // and the leaves are falling off the trees. <모의응용>

점점 더 추워지고 있다 // 그리고 나뭇잎들이 나무에서 떨어지고 있다 → 점점 더 추워지고 있고, 나뭇잎들이 나무에서 떨어지고 있다.

- 날씨를 나타내는 비인칭 주어 it

06 **It** was too crowded in the subway, // so most of the passengers had to stand.

지하철 안이 너무 붐볐다 // 그래서 승객들 대부분은 서 있어야 했다 → 지하철 안이 너무 붐벼서, 승객들 대부분은 서 있어야 했다.

- 상황을 나타내는 비인칭 주어 it

07 In much of the Northern Hemisphere, / **it** starts getting painfully hot and humid / in July.

북반구의 대부분에서 / 극도로 덥고 습해지기 시작한다 / 7월에 → 북반구의 대부분에서, 7월에 극도로 덥고 습해지기 시작한다.

- 날씨를 나타내는 비인칭 주어 it
- 동명사구 getting ~ humid는 동사 starts의 목적어로 쓰였다.

어휘 painfully 부 극도로, 괴로운 듯이

고난도

08 Mr. Woods had been playing piano for 15 minutes / before he received a complaint from his neighbors, / which was a surprise to him / because **it** was only 3 P.M.

Woods씨는 15분 동안 피아노를 치고 있었다 / 그가 그의 이웃으로부터 불평을 받기 전에 / 그리고 그것은 그에게 놀라운 일이었다 / 고작 오후 세 시였기 때문에 → Woods씨는 그의 이웃으로부터 불평을 받기 전에 15분 동안 피아노를 치고 있었고, 고작 오후 세 시였기 때문에 그것은 그에게 놀라운 일이었다.

- 시간을 나타내는 비인칭 주어 it
- 관계대명사 which 앞에 콤마(,)가 쓰이면 콤마 앞의 선행사에 대한 부가적인 정보를 덧붙이며, 이 문장의 which는 앞에 나온 절을 선행사로 가졌다.

다양한 it 해석하기 II

본책 p.22

01 **It** is difficult / **to appreciate the process (underlying the act of "seeing.")** <모의>

S(가주어) V SC S(진주어)

어렵다 / ("보는 것"이라는 행위 아래에 있는) 작용을 인식하는 것은 → "보는 것"이라는 행위 아래에 있는 작용을 인식하는 것은 어렵다.

- 현재분사구 underlying ~ "seeing"은 process를 꾸며준다.

어휘 appreciate 동 인식하다, 이해하다 underlie 동 아래에 있다, 근본이 되다

02 **It** wasn't certain / **whether the player had committed a foul or not.**

S(가주어) V SC S(진주어) (S' V' O')

확실하지 않았다 / 그 선수가 반칙을 저질렀는지 아닌지는 → 그 선수가 반칙을 저질렀는지 아닌지는 확실하지 않았다.

어휘 commit 동 저지르다 foul 명 반칙, 파울

03 **It** is hard / **to imagine living in a world (without speaking or writing).**

S(가주어) V SC S(진주어)

어렵다 / (말하기나 글쓰기가 없는) 세상에서 사는 것을 상상하는 것은 → 말하기나 글쓰기가 없는 세상에서 사는 것을 상상하는 것은 어렵다.

- 동명사구 living ~ writing은 to부정사 to imagine의 목적어로 쓰였다.

04 **It** is a fact / **that technology is transforming / the role (of current professionals).**

S(가주어) V SC S(진주어)

사실이다 / 기술이 변화시키고 있다는 것은 / (현재의 전문가들의) 역할을 → 기술이 현재의 전문가들의 역할을 변화시키고 있다는 것은 사실이다.

어휘 transform 동 변화시키다

05 **It** is still a mystery / **why the designer suddenly decided / to retire from the fashion industry.**

S(가주어) V M SC S(진주어)

여전히 수수께끼이다 / 그 디자이너가 왜 갑자기 결정했는지는 / 패션 업계에서 은퇴하기로
→ 그 디자이너가 왜 갑자기 패션 업계에서 은퇴하기로 결정했는지는 여전히 수수께끼이다.

06 **It** came as a surprise / **how the virus reproduced again / even in the freezing temperature.**

S(가주어) V M S(진주어)

놀라움으로 다가왔다 / 그 바이러스가 어떻게 다시 번식했는지는 / 몹시 추운 온도에서도
→ 그 바이러스가 어떻게 다시 몹시 추운 온도에서도 번식했는지는 놀라움으로 다가왔다.

어휘 reproduce 동 번식하다, 복제하다

07 **It** is controversial / **whether the politician's election campaign violated legal procedures.**

S(가주어) V SC S(진주어)

논란이 있다 / 그 정치인의 선거 운동이 법적 절차를 위반했는지는 → 그 정치인의 선거 운동이 법적 절차를 위반했는지는 논란이 있다.

어휘 violate 동 위반하다 procedure 명 절차, 과정

08 **It** is interesting / **that the number (of Western European Nobel Peace Prize winners) / exceeds that of the winners (from North and South America).** <모의응용>

S(가주어) V SC S(진주어)

흥미롭다 / (서유럽 노벨 평화상 수상자의) 수가 / (북아메리카와 남아메리카 출신의) 수상자의 것을 넘어선다는 것은
→ 서유럽 노벨 평화상 수상자의 수가 북아메리카와 남아메리카 출신의 수상자의 것을 넘어선다는 것은 흥미롭다.

⊙ the number 대신 대명사 that이 쓰였다.

어휘 exceed 동 넘어서다, 능가하다

09 **It** is amazing / **how the astronauts [who went to the Moon] were guided / by such primitive computers.**

S(가주어) V SC S(진주어)

놀랍다 / [달에 간] 우주 비행사들이 어떻게 안내되었는지는 / 그렇게 발달되지 않은 컴퓨터에 의해
→ 달에 간 우주 비행사들이 어떻게 그렇게 발달되지 않은 컴퓨터에 의해 안내되었는지는 놀랍다.

⊙ who ~ Moon은 astronauts를 꾸며주는 주격 관계대명사절이다.

어휘 primitive 형 발달되지 않은, 태고의

고난도
10 **It** is likely / **that the Ming Dynasty's laws (regulating maritime trade) backfired, / leading to increased piracy and smuggling.**

S(가주어) V SC S(진주어)

가능성이 있다 / (해상 무역을 규제하는) 명나라 왕조의 법이 역효과를 낳았다는 것은 / 증가된 해적질과 밀수로 이어지면서
→ 해상 무역을 규제하는 명나라 왕조의 법이 증가된 해적질과 밀수로 이어지면서 역효과를 낳았다는 것은 가능성이 있다.

⊙ 현재분사구 regulating maritime trade는 laws를 꾸며준다.

어휘 regulate 동 규제하다 maritime trade 명 해상 무역 piracy 명 해적질, 침해 smuggling 명 밀수

11 **It** seems that contemporary art and music have failed / to offer people works [that reflect human achievements]. <수능>

현대 예술과 음악은 실패한 것 같다 / [인류의 업적을 나타내는] 작품들을 사람들에게 내놓는 것을
→ 현대 예술과 음악은 인류의 업적을 나타내는 작품들을 사람들에게 내놓는 것을 실패한 것 같다.

- to부정사구 to offer ~ achievements는 동사 have failed의 목적어로 쓰였다.
- 「offer+간접 목적어(people)+직접 목적어(works ~ achievements)」의 구조이다.
- that ~ achievements는 works를 꾸며주는 주격 관계대명사절이다.

어휘 contemporary 형 현대의, 당대의 reflect 동 나타내다, 비추다

12 **It** takes parents a lot of money to send children / to college (in the United States).

부모가 아이들을 보내는 데 많은 돈이 든다 / (미국에 있는) 대학으로 → 부모가 아이들을 미국에 있는 대학으로 보내는 데 많은 돈이 든다.

13 **It** seems that more and more automobile manufacturers are adding electric vehicles / to their lineups.

점점 더 많은 자동차 제조 회사들이 전기 자동차를 추가하고 있는 것으로 보인다 / 그들의 제품 일람표에
→ 점점 더 많은 자동차 제조 회사들이 그들의 제품 일람표에 전기 자동차를 추가하고 있는 것으로 보인다.

어휘 lineup 명 제품 일람표, 라인업

14 **It** happens that Violet Jessop was aboard both the Titanic and the Britannic / when they each sank.

Violet Jessop은 우연히 타이타닉호와 브리타닉호 둘 다에 탑승해 있었다 / 그것들이 각각 침몰했을 때
→ 타이타닉호와 브리타닉호가 각각 침몰했을 때 Violet Jessop은 우연히 그것들 둘 다에 탑승해 있었다.

15 **It** took five years to finally find / a potentially profitable use (for the Post-it note). <모의응용>

마침내 찾아내는 데 5년이 걸렸다 / (포스트잇 메모지의) 잠재적으로 수익성이 있는 용도를
→ 포스트잇 메모지의 잠재적으로 수익성이 있는 용도를 마침내 찾아내는 데 5년이 걸렸다.

어휘 profitable 형 수익성이 있는

고난도
16 **It** must be that the Internet has democratized information, / given how knowledgeable people can become / even without a higher education.

인터넷이 정보를 대중화했음이 틀림없다 / 사람들이 얼마나 박식해질 수 있는지를 고려하면 / 고등 교육 없이도
→ 사람들이 고등 교육 없이도 얼마나 박식해질 수 있는지를 고려하면, 인터넷이 정보를 대중화했음이 틀림없다.

어휘 democratize 동 대중화하다 knowledgeable 형 박식한

UNIT 05 to부정사의 의미상 주어 해석하기

본책 p.24

01 There was an opportunity (**for me** *to work* abroad), // but I declined.

(was: V^1 / an opportunity: S^1 / for me: 의미상의 주어 / to work abroad: M^1 / I: S^2 / declined: V^2)

(내가 해외에서 일할) 기회가 있었다 // 하지만 나는 거절했다 → 내가 해외에서 일할 기회가 있었지만, 나는 거절했다.

- to부정사구 to work abroad는 opportunity를 꾸며주는 형용사적 용법으로 쓰였다.

어휘 decline 동 거절하다

02 It is dishonest / **of the author** *to claim* that he came up with the story on his own.

S(가주어) V SC 의미상의 주어 S(진주어)

정직하지 못하다 / 그 작가가 그가 그 스스로 그 이야기를 생각해냈다고 주장한 것은
→ 그 작가가 그가 그 스스로 그 이야기를 생각해냈다고 주장한 것은 정직하지 못하다.

● that ~ own은 to부정사 to claim의 목적어 역할을 하는 명사절이다.

어휘 come up with ~을 생각해내다, 제안하다

03 It is necessary / **for the government** *to make* a sufficient welfare budget (for the elderly). <모의>

S(가주어) V SC 의미상의 주어 S(진주어)

필수적이다 / 정부가 (노인들을 위한) 충분한 복지 예산을 편성하는 것은 → 정부가 노인들을 위한 충분한 복지 예산을 편성하는 것은 필수적이다.

어휘 sufficient 형 충분한 welfare 명 복지

04 It is kind / **of you** *to sell* the cookies / to donate the profits to kids (in hospitals).

S(가주어) V SC 의미상의 주어 S(진주어)

친절하다 / 네가 쿠키를 파는 것은 / 수익을 (병원에 있는) 아이들에게 기부하기 위해
→ 수익을 병원에 있는 아이들에게 기부하기 위해 네가 쿠키를 파는 것은 친절하다.

● to부정사구 to donate ~ hospitals는 목적을 나타내는 부사적 용법으로 쓰였다.

05 Giving an allowance periodically / can be a way (**for children** *to learn* about saving or spending money). <모의응용>

S V SC 의미상의 주어 M

주기적으로 용돈을 주는 것은 / (아이들이 돈을 저축하거나 쓰는 것에 대해 배우는) 방법이 될 수 있다

● to부정사구 to learn ~ money는 way를 꾸며주는 형용사적 용법으로 쓰였다.
● 동명사구 Giving ~ periodically는 문장에서 주어 역할을 하고 있다.

어휘 allowance 명 용돈 periodically 부 주기적으로

06 It will now be mandatory / **for all employees** (**working from home**) *to attend* a virtual meeting every morning / with their manager.

S(가주어) M V SC 의미상의 주어 S(진주어)

이제 의무가 될 것이다 / (집에서 일하는) 모든 직원들이 매일 아침 가상 회의에 참석하는 것은 / 그들의 관리자와 함께
→ 집에서 일하는 모든 직원들이 그들의 관리자와 함께 매일 아침 가상 회의에 참석하는 것은 이제 의무가 될 것이다.

● 현재분사구 working from home은 employees를 꾸며준다.

어휘 mandatory 형 의무인, 강제적인 virtual 형 가상의

07 It was harsh / **of the referee** *to give* a red card to the player [who only wanted to prove himself innocent].

S(가주어) V SC 의미상의 주어 S(진주어)

가혹했다 / 심판이 [단지 그 자신이 결백하다는 것을 증명하고 싶었던] 선수에게 퇴장 명령 카드를 준 것은
→ 심판이 단지 그 자신이 결백하다는 것을 증명하고 싶었던 선수에게 퇴장 명령 카드를 준 것은 가혹했다.

● who ~ innocent는 player를 꾸며주는 주격 관계대명사절이다.
● to부정사구 to prove himself innocent는 동사 wanted의 목적어로 쓰였다.
● 「prove+목적어(himself)+목적격 보어(innocent)」의 구조이다.

어휘 referee 명 심판, 감독 innocent 형 결백한, 순수한

08 An educator is encouraged / to give enough time (**for students** *to review* the information [they have learned]).

S V C 의미상의 주어 M

교육자는 독려된다 / (학생들이 [그들이 배운] 지식을 복습할) 충분한 시간을 주도록 → 교육자는 학생들이 그들이 배운 지식을 복습할 충분한 시간을 주도록 독려된다.

● information과 they 사이에는 목적격 관계대명사가 생략되어 있다.

09 It remains important / **for young students [who just started learning how to write]** *to practice* handwriting, / which aids the development (of literacy).

S(가주어) V SC 의미상의 주어 V' O' S(진주어) M

여전히 중요하다 / [글 쓰는 법을 막 배우기 시작한] 어린 학생들이 손으로 쓰기를 배우는 것은 / 그런데 그것은 (글을 읽고 쓸 줄 아는 능력의) 발달을 돕는다
→ 글 쓰는 법을 막 배우기 시작한 어린 학생들이 손으로 쓰기를 배우는 것은 여전히 중요한데, 그것은 글을 읽고 쓸 줄 아는 능력의 발달을 돕는다.

- who ~ write는 students를 꾸며주는 주격 관계대명사절이다.
- 동명사구 learning ~ write는 동사 started의 목적어로 쓰였다.
- 관계대명사 which 앞에 콤마(,)가 쓰이면 콤마 앞의 선행사에 대한 부가적인 정보를 덧붙인다.

어휘 literacy 명 글을 읽고 쓸 줄 아는 능력

고난도
10 It is necessary / **for juvenile elephants** *to practice* drinking and grasping objects / with their trunks / although it looks awkward at first.

S(가주어) V SC 의미상의 주어 S(진주어) S' V' SC' M' M

필요하다 / 어린 코끼리들이 마시는 것과 물체를 움켜잡는 것을 연습하는 것이 / 그들의 코로 / 비록 그것이 처음에는 어색해 보이지만
→ 비록 그것이 처음에는 어색해 보이지만 어린 코끼리들이 그들의 코로 마시는 것과 물체를 움켜잡는 것을 연습하는 것이 필요하다.

- drinking과 grasping이 등위접속사 and로 연결되어 있으며, to practice의 목적어 역할을 하는 동명사에 해당한다.

어휘 juvenile 형 어린, 청소년의 grasp 동 움켜잡다, 꽉 잡다 trunk 명 (코끼리의) 코

UNIT 06 동명사의 의미상 주어 해석하기

본책 p.25

01 I appreciate / **her** *accepting* my invitation / and *agreeing* to meet me. <모의응용>

S V 의미상의 주어 O^1 O^2

나는 감사한다 / 그녀가 나의 초대를 승낙한 것에 / 그리고 나를 만나기로 동의한 것에 → 나는 그녀가 나의 초대를 승낙하고 나를 만나기로 동의한 것에 감사한다.

02 Friends and pastimes may cause some difficulties / in **your** *performing* the actual job at hand. <모의>

S V O 의미상의 주어 M

친구들과 취미는 몇몇 어려움을 야기할 수도 있다 / 당신이 가까운 현재의 일을 수행하는 것에 있어서
→ 친구들과 취미는 당신이 가까운 현재의 일을 수행하는 것에 있어서 몇몇 어려움을 야기할 수도 있다.

어휘 pastime 명 취미, 오락 at hand 가까운, 머지않아

03 **His** *complaining* about petty things / and *getting* upset over almost everything / annoy others.

의미상의 주어 S^1 S^2 V O

그가 사소한 것에 대해 불평하는 것은 / 그리고 거의 모든 것에 대해 화를 내는 것은 / 다른 사람들을 짜증나게 한다
→ 그가 사소한 것에 대해 불평하는 것과 거의 모든 것에 대해 화를 내는 것은 다른 사람들을 짜증나게 한다.

어휘 petty 형 사소한

04 People's mere interest / does not always play a key role / in **their** *choosing* a major.

S M V O 의미상의 주어 M

사람들의 단순한 흥미가 / 항상 중요한 역할을 하는 것은 아니다 / 그들이 전공을 선택하는 것에
→ 사람들의 단순한 흥미가 그들이 전공을 선택하는 것에 항상 중요한 역할을 하는 것은 아니다.

어휘 mere 형 단순한, 단지

의미상의 주어

05 **Their** *feeling* cynical toward social media / is due to their suspicious nature.

S V SC

그들이 소셜 미디어에 대해 냉소적으로 느끼는 것은 / 그들의 의심 많은 성향 때문이다

어휘 cynical 형 냉소적인 suspicious 형 의심 많은, 의혹을 갖는

의미상의 주어

06 The anonymous source described / **government officials'** *using* surveillance software / on some journalists.

S V O

익명의 자료는 기술했다 / 국가 공무원들이 감시 소프트웨어를 사용하는 것을 / 몇몇 기자들에
→ 익명의 자료는 국가 공무원들이 몇몇 기자들에 감시 소프트웨어를 사용하는 것을 기술했다.

어휘 anonymous 형 익명의

의미상의 주어

07 The team leader's perfectionism / increases the possibility (of **the members (of her team)** *being worn out*).

S V O

그 팀장의 완벽주의는 / ((그녀의 팀의) 구성원들이 지치게 되는) 가능성을 증가시킨다

동명사가 의미상 주어(the members ~ team)와 수동 관계이므로 수동형이 쓰였다.

어휘 perfectionism 명 완벽주의

고난도

의미상의 주어

08 Unscheduled meetings may result in / **participants'** *not being* ready enough / to discuss the agenda.

S V O

계획에 없던 회의는 야기할 수도 있다 / 참가자들이 충분히 준비가 되지 않은 것을 / 의제를 논의할 만큼
→ 계획에 없던 회의는 참가자들이 의제를 논의할 만큼 충분히 준비가 되지 않은 것을 야기할 수도 있다.

어휘 agenda 명 의제, 안건

고난도

의미상의 주어

09 The publication (of Dorothy Hodgkin's work on vitamin B12) led to / **her** *being awarded* the Nobel Prize in Chemistry / in 1964. <모의응용>

S V O

(도로시 호지킨의 비타민 B12에 대한 연구의) 발표는 이어졌다 / 그녀가 노벨 화학상을 받는 것으로 / 1964년에
→ 도로시 호지킨의 비타민 B12에 대한 연구의 발표는 그녀가 1964년에 노벨 화학상을 받는 것으로 이어졌다.

동명사가 의미상 주어(her)와 수동 관계이므로 수동형이 쓰였다.

어휘 publication 명 발표

UNIT 07 무생물 주어 해석하기

본책 p.26

01 According to a study, / **sharing anxiety** makes people more cooperative. <모의응용>

M S V O OC

한 연구에 따르면 / 불안을 공유하는 것은 사람들을 더 협조적이게 만든다 → 한 연구에 따르면, 불안을 공유하는 것을 통해 사람들은 더 협조적이게 된다.

어휘 anxiety 명 불안 cooperative 형 협조적인, 협력하는

02 **Logic** allows / us to have a sound argument / and analyze critically.

S V O OC

논리는 가능하게 한다 / 우리가 견고한 논점을 가지는 것을 / 그리고 비판적으로 분석하는 것을

→ 논리를 통해 우리는 견고한 논점을 가지고 비판적으로 분석하는 것이 가능하다.

● have와 analyze가 등위접속사 and로 연결되어 있으며, allows의 목적격 보어 역할을 하는 to부정사의 동사원형에 해당한다.

어휘 sound 형 견고한, 철저한

03 **Determination and stubbornness** drive / many people to refuse to give up.

S V O OC

투지와 고집은 만든다 / 많은 사람들이 포기하는 것을 거부하도록 → 투지와 고집 때문에 많은 사람들은 포기하는 것을 거부한다.

● 「drive+목적어(many people)+목적격 보어(to refuse ~ up)」의 구조이다.

● to부정사구 to give up은 to부정사 to refuse의 목적어로 쓰였다.

어휘 determination 명 투지 stubbornness 명 고집

04 **Making one's own meals** / can reduce expenditures / and create less waste.

S V^1 O^1 V^2 O^2

자기 자신의 음식을 만드는 것은 / 지출을 줄일 수 있다 / 그리고 더 적은 쓰레기를 발생시킬 수 있다

→ 자기 자신의 음식을 만드는 것을 통해 지출을 줄이고 더 적은 쓰레기를 발생시킬 수 있다.

● reduce와 create가 등위접속사 and로 연결되어 있으며, 조동사 can과 함께 쓰인 동사원형에 해당한다.

어휘 expenditure 명 지출

05 **Chemicals (found in numerous cosmetics)** / can cause a wide range of illnesses / when applied in large quantities.

S V O M

(수많은 화장품에서 발견되는) 화학 물질들은 / 다양한 질병을 유발할 수 있다 / 다량으로 발라질 경우에

→ 다량으로 발라질 경우에 수많은 화장품에서 발견되는 화학 물질들로 인해 다양한 질병이 유발될 수 있다.

● 과거분사구 found ~ cosmetics는 Chemicals를 꾸며준다.

어휘 chemical 명 화학 물질 형 화학의 apply 동 바르다, 갖다 대다

06 **Taking regular short breaks** / relieves us / from accumulating too much stress during work hours.

S V O M

규칙적인 짧은 휴식을 가지는 것은 / 우리를 완화시킨다 / 근무 시간 동안 너무 많은 스트레스를 축적하는 것으로부터

→ 규칙적인 짧은 휴식을 가지는 것을 통해 우리는 근무 시간 동안 너무 많은 스트레스를 축적하는 것으로부터 완화될 수 있다.

어휘 accumulate 동 축적하다

07 For generations, / **beauty** has inspired / artists to create / all manner of fantastical paintings, sculptures, poems, and music.

M S V O OC

수 세대에 걸쳐 / 아름다움은 영감을 주었다 / 예술가들이 창조하는 것에 / 모든 종류의 환상적인 그림, 조각상, 시, 그리고 음악을

→ 수 세대에 걸쳐, 아름다움을 통해 예술가들이 모든 종류의 환상적인 그림, 조각상, 시, 그리고 음악을 창조하는 것에 영감을 받았다.

● 「inspire+목적어(artists)+목적격 보어(to create ~ music)」의 구조이다.

어휘 manner 명 종류, 방식

고난도

08 **Clever advertising** informs children / that they will be looked down on by their peers / if they do not have the products [that are advertised]. <모의>

S V IO DO

교묘한 광고는 아이들에게 알린다 / 그들이 또래들에 의해 무시당하게 될 것이라는 것을 / 만약 그들이 [광고되는] 제품을 가지고 있지 않다면

→ 교묘한 광고로 인해 아이들은 만약 그들이 광고되는 제품을 가지고 있지 않다면 또래들에 의해 무시당하게 될 것이라는 것을 알게 된다.

● that are advertised는 products를 꾸며주는 주격 관계대명사절이다.

어휘 peer 명 또래

수식어구가 포함된 주어 해석하기

본책 p.27

01 The typical equipment (of a mathematician) / is a blackboard and chalk. <수능>

전치사+명사구 / S / V

(수학자의) 대표적인 용품은 / 칠판과 분필이다

어휘 typical 형 대표적인, 전형적인

02 Ample evidence (to support the scientist's claims) / was included / in the journal article.

to부정사구 / S / V

(그 과학자의 주장을 뒷받침할) 풍부한 증거가 / 포함되었다 / 학술지 논문에 → 그 과학자의 주장을 뒷받침할 풍부한 증거가 학술지 논문에 포함되었다.

어휘 ample 형 풍부한 article 명 논문, 기사

03 The magnitude (of an earthquake) / is measured / by a device (called a seismograph).

전치사+명사구 / S / V

(지진의) 규모는 / 측정된다 / (지진계라고 불리는) 장치로 → 지진의 규모는 지진계라고 불리는 장치로 측정된다.

● 과거분사구 called a seismograph는 device를 꾸며준다.

어휘 magnitude 명 규모

04 The red wavelengths [that pass through a prism] / bend the least, / while the violet or blue wavelengths bend the most.

관계절 / S / V

[프리즘을 통과하는] 붉은색의 파장은 / 가장 적게 휘어진다 / 보라색이나 파란색의 파장은 가장 많이 휘어지는 반면
→ 보라색이나 파란색의 파장은 가장 많이 휘어지는 반면, 프리즘을 통과하는 붉은색의 파장은 가장 적게 휘어진다.

어휘 wavelength 명 파장

05 A trip (around the world) (in 80 days) / seemed infeasible / up until the late 19th century.

전치사+명사구 / 전치사+명사구 / S / V

(80일 안에) (전 세계를 도는) 여행은 / 실행 불가능해 보였다 / 19세기 말에 이르기까지
→ 80일 안에 전 세계를 도는 여행은 19세기 말에 이르기까지 실행 불가능해 보였다.

어휘 infeasible 형 실행 불가능한

06 A vivid action plot (running through a novel) / stimulates the parts (of a reader's brain) [that coordinate movement]. <모의응용>

분사구 / S / V

(소설을 관통하는) 생생한 액션 줄거리는 / [움직임을 조정하는] (독자의 뇌의) 부분들을 자극한다

● that coordinate movement는 parts를 꾸며주는 주격 관계대명사절이다.

어휘 plot 명 줄거리 stimulate 동 자극하다 coordinate 동 조정하다

07 Most of the people [who visit the South Pole] / are scientific researchers, / though a number of tourists go / to see the harshest continent (on the planet).

관계절 / S / V

[남극을 방문하는] 사람의 대부분은 / 과학 연구원이다 / 비록 많은 여행자들이 가지만 / (지구상에서) 가장 혹독한 대륙을 보기 위해
→ 비록 많은 여행자들이 지구상에서 가장 혹독한 대륙을 보기 위해 가지만, 남극을 방문하는 사람의 대부분은 과학 연구원이다.

● to부정사구 to see ~ planet은 목적을 나타내는 부사적 용법으로 쓰였다.

어휘 continent 명 대륙

고난도
08 A contract (agreed to by both the labor union and management) / is expected / to be signed later this week, / which will include a new benefits package (for employees).

(분사구, S, V)

(노동 조합과 경영진 둘 다에 의해 합의된) 계약은 / 예상된다 / 이번 주 후반에 서명될 것으로 / 그리고 그것은 (직원들을 위한) 새로운 복지 혜택을 포함할 것이다
→ 노동 조합과 경영진 둘 다에 의해 합의된 계약은 이번 주 후반에 서명될 것으로 예상되고, 그것은 직원들을 위한 새로운 복지 혜택을 포함할 것이다.

- 「expect+목적어(a contract ~ management)+목적격 보어(to be ~ week)」의 구조가 수동태로 바뀐 문장이다.
- 관계대명사 which 앞에 콤마(,)가 쓰이면 콤마 앞의 선행사에 대한 부가적인 정보를 덧붙인다.

어휘 labor union 명 노동 조합 benefits package 명 복지 혜택, 복리 후생 제도

UNIT 09 주어의 위치가 변한 구문 해석하기

본책 p.28

01 *Rarely* **does an agent try** to sign a contract with a sports star / during their first encounter. <모의응용>

(부정어, 조동사, S, Vr, O, M)

에이전트는 스포츠 스타와 계약을 맺으려고 거의 노력하지 않는다 / 그들의 첫 번째 만남 동안에
→ 에이전트는 스포츠 스타와 그들의 첫 번째 만남 동안에 계약을 맺으려고 거의 노력하지 않는다.

어휘 encounter 명 만남

02 *Never* **is violence** an answer / no matter how serious the matter is.

(부정어, be동사, S, SC, M; SC´, S´, V´)

폭력은 결코 정답이 아니다 / 문제가 아무리 심각하더라도 → 문제가 아무리 심각하더라도 폭력은 결코 정답이 아니다.

어휘 violence 명 폭력

03 Thanks to advancements in technology, / *no longer* **do home security systems require** / extensive renovations or expensive equipment.

(M, 부정어구, 조동사, S, Vr, O)

기술에의 발전 덕분에 / 주택 보안 장치는 더 이상 필요로 하지 않는다 / 광범위한 보수나 비싼 장치를
→ 기술에의 발전 덕분에, 주택 보안 장치는 광범위한 보수나 비싼 장치를 더 이상 필요로 하지 않는다.

어휘 advancement 명 발전 extensive 형 광범위한

어법
04 *Rarely* **will people feel** free to consult lawyers / unless the duty of confidentiality is respected.

(부정어, 조동사, S, Vr, SC, M; S´, V´)

사람들은 좀처럼 변호사와 상담하기에 편하게 느끼지 않을 것이다 / 만약 비밀 유지의 의무가 준수되지 않는다면
→ 만약 비밀 유지의 의무가 준수되지 않는다면 사람들은 좀처럼 변호사와 상담하기에 편하게 느끼지 않을 것이다.

정답 will people
해설 부정어구 Rarely가 절 앞에 왔으므로 주어가 조동사 뒤에 위치한 will people이 정답이다.
어휘 consult 동 상담하다 duty of confidentiality 비밀 유지의 의무 respect 동 준수하다, 존중하다

05 *Atop Everest* **is a region (referred to as the "death zone,")** / where the amount of oxygen is insufficient for humans.

(장소의 부사구 / V / S / M / S′ V′ SC′ M′)

에베레스트 산 꼭대기에 ("죽음의 영역"이라고 불리는) 지역이 있다 / 그런데 그곳에는 산소의 양이 사람들에게 불충분하다
→ 에베레스트 산 꼭대기에 "죽음의 영역"이라고 불리는 지역이 있는데, 그곳에는 산소의 양이 사람들에게 불충분하다.

● 과거분사구 referred ~ "death zone"은 region을 꾸며준다.

어휘 atop 전 꼭대기에, 맨 위에 insufficient 형 불충분한, 부족한

06 *At the bottom of the ocean* **lies the deep-sea biosphere**, / which is a habitat (for many unknown species).

(장소의 부사구 / V / S / M / V′ SC′)

해저에 심해 생물권이 있다 / 그런데 그것은 (많은 알려지지 않은 종의) 서식지이다 → 해저에 심해 생물권이 있는데, 그것은 많은 알려지지 않은 종의 서식지이다.

● 관계대명사 which 앞에 콤마(,)가 쓰이면 콤마 앞의 선행사에 대한 부가적인 정보를 덧붙인다.

어휘 habitat 명 서식지

07 *Along the coast* **raced a group of children**, / jumping and rolling playfully on the sand.

(방향의 부사구 / V / S / M)

해안을 따라 한 무리의 아이들이 질주했다 / 모래 위에서 즐겁게 뛰고 뒹굴면서 → 모래 위에서 즐겁게 뛰고 뒹굴면서, 해안을 따라 한 무리의 아이들이 질주했다.

어휘 playfully 부 즐겁게

08 *Around the bright light* **gather moths**, / as the light confuses their navigational systems.

(장소의 부사구 / V / S / M / S′ V′ O′)

밝은 빛 주위에 나방들이 모인다 / 빛이 그들의 항행 체계를 혼란시키기 때문에 → 빛이 그들의 항행 체계를 혼란시키기 때문에, 밝은 빛 주위에 나방들이 모인다.

어휘 moth 명 나방 navigational 형 항행의, 항공의

09 Honesty plays an important role / in forming a healthy relationship, // and *so* **do white lies** occasionally.

(S^1 V^1 O^1 M^1 / 조동사 S^2 M^2)

정직함은 중요한 역할을 한다 / 건강한 관계를 형성하는 것에 있어서 // 그리고 때때로 선의의 거짓말도 그렇다
→ 건강한 관계를 형성하는 것에 있어서 정직함은 중요한 역할을 하고, 때때로 선의의 거짓말도 그렇다.

어휘 white lie 명 선의의 거짓말 occasionally 부 때때로

10 Visitors (to the national park) / were generally happy about the reduced wolf populations, // and *so* **were local ranchers**.

(S^1 V^1 M^1 SC^1 M^1 / be동사 S^2)

(국립공원에 온) 방문자들은 / 줄어든 늑대 개체 수에 대해 대체로 행복해했다 // 그리고 지역의 목장 주인들도 그랬다
→ 국립공원에 온 방문자들은 줄어든 늑대 개체 수에 대해 대체로 행복해했고, 지역의 목장 주인들도 그랬다.

어휘 population 명 개체 수, 인구

11 We shouldn't always assume the worst, // but *neither* **should we think** / everything will go as planned.

(S^1 M V^1 O^1 / 조동사 S^2 Vr^2 O^2)

우리는 항상 최악의 것을 가정하면 안 된다 // 하지만 우리는 생각해서도 안 된다 / 모든 것이 계획한 대로 될 것이라고
→ 우리는 항상 최악의 것을 가정하면 안 되지만, 우리는 모든 것이 계획한 대로 될 것이라고 생각해서도 안 된다.

● think와 everything 사이에는 명사절 접속사 that이 생략되어 있다.

12 Still, / some of the advanced robots / can't understand human emotions, // *nor* **can they** exactly **mimic** delicate human movements.

M / S^1 / V^1 / O^1 / 조동사 / S^2 / M^2 / Vr^2 / O^2

여전히 / 발전된 로봇들 중 일부는 / 인간의 감정을 이해할 수 없다 // 그들은 인간의 정교한 움직임을 정확하게 흉내 낼 수도 없다
→ 여전히, 발전된 로봇들 중 일부는 인간의 감정을 이해할 수 없고, 그들은 인간의 정교한 움직임을 정확하게 흉내 낼 수도 없다.

어휘 mimic 동 흉내 내다, 모방하다 delicate 형 정교한

Chapter Test

본책 p.30

01 *Not until the 20th century* / **did human-driven climate change become** a major topic.

부정어구 / 조동사 / S / Vr / SC

20세기까지는 / 인간에 의해 야기된 기후 변화가 주요한 화제가 되지 않았다

02 With your donation, / **it** is possible / **for many children** ***to be saved*** / **from starvation.**

M / S(가주어) / V / SC / 의미상의 주어 / O(진주어)

당신의 기부로 / 가능하다 / 많은 아이들이 구해지는 것이 / 굶주림으로부터 → 당신의 기부로, 많은 아이들이 굶주림으로부터 구해지는 것이 가능하다.

⊙ to부정사가 의미상 주어(many children)와 수동 관계이므로 수동형이 쓰였다.

어휘 starvation 명 굶주림, 기아

03 **"To reprimand"** / means to criticize someone / about something [they've done].

S / V / O

"질책하는 것"은 / 누군가를 비난하는 것을 의미한다 / [그 사람이 저지른] 어떤 것에 대해
→ "질책하는 것"은 누군가 저지른 어떤 것에 대해 그 사람을 비난하는 것을 의미한다.

⊙ something과 they 사이에는 목적격 관계대명사가 생략되어 있다.

어휘 reprimand 동 질책하다

04 **That the prosecutor didn't believe the witness's statement** / seemed evident / in his body language and tone (of voice).

S′ / V′ / O′ / S / V / SC / M

그 검사가 목격자의 진술을 믿지 않았다는 것이 / 분명해 보였다 / 그의 몸짓과 (목소리의) 어조에서
→ 그 검사가 목격자의 진술을 믿지 않았다는 것이 그의 몸짓과 목소리의 어조에서 분명해 보였다.

⊙ = It seemed evident that the prosecutor didn't believe the witness's statement in his body language and tone of voice.

어휘 prosecutor 명 검사 witness 명 목격자 statement 명 진술 evident 형 분명한, 명백한

05 **Why cicadas only emerge to reproduce after 13 or 17 years underground** / can be explained / as a defense mechanism.

S′ / M′ / V′ / M′ / M′ / S / V / M

매미들이 왜 지하에서의 13년이나 17년 후에 번식하기 위해서만 나타나는지는 / 설명될 수 있다 / 방어 기제로서
→ 매미들이 왜 지하에서의 13년이나 17년 후에 번식하기 위해서만 나타나는지는 방어 기제로서 설명될 수 있다.

⊙ = It can be explained as a defense mechanism why cicadas only emerge to reproduce after 13 or 17 years underground.

어휘 defense mechanism 명 방어 기제

06 The field (of immunology) advanced / as a result of **a scientist's** *working* / to develop a vaccine (for smallpox patients).

S / V / 의미상의 주어 / M

(면역학의) 분야는 발전했다 / 한 과학자가 노력한 것의 결과로서 / (천연두 환자들을 위한) 백신을 개발하기 위해
→ 면역학의 분야는 한 과학자가 천연두 환자들을 위한 백신을 개발하기 위해 노력한 것의 결과로서 발전했다.

● to부정사구 to develop ~ patients는 목적을 나타내는 부사적 용법으로 쓰였다.

어휘 immunology 명 면역학

07 Originally, / **it** was important / **for chemists (working in a laboratory)** ***to wear* white** / so that any chemical spills became immediately apparent.

M / S(가주어) V / SC / 의미상의 주어 / S(진주어) / S′ V′ M′ SC′ / M

원래 / 중요했다 / (실험실에서 근무하는) 화학자들이 흰색을 입는 것은 / 어떠한 화학 물질의 얼룩도 즉시 보이게 되도록
→ 원래, 실험실에서 근무하는 화학자들이 어떠한 화학 물질의 얼룩도 즉시 보이게 되도록 흰색을 입는 것은 중요했다.

● 현재분사구 working ~ laboratory는 chemists를 꾸며준다.

어휘 chemist 명 화학자 spill 명 얼룩 apparent 형 보이는, 눈에 띄는

08 **It** took the human population millions of years to reach one billion people, // but **it** took just a decade to go from six to seven billion people.

인구가 10억 명에 도달하는 데 수백만 년이 걸렸다 // 하지만 60억 명에서 70억 명까지 가는 데 단 10년이 걸렸다
→ 인구가 10억 명에 도달하는 데 수백만 년이 걸렸지만, 60억 명에서 70억 명까지 가는 데 단 10년이 걸렸다.

09 Considering the number of times the songs have been downloaded, / **it** is clear / **that the band's album is a megahit.**

M / S(가주어) V SC / S(진주어) / S′ V′ SC′

그 노래들이 다운로드 된 횟수를 고려할 때 / 명백하다 / 그 밴드의 앨범이 큰 성공이라는 것은
→ 그 노래들이 다운로드 된 횟수를 고려할 때, 그 밴드의 앨범이 큰 성공이라는 것은 명백하다.

고난도
10 Since **invasive species (allowed to run wild)** / pose a threat / to native wildlife, / Australia enforces strict border controls / on animals.

S′ 분사구 V′ O′ M′ / M / S V O M

(방목되도록 허용된) 외래종이 / 위협을 가하기 때문에 / 토착 야생동물들에게 / 호주는 엄격한 출입국 관리를 시행한다 / 동물들에
→ 방목되도록 허용된 외래종이 토착 야생동물들에게 위협을 가하기 때문에, 호주는 동물들에 엄격한 출입국 관리를 시행한다.

어휘 run wild 방목되다, 제멋대로 자라다 pose 동 가하다, 야기하다 enforce 동 시행하다 border control 출입국 관리

CHAPTER 02 목적어

UNIT 10 to부정사/동명사 목적어 해석하기 I

본책 p.32

01 Employees often expect / **to receive raises and bonuses**, // but these factors are not just about money. <모의>

S1 M1 V1 O1 S2 V2 SC2

직원들은 종종 기대한다 / 임금 인상과 상여금을 받는 것을 // 그러나 이러한 요인들은 단지 돈에 대한 것만은 아니다

→ 직원들은 종종 임금 인상과 상여금을 받는 것을 기대하나, 이러한 요인들은 단지 돈에 대한 것만은 아니다.

어휘 raise 명 임금 인상, 상승 factor 명 요인

02 To improve your writing skills, / consider / **not sticking to the first draft**.

M V O

너의 글쓰기 실력을 향상시키기 위해 / 고려해라 / 초안을 고수하지 않는 것을 → 너의 글쓰기 실력을 향상시키기 위해, 초안을 고수하지 않는 것을 고려해라.

● to부정사구 To improve ~ skills는 목적을 나타내는 부사적 용법으로 쓰였다.

어휘 stick to 고수하다, 지키다 draft 명 초안

03 Famed author Jean Paul Sartre refused / **to accept the Nobel Prize for Literature** / based on his personal beliefs.

S V O M

유명한 작가 장 폴 사르트르는 거부했다 / 노벨 문학상을 받는 것을 / 그의 개인적인 신념에 근거하여

→ 유명한 작가 장 폴 사르트르는 그의 개인적인 신념에 근거하여 노벨 문학상을 받는 것을 거부했다.

어휘 famed 형 유명한, 널리 알려진

04 The politician admitted / **accepting gifts during his campaign** / but denied that his behavior was corrupt.

S V1 O1 V2 O2 (S' V' SC')

그 정치인은 인정했다 / 그의 선거 운동 동안에 선물을 받은 것을 / 그러나 그의 행위가 부패했다는 것을 부인했다

→ 그 정치인은 그의 선거 운동 동안에 선물을 받은 것을 인정했으나 그의 행위가 부패했다는 것을 부인했다.

● 동사 admitted와 denied가 등위접속사 but으로 연결되어 병렬 구문을 이룬다.

● that ~ corrupt는 동사 denied의 목적어 역할을 하는 명사절이다.

어휘 corrupt 형 부패한

05 The stock prices (of America's technology companies) / have stopped **plummeting**, / even though other sectors (of the economy) are still struggling.

S V O M (S' V')

(미국의 기술 회사들의) 주가는 / 급락하는 것을 멈췄다 / 비록 (경제의) 다른 분야들은 여전히 분투하고 있지만

→ 비록 경제의 다른 분야들은 여전히 분투하고 있지만, 미국의 기술 회사들의 주가는 급락하는 것을 멈췄다.

어휘 plummet 동 급락하다

06 Instead of deploying armed police, / the residents chose / **to play classical music** / to remove the offenders from the main street. <모의응용>

M S V O M

무장한 경찰을 배치하는 것 대신에 / 주민들은 선택했다 / 클래식 음악을 틀 것을 / 중심가에서 범죄자들을 쫓아내기 위해
→ 무장한 경찰을 배치하는 것 대신에, 주민들은 중심가에서 범죄자들을 쫓아내기 위해 클래식 음악을 틀 것을 선택했다.

⭘ to부정사구 to remove ~ street은 목적을 나타내는 부사적 용법으로 쓰였다.

어휘 deploy 통 배치하다 offender 명 범죄자

고난도
07 In 1977, / NASA planned / **to launch two space probes (called Voyager 1 and Voyager 2)** / and thought they might encounter extraterrestrial life.

M S V¹ O¹ V² O² (S′ V′ O′)

1977년에 / NASA는 계획했다 / (보이저 1호와 보이저 2호라고 불리는) 두 개의 우주 탐사선을 발사할 것을 / 그리고 그것들이 외계 생명체를 마주칠 수도 있다고 생각했다 → 1977년에, NASA는 보이저 1호와 보이저 2호라고 불리는 두 개의 우주 탐사선을 발사할 것을 계획했고 그것들이 외계 생명체를 마주칠 수도 있다고 생각했다.

⭘ 과거분사구 called ~ Voyager 2는 probes를 꾸며준다.
⭘ thought과 they 사이에는 명사절 접속사 that이 생략되어 있다.

어휘 launch 통 발사하다 encounter 통 마주치다, 만나다 extraterrestrial 형 외계의, 지구 밖의

UNIT 11 to부정사/동명사 목적어 해석하기 II

본책 p.33

01 We quickly begin / **to adapt[adapting] to certain experiences** / when we have them on successive occasions. <모의>

S M V O M (S′ V′ O′ M′)

우리는 빠르게 시작한다 / 특정 경험들에 적응하는 것을 / 우리가 그것들을 연속적인 경우로 가지게 될 때
→ 우리는 우리가 특정 경험들을 연속적인 경우로 가지게 될 때 빠르게 그것들에 적응하는 것을 시작한다.

어휘 successive 형 연속적인

02 The farmers hate / **to see all their hard work go to waste / due to bad weather**.

S V O

농부들은 싫어한다 / 그들의 모든 노력이 허비되는 것을 보는 것을 / 좋지 않은 날씨 때문에
→ 농부들은 좋지 않은 날씨 때문에 그들의 모든 노력이 허비되는 것을 보는 것을 싫어한다.

⭘ 「see+목적어(all ~ work)+목적격 보어(go to waste)」의 구조이다.

어휘 go to waste 허비되다, 낭비되다

03 Nowadays, / many teenagers prefer / **surfing the Internet** / to reading books. <수능>

M S V O M

요즘에는 / 많은 청소년들이 선호한다 / 인터넷을 검색하는 것을 / 책을 읽는 것보다
→ 요즘에는, 많은 청소년들이 책을 읽는 것보다 인터넷을 검색하는 것을 선호한다.

04 The forest fires [that have destroyed the east coast all spring] / finally started **to subside**.

S M V O

[봄 내내 동해안을 파괴했던] 산불은 / 마침내 가라앉는 것을 시작했다

⭘ that ~ spring은 forest fires를 꾸며주는 주격 관계대명사절이다.

어휘 subside 통 가라앉다

고난도
05 Surveys indicate / that nearly 50 percent (of Generation Z) like / **doing freelance work** / more than having traditional corporate roles.

조사는 나타낸다 / (Z세대의) 거의 50퍼센트가 좋아한다고 / 프리랜서 일을 하는 것을 / 전통적인 회사 직무를 가지는 것보다 더
→ 조사는 Z세대의 거의 50퍼센트가 프리랜서 일을 하는 것을 전통적인 회사 직무를 가지는 것보다 더 좋아한다고 나타낸다.

어휘 indicate 동 나타내다, 내비치다 corporate 형 회사의, 기업의

06 We regret / **to lose him**, // but the position [he found in another company] / is better than anything [we can offer]. <모의응용>

우리는 유감이다 / 그를 잃게 되어 // 그러나 [그가 다른 회사에서 찾은] 직책은 / [우리가 제의할 수 있는] 무엇보다도 더 좋다
→ 우리는 그를 잃게 되어 유감이나, 그가 다른 회사에서 찾은 직책은 우리가 제의할 수 있는 무엇보다도 더 좋다.

- position과 he 사이에는 목적격 관계대명사가 생략되어 있다.
- anything과 we 사이에는 목적격 관계대명사가 생략되어 있다.

07 Jeremy regretted / **being greedy** / and realized / that there were more important things / than being rich. <모의>

Jeremy는 후회했다 / 욕심을 부린 것을 / 그리고 깨달았다 / 더 중요한 것들이 있다는 것을 / 부유한 것보다
→ Jeremy는 욕심을 부린 것을 후회했고 부유한 것보다 더 중요한 것들이 있다는 것을 깨달았다.

어휘 greedy 형 욕심 많은

08 Tour group participants should remember / **to wear comfortable clothing [that is appropriate for the climate]**.

단체 관광 참가자들은 기억해야 한다 / [기후에 알맞은] 편안한 옷을 입을 것을 → 단체 관광 참가자들은 기후에 알맞은 편안한 옷을 입을 것을 기억해야 한다.

- that ~ climate는 clothing을 꾸며주는 주격 관계대명사절이다.

09 If you can't sleep well enough, / try **keeping all electronic devices out of your bedroom** / or **taking a cup of tea before going to bed.**

만약 네가 잠을 충분히 잘 자지 못한다면 / 모든 전자 기기들을 너의 침실 밖에 두는 것을 해봐라 / 또는 자기 전에 차 한 잔을 마시는 것을
→ 만약 네가 잠을 충분히 잘 자지 못한다면, 모든 전자 기기들을 너의 침실 밖에 두는 것이나 자기 전에 차 한 잔을 마시는 것을 해봐라.

- keeping과 taking이 등위접속사 or로 연결되어 있으며, try의 목적어 역할을 하는 동명사에 해당한다.

10 While many people think / they are prepared for the approaching holidays, / there is always something [they forget **to do**].

많은 사람들이 생각하는 반면에 / 그들이 다가오는 휴일에 준비되었다고 / [그들이 할 것을 잊는] 무언가가 항상 있다
→ 많은 사람들이 그들이 다가오는 휴일에 준비되었다고 생각하는 반면에, 그들이 할 것을 잊는 무언가가 항상 있다.

- think와 they 사이에는 명사절 접속사 that이 생략되어 있다.
- something과 they 사이에는 목적격 관계대명사가 생략되어 있다.

11 Many baby boomers remember / **gathering around the television / when broadcasts were entirely in black and white.**

많은 베이비 붐 세대의 사람들은 기억한다 / 텔레비전 주위에 모인 것을 / 방송이 완전히 흑백이었을 때
→ 많은 베이비 붐 세대의 사람들은 방송이 완전히 흑백이었을 때 텔레비전 주위에 모인 것을 기억한다.

어휘 baby boomer 명 베이비 붐 세대의 사람 broadcast 명 방송

어법
12 The time capsule [my grandparents had forgot **burying**] / was dug up and opened / a few years later.

[나의 조부모님이 묻은 것을 잊었던] 타임캡슐이 / 파내지고 개봉되었다 / 몇 년 후에
→ 나의 조부모님이 묻은 것을 잊었던 타임캡슐이 몇 년 후에 파내지고 개봉되었다.

● capsule과 my 사이에는 목적격 관계대명사가 생략되어 있다.

정답 burying
해설 forget은 '~한 것을 잊다'라고 해석할 때 목적어로 동명사를 가지므로 동명사 burying이 정답이다.

UNIT 12 명사절 목적어 해석하기

본책 p.35

01 French law states / **(that) employees must receive a minimum of five weeks of vacation annually.** <모의>

프랑스 법은 명시한다 / 직원들이 매년 최소 5주의 휴가를 받아야 한다는 것을 → 프랑스 법은 직원들이 매년 최소 5주의 휴가를 받아야 한다는 것을 명시한다.

02 The food [we eat] could improve / **how our bodies respond to anxiety.**

[우리가 먹는] 음식은 개선시킬 수 있다 / 우리의 몸이 불안에 어떻게 반응하는지를 → 우리가 먹는 음식은 우리의 몸이 불안에 어떻게 반응하는지를 개선시킬 수 있다.

● food와 we 사이에는 목적격 관계대명사가 생략되어 있다.

어휘 anxiety 명 불안

03 One theory suggests / **that yawning is an attempt (to cool the brain and stay more alert).**

한 이론은 주장한다 / 하품을 하는 것이 (뇌를 식히고 더 기민하게 있기 위한) 시도라고
→ 한 이론은 하품을 하는 것이 뇌를 식히고 더 기민하게 있기 위한 시도라고 주장한다.

● cool과 stay가 등위접속사 and로 연결되어 있으며, attempt를 꾸며주는 to부정사의 동사원형에 해당한다.

어휘 alert 형 기민한

04 Until you can love **who you are**, / it is difficult or impossible / to love anyone else.

네가 누구인지를 네가 사랑할 수 있을 때까지 / 어렵거나 불가능하다 / 다른 누군가를 사랑하는 것은
→ 네가 누구인지를 네가 사랑할 수 있을 때까지, 다른 누군가를 사랑하는 것은 어렵거나 불가능하다.

● 진주어 to love anyone else 대신 가주어 it이 주어 자리에 쓰였다.

05 Several researchers have examined / **what differentiates the best musicians / from lesser ones.** <모의>

몇몇 연구원들은 조사했다 / 무엇이 최고의 음악가들을 구분 짓는지를 / 보다 부족한 사람들로부터
→ 몇몇 연구원들은 무엇이 최고의 음악가들을 보다 부족한 사람들로부터 구분 짓는지를 조사했다.

● musicians 대신 대명사 ones가 쓰였다.

어휘 differentiate 동 구분 짓다

06 The members (of the jury) should unanimously decide / **if the defendant is guilty or innocent.**

(배심원단의) 구성원들은 만장일치로 결정해야 한다 / 피고인이 유죄인지 무죄인지를
→ 배심원단의 구성원들은 피고인이 유죄인지 무죄인지를 만장일치로 결정해야 한다.

어휘 unanimously 부 만장일치로 defendant 명 피고인

07 Having only been on a ship once before, / he could not remember / **which side (of the ship) was called port.**

전에 배를 한 번만 타봤었기 때문에 / 그는 기억할 수 없었다 / (배의) 어느 쪽이 좌현이라고 불리는지를
→ 전에 배를 한 번만 타봤었기 때문에, 그는 배의 어느 쪽이 좌현이라고 불리는지를 기억할 수 없었다.

08 It is possible / to see **where a person or a vehicle is in real time** / with a GPS.

가능하다 / 실시간으로 사람이나 차량이 어디 있는지를 보는 것은 / GPS로 → 실시간으로 사람이나 차량이 어디 있는지를 GPS로 보는 것은 가능하다.

진주어 to see ~ GPS 대신 가주어 it이 주어 자리에 쓰였다.

어휘 real time 명 실시간

09 A DNA test was conducted / to determine / **whether the remains (of Christopher Columbus) were buried in the Caribbean.**

DNA 검사가 실시되었다 / 밝히기 위해 / (크리스토퍼 콜럼버스의) 유해가 카리브해에 묻혔는지를
→ 크리스토퍼 콜럼버스의 유해가 카리브해에 묻혔는지를 밝히기 위해 DNA 검사가 실시되었다.

to부정사구 to determine ~ Caribbean은 목적을 나타내는 부사적 용법으로 쓰였다.

어휘 conduct 동 실시하다 determine 동 밝히다 remains 명 유해, 남은 것

10 CCTV footage can be used / to observe **who entered and left an area / within a period of time.**

CCTV 장면은 사용될 수 있다 / 누가 한 장소를 들어갔고 떠났는지를 관찰하기 위해 / 일정 시간 이내에
→ CCTV 장면은 일정 시간 이내에 누가 한 장소를 들어갔고 떠났는지를 관찰하기 위해 사용될 수 있다.

to부정사구 to observe ~ time은 목적을 나타내는 부사적 용법으로 쓰였다.

어휘 observe 동 관찰하다

11 The psychologist found / **that young children can recognize / when a person feels pride.** <모의응용>

그 심리학자는 발견했다 / 어린 아이들이 인지할 수 있다는 것을 / 사람이 언제 자부심을 느끼는지를
→ 그 심리학자는 어린 아이들이 사람이 언제 자부심을 느끼는지를 인지할 수 있다는 것을 발견했다.

어휘 recognize 동 인지하다

12 Local historians are doing research / in preparation for a documentary [that will explore **why the monument was initially constructed**].

지역의 사학자들은 연구를 하고 있다 / [그 기념 건조물이 왜 처음에 지어졌는지를 탐구할] 다큐멘터리에 대한 준비로
→ 지역의 사학자들은 그 기념 건조물이 왜 처음에 지어졌는지를 탐구할 다큐멘터리에 대한 준비로 연구를 하고 있다.

that ~ constructed는 documentary를 꾸며주는 주격 관계대명사절이다.

어휘 monument 명 기념 건조물, 기념비 initially 부 처음에

13 The building's security personnel have been instructed / to stop **whoever they don't recognize as employees** / and ask for their identification cards.

S V C O´ V´

그 건물의 보안 요원은 지시받았다 / 그들이 직원들로 인식하지 않는 누구든지 멈추게 하도록 / 그리고 그들의 신분증을 요청하도록
→ 그 건물의 보안 요원은 그들이 직원들로 인식하지 않는 누구든지 멈추고 그들의 신분증을 요청하도록 지시받았다.

- 「instruct+목적어(the building's security personnel)+목적격 보어(to stop ~ cards)」의 구조가 수동태로 바뀐 문장이다.
- stop과 ask가 등위접속사 and로 연결되어 있으며, have been instructed의 보어 역할을 하는 to부정사의 동사원형에 해당한다.

어휘 security personnel 보안 요원 instruct 동 지시하다, 교육하다

14 Most stores (in large commercial districts) accept / cash and all major credit cards, // so customers can select / **whichever payment method they prefer**.

S¹ V¹ O¹ S² V² O² O´ S´ V´

(큰 상업 지구에 있는) 대부분의 가게는 받는다 / 현금과 모든 주요 신용카드를 // 그래서 고객들은 선택할 수 있다 / 그들이 선호하는 어느 지불 수단이든지
→ 큰 상업 지구에 있는 대부분의 가게는 현금과 모든 주요 신용카드를 받아서, 고객들은 그들이 선호하는 어느 지불 수단이든지 선택할 수 있다.

어휘 commercial 형 상업의 payment 명 지불, 납입

15 The growing popularity (of meal kit delivery services) proves / **that making healthy and delicious food at home doesn't have to be difficult**.

S V O S´ V´ SC´

(밀키트 배달 서비스의) 증가하는 인기는 증명한다 / 집에서 건강하고 맛있는 음식을 만드는 것이 어려울 필요가 없다는 것을
→ 밀키트 배달 서비스의 증가하는 인기는 집에서 건강하고 맛있는 음식을 만드는 것이 어려울 필요가 없다는 것을 증명한다.

- 동명사구 making ~ home은 that절의 주어 역할을 하고 있다.

16 Internships give students (approaching graduation) / the chance (to understand **how the process (of work) takes place in practical business**).

S V IO DO V´ O´

인턴직은 (졸업에 가까워지는) 학생들에게 제공한다 / ((일의) 과정이 실무에서 어떻게 이루어지는지를 이해할) 기회를
→ 인턴직은 졸업에 가까워지는 학생들에게 일의 과정이 실무에서 어떻게 이루어지는지를 이해할 기회를 제공한다.

- 현재분사구 approaching graduation은 students를 꾸며준다.
- to부정사구 to understand ~ business는 chance를 꾸며주는 형용사적 용법으로 쓰였다.

어휘 practical 형 실제의, 실용적인

UNIT 13 전치사의 목적어 해석하기

본책 p.37

01 The development (of transportation) / was one of the most important factors in / **allowing modern tourism to develop on a large scale**. <모의>

S V SC 전치사 O´(전치사의 목적어)

(교통수단의) 발달은 / ~에 있어서 가장 중요한 요인들 중의 하나였다 / 현대 관광이 대규모로 발전하도록 한 것
→ 교통수단의 발달은 현대 관광이 대규모로 발전하도록 한 것에 있어서 가장 중요한 요인들 중의 하나였다.

- 「allow+목적어(modern tourism)+목적격 보어(to develop ~ scale)」의 구조이다.

02 Many experts have discussed the theories on / **why zebras have stripes**.

S V O 전치사 O´(전치사의 목적어) S´ V´ O´

많은 전문가들이 ~에 대한 이론을 논해왔다 / 얼룩말이 왜 줄무늬를 가지는지 → 많은 전문가들이 얼룩말이 왜 줄무늬를 가지는지에 대한 이론을 논해왔다.

03 An injunction orders / at least one of the parties in a civil trial / to refrain from / **engaging in a certain act (specified by the court).**

S V O 전치사 OC O´(전치사의 목적어)

금지 명령은 지시한다 / 민사 재판의 당사자 중 적어도 한 쪽이 / ~을 삼가도록 / (법원에 의해 지정된) 특정 행동에 관여하는 것
→ 금지 명령은 민사 재판의 당사자 중 적어도 한 쪽이 법원에 의해 지정된 특정 행동에 관여하는 것을 삼가도록 지시한다.

● 「order+목적어(at least one ~ trial)+목적격 보어(to refrain ~ court)」의 구조이다.
● 과거분사구 specified ~ court는 act를 꾸며준다.

어휘 party 명 당사자, 관계자 civil trial 민사 재판 refrain 동 삼가다, 멀리하다 specified 형 지정된, 명시된

04 Scientific progress could not cure the world's ills by / **abolishing wars and starvation.** <모의>

S V O 전치사 O´(전치사의 목적어)

과학적인 발전은 ~으로써 세계의 병을 고칠 수 없었다 / 전쟁과 굶주림을 없애는 것
→ 과학적인 발전은 전쟁과 굶주림을 없애는 것으로써 세계의 병을 고칠 수 없었다.

어휘 progress 명 발전 abolish 동 없애다, 폐지하다 starvation 명 굶주림, 기아

05 Researchers have published a study on / **whether intrinsic motivation is a key factor (in language learning success).**

S V O 전치사 O´(전치사의 목적어) S´ V´ SC´

연구원들은 ~에 대한 연구를 발표했다 / 내재적 동기가 (언어 학습 성공에의) 주요 요인인지
→ 연구원들은 내재적 동기가 언어 학습 성공에의 주요 요인인지에 대한 연구를 발표했다.

어휘 intrinsic motivation 내재적 동기

06 We are not sure of / **how a lot of the Chichimec Indians [who invaded central Mexico in the 12th and 13th centuries] became hunters and gatherers.**

S V SC 전치사 O´(전치사의 목적어) S´ V´ SC´

우리는 ~에 대해 확실하지 않다 / [12세기와 13세기에 중앙 멕시코를 침입했던] 많은 치치멕 인디언들이 어떻게 수렵인과 채집인이 되었는지
→ 우리는 12세기와 13세기에 중앙 멕시코를 침입했던 많은 치치멕 인디언들이 어떻게 수렵인과 채집인이 되었는지에 대해 확실하지 않다.

● who ~ centuries는 Chichimec Indians를 꾸며주는 주격 관계대명사절이다.

어휘 hunter 명 수렵인, 사냥꾼 gatherer 명 채집인, 수집자

07 There are no differing opinions on / **whether a fresh watermelon is supposed to sound "solid."** <모의응용>

V S 전치사 O´(전치사의 목적어) S´ V´ C´

~에 대한 이견이 없다 / 신선한 수박이 "속이 꽉 찬" 소리가 나야 하는지 → 신선한 수박이 "속이 꽉 찬" 소리가 나야 하는지에 대한 이견이 없다.

어휘 solid 형 속이 꽉 찬, 단단한

고난도

08 Instead of just assessing students by the grades [they receive], / their performance could be defined by / **how hard students study / or how much they improve.**

전치사 O´(전치사의 목적어) S V 전치사 O´(전치사의 목적어) S´ V´ S´ V´

학생들을 단지 [그들이 받는] 점수로 평가하는 것 대신에 / 그들의 성과는 ~로 밝혀질 수 있다 / 학생들이 얼마나 열심히 공부하는지 / 또는 그들이 얼마나 많이 향상하는지 → 학생들을 단지 그들이 받는 점수로 평가하는 것 대신에, 학생들의 성과는 그들이 얼마나 열심히 공부하는지 또는 그들이 얼마나 많이 향상하는지로 밝혀질 수 있다.

● grades와 they 사이에는 목적격 관계대명사가 생략되어 있다.

어휘 assess 동 평가하다 define 동 밝히다, 정의하다

가목적어 it 해석하기

본책 p.38

01 Some cyclists (with small hands) find **it** frustrating / **that they cannot squeeze the brakes easily.** <모의응용>

(S: Some cyclists (with small hands) / V: find / O(가목적어): it / OC: frustrating / O(진목적어): that they cannot squeeze the brakes easily — S′: they / V′: cannot squeeze / O′: the brakes / M′: easily)

(작은 손을 가진) 몇몇 자전거를 타는 사람들은 불만스럽게 생각한다 / 그들이 브레이크를 쉽게 쥘 수 없다는 것을
→ 작은 손을 가진 몇몇 자전거를 타는 사람들은 그들이 브레이크를 쉽게 쥘 수 없다는 것을 불만스럽게 생각한다.

어휘 frustrating 형 불만스러운 squeeze 동 쥐다, 짜다

02 Warriors (from the Aztec civilization) considered **it** an honor / **to be chosen as a human sacrifice to their gods.**

(S: Warriors (from the Aztec civilization) / V: considered / O(가목적어): it / OC: an honor / O(진목적어): to be chosen as a human sacrifice to their gods)

(아즈텍 문명 출신의) 전사들은 영광으로 생각했다 / 그들의 신에게 인간 제물로 선택되는 것을
→ 아즈텍 문명 출신의 전사들은 그들의 신에게 인간 제물로 선택되는 것을 영광으로 생각했다.

○ to부정사가 의미상 주어(Warriors ~ civilization)와 수동 관계이므로 수동형이 쓰였다.

어휘 sacrifice 명 제물, 희생 동 희생하다

03 Some climate scientists think **it** unrealistic / **that society will be able to survive / the impending ecological consequences (of global warming) / indefinitely.**

(S: Some climate scientists / V: think / O(가목적어): it / OC: unrealistic / O(진목적어): that society ... indefinitely — S′: society / V′: will be able to survive / O′: the impending ecological consequences / M′: indefinitely)

몇몇 기후 과학자들은 비현실적으로 생각한다 / 사회가 견뎌낼 수 있으리라는 것을 / (지구 온난화의) 임박한 생태상의 결과를 / 무기한으로
→ 몇몇 기후 과학자들은 지구 온난화의 임박한 생태상의 결과를 사회가 무기한으로 견뎌낼 수 있으리라는 것을 비현실적으로 생각한다.

어휘 impending 형 임박한, 곧 닥칠 ecological 형 생태상의 consequence 명 결과 indefinitely 부 무기한으로

04 The high cost makes **it** unlikely / **that the government will approve of / plans (to replace existing power plants).**

(S: The high cost / V: makes / O(가목적어): it / OC: unlikely / O(진목적어): that the government ... power plants — S′: the government / V′: will approve of / O′: plans)

높은 비용은 가망 없게 만든다 / 정부가 승인하는 것을 / (기존 발전소를 교체할) 계획을
→ 높은 비용은 정부가 기존 발전소를 교체할 계획을 승인하는 것을 가망 없게 만든다.

○ to부정사구 to replace ~ plants는 plans를 꾸며주는 형용사적 용법으로 쓰였다.

어휘 approve of ~을 승인하다 existing 형 기존의, 현존하는

05 Many doctors consider **it** inappropriate / **that pharmaceutical companies offer gifts or monetary rewards / for prescribing their medications.**

(S: Many doctors / V: consider / O(가목적어): it / OC: inappropriate / O(진목적어): that pharmaceutical companies ... medications — S′: pharmaceutical companies / V′: offer / O′: gifts or monetary rewards / M′: for prescribing their medications)

많은 의사들은 부적절하다고 생각한다 / 제약 회사들이 선물이나 금전적인 보상을 제공한다는 것을 / 그들의 약을 처방하는 것에 대해
→ 많은 의사들은 제약 회사들이 그들의 약을 처방하는 것에 대해 선물이나 금전적인 보상을 제공한다는 것을 부적절하다고 생각한다.

어휘 inappropriate 형 부적절한 pharmaceutical 형 제약의 monetary 형 금전적인, 화폐의 prescribe 동 처방하다

06 In the past, / the high price (of solar panels) made **it** impractical / **to produce energy using the Sun's rays**, // but technological advances have made / it much more cost efficient.

M / S¹ / V¹ O¹(가목적어) OC¹ / O¹(진목적어) / S² / V² / O² / OC²

과거에 / (태양 전지판의) 높은 가격이 터무니없게 만들었다 / 태양의 광선을 이용해서 에너지를 생산하는 것을 // 그러나 기술적인 발전이 만들었다 / 그것을 훨씬 더 비용 효율적으로 → 과거에, 태양 전지판의 높은 가격이 태양의 광선을 이용해서 에너지를 생산하는 것을 터무니없게 만들었으나, 기술적인 발전이 그것을 훨씬 더 비용 효율적으로 만들었다.

● 두 번째 절에 to produce ~ rays 대신 대명사 it이 쓰였다.

어휘 solar panel 명 태양 전지판 impractical 형 터무니없는, 비현실적인 ray 명 광선 cost efficient 형 비용 효율적인

07 Despite a majority of the country adhering to some sort of faith, / many people (in the country) think **it** impolite / **to discuss religion with others in public**.

M / S / V O(가목적어) OC / O(진목적어)

그 나라의 대부분이 어떤 종류의 종교를 고수함에도 불구하고 / (그 나라에 있는) 많은 사람들은 무례하다고 생각한다 / 공개적으로 다른 사람들과 종교에 대해 논의하는 것을 → 그 나라의 대부분이 어떤 종류의 종교를 고수함에도 불구하고, 그 나라에 있는 많은 사람들은 공개적으로 다른 사람들과 종교에 대해 논의하는 것을 무례하다고 생각한다.

● 동명사구 adhering ~ faith의 의미상 주어로 a majority ~ country가 쓰였다.

어휘 adhere to ~을 고수하다 impolite 형 무례한

UNIT 15 위치가 변하는 목적어 해석하기

본책 p.39

01 **Such extreme flooding** / residents had never experienced, // and it was all due to rising sea levels.

O¹ / S¹ / V¹ / S² V² SC²

그러한 심각한 홍수를 / 주민들은 경험해 본 적이 없었다 // 그리고 그것은 모두 상승하는 해수면 때문이었다
→ 주민들은 그러한 심각한 홍수를 경험해 본 적이 없었고, 그것은 모두 상승하는 해수면 때문이었다.

● = Residents had never experienced **such extreme flooding**, and it was all due to rising sea levels.

어휘 flooding 명 홍수 sea level 명 해수면

02 **The Middle Ages** / we have studied in history class already. // Next, our class will be covering the Renaissance.

O / S / V / M / M / M / S / V / O

중세 시대를 / 우리는 역사 시간에 이미 배웠다 // 다음에, 우리 수업은 르네상스를 다룰 것이다.
→ 우리는 역사 시간에 이미 중세 시대를 배웠다. 다음에, 우리 수업은 르네상스를 다룰 것이다.

● = We have studied **the Middle Ages** in history class already. Next, our class will be covering the Renaissance.

고난도
03 **A compromise** / Britain proposed instead of war, // and the United States accepted it initially, / agreeing to split Oregon at the 49th parallel.

O¹ / S¹ / V¹ / M¹ / S² / V² / O² / M² / M²

타협을 / 영국이 전쟁 대신에 제안했다 // 그리고 미국은 처음에 그것을 받아들였다 / 북위 49도 선에서 오리건주를 분리하는 것에 동의하면서
→ 영국이 전쟁 대신에 타협을 제안했고, 미국은 북위 49도 선에서 오리건주를 분리하는 것에 동의하면서 처음에 그것을 받아들였다.

● = Britain proposed **a compromise** instead of war, and the United States accepted it initially, agreeing to split Oregon at the 49th parallel.
● agreeing ~ parallel은 동시 동작을 나타내는 분사구문으로 해석될 수 있다.

어휘 compromise 명 타협 propose 동 제안하다 parallel 명 위도선

04 The rapid pace (of technological advancement) / makes *obsolete* / **electronic devices (purchased in the not-so-distant past)**.

S / V / OC / O

(기술적인 발전의) 빠른 속도는 / 구식으로 만든다 / (그리 멀지 않은 과거에 구입된) 전자 기기들을
→ 기술적인 발전의 빠른 속도는 그리 멀지 않은 과거에 구입된 전자 기기들을 구식으로 만든다.

= The rapid pace of technological advancement makes **electronic devices purchased in the not-so-distant past** *obsolete.*

과거분사구 purchased ~ past는 devices를 꾸며준다.

어휘 obsolete 형 구식인, 한물간

05 Chopin composed, / *even before he knew how to write down his ideas*, / **brilliant music**.

S / V / M (S′ V′ O′) / O

쇼팽은 작곡했다 / 그가 그의 생각을 어떻게 적는지를 알기도 전에 / 훌륭한 음악을 → 쇼팽은 그가 그의 생각을 어떻게 적는지를 알기도 전에 훌륭한 음악을 작곡했다.

= Chopin composed **brilliant music**, *even before he knew how to write down his ideas.*

어휘 compose 동 작곡하다

06 An unexpected comment (given by a guest on tonight's talk show) / left *speechless* / **the members (of the panel)**.

S / V / OC / O

(오늘 밤의 토크 쇼에서 게스트에 의해 주어진) 예기치 않은 지적은 / 말문이 막힌 상태로 두었다 / (그 패널의) 구성원들을
→ 오늘 밤의 토크 쇼에서 게스트에 의해 주어진 예기치 않은 지적은 그 패널의 구성원들을 말문이 막힌 상태로 두었다.

= An unexpected comment given by a guest on tonight's talk show left **the members of the panel** *speechless.*

과거분사구 given ~ show는 comment를 꾸며준다.

어휘 unexpected 형 예기치 않은 speechless 형 말문이 막힌

고난도

07 The farmers cultivate / *for the purposes (of winemaking)* / **grapes [that are native to Georgia]** / in the Caucasus Mountains.

S / V / M / O / M

농부들은 경작한다 / (포도주 제조의) 목적으로 / [원산지가 조지아인] 포도를 / 코카서스 산맥에서
→ 농부들은 코카서스 산맥에서 포도주 제조의 목적으로 원산지가 조지아인 포도를 경작한다.

= The farmers cultivate **grapes that are native to Georgia** *for the purposes of winemaking* in the Caucasus Mountains.

that ~ Georgia는 grapes를 꾸며주는 주격 관계대명사절이다.

어휘 cultivate 동 경작하다

Chapter Test

본책 p.40

01 Problems (with the engine) / rendered *immobile* / **the secondhand vehicle [she had just purchased]**.

S / V / OC / O

(엔진과 관련된) 문제는 / 움직이지 못하게 만들었다 / [그녀가 막 구입했던] 그 중고차가
→ 엔진과 관련된 문제는 그녀가 막 구입했던 그 중고차가 움직이지 못하게 만들었다.

= Problems with the engine rendered **the secondhand vehicle she had just purchased** *immobile.*

vehicle과 she 사이에는 목적격 관계대명사가 생략되어 있다.

어휘 render 동 (어떤 상태가 되게) 만들다 immobile 형 움직이지 못하는

02 Executives forgot / **to announce the new policy** / during the last meeting, // so they sent a memo (written about it) / to everyone.

S¹ V¹ O¹ M¹ S² V² O² M²

경영진은 잊었다 / 새로운 정책을 발표할 것을 / 지난 회의에서 // 그래서 그들은 (그것에 대해 쓰인) 메모를 보냈다 / 모두에게
→ 경영진은 지난 회의에서 새로운 정책을 발표할 것을 잊어서, 그들은 모두에게 그것에 대해 쓰인 메모를 보냈다.

- 과거분사구 written about it은 memo를 꾸며준다.
- the new policy 대신 대명사 it이 쓰였다.

어휘 announce 동 발표하다

03 Many employees are now used to / **working from home** / and **communicating with colleagues / via video calls.**

S V M SC 전치사 O'¹(전치사의 목적어) O'²(전치사의 목적어)

많은 직원들은 이제 ~에 익숙하다 / 집에서 일하는 것 / 그리고 동료들과 의사소통하는 것 / 화상 통화를 통해
→ 많은 직원들은 이제 집에서 일하는 것과 화상 통화를 통해 동료들과 의사소통하는 것에 익숙하다.

- working과 communicating이 등위접속사 and로 연결되어 있으며, 전치사 to의 목적어 역할을 하는 동명사에 해당한다.

어휘 colleague 명 동료

04 **A few grammatical mistakes** / the editor found in the article, // and they were corrected / right before the publication.

O¹ S¹ V¹ M¹ S² V² M²

몇몇 문법 오류들을 / 그 편집자가 기사에서 찾았다 // 그리고 그것들은 수정되었다 / 발행 직전에
→ 그 편집자가 기사에서 몇몇 문법 오류들을 찾았고, 그것들은 발행 직전에 수정되었다.

- = The editor found **a few grammatical mistakes** in the article, and they were corrected right before the publication.

어휘 publication 명 발행, 출판

05 By **creating a budget [which includes your income and regular expenses]**, / you can determine / **what amount you can save each month.**

전치사 O'(전치사의 목적어) M S V O' S' V' M' O

[너의 수입과 정기적인 지출을 포함하는] 예산을 세움으로써 / 너는 알아낼 수 있다 / 네가 매달 얼마의 액수를 저축할 수 있는지를
→ 너의 수입과 정기적인 지출을 포함하는 예산을 세움으로써, 너는 네가 매달 얼마의 액수를 저축할 수 있는지를 알아낼 수 있다.

- which ~ expenses는 budget을 꾸며주는 주격 관계대명사절이다.

어휘 income 명 수입 expense 명 지출

06 People (displaying intellectual humility) make **it** clear / **that they value what others bring up in conversation.** <모의>

S V O(가목적어) OC O(진목적어) S' V' O'

(지적 겸손을 보이는) 사람들은 분명히 한다 / 그들이 다른 사람들이 대화에서 제기하는 것을 존중하기를
→ 지적 겸손을 보이는 사람들은 그들이 다른 사람들이 대화에서 제기하는 것을 존중하기를 분명히 한다.

- 현재분사구 displaying intellectual humility는 People을 꾸며준다.
- what ~ conversation은 동사 value의 목적어 역할을 하는 명사절이다.

어휘 display 동 보이다 value 동 존중하다, 가치 있게 여기다 bring up 제기하다, 꺼내다

07 The company performs a series of interviews / in order to find out / **whether the candidates are fit for the position.**

S V O M V' O'

그 회사는 몇 차례의 면접을 행한다 / 알아내기 위해 / 지원자들이 그 직무에 적합한지를
→ 그 회사는 지원자들이 그 직무에 적합한지를 알아내기 위해 몇 차례의 면접을 행한다.

- to부정사구 to find out ~ position은 목적을 나타내는 부사적 용법으로 쓰였으며, to 대신 in order to가 왔다.

어휘 perform 동 행하다 candidate 명 지원자 fit 형 적합한

08 Studies show / **that mothers [who do not eat enough during pregnancy] / sometimes produce children [who fail to reach their full cognitive potential].**

S V O S′ M′ V′ O′

연구들은 보여준다 / [임신 중에 충분히 먹지 않는] 어머니들이 / 때때로 [그들의 최대의 인지적 잠재력에 도달하지 못하는] 아이들을 낳는다는 것을

→ 연구들은 임신 중에 충분히 먹지 않는 어머니들이 때때로 그들의 최대의 인지적 잠재력에 도달하지 못하는 아이들을 낳는다는 것을 보여준다.

- who ~ pregnancy는 mothers를 꾸며주는 주격 관계대명사절이다.
- who ~ potential은 children을 꾸며주는 주격 관계대명사절이다.

어휘 pregnancy 명 임신 produce 동 (아이를) 낳다 cognitive 형 인지적인

CHAPTER 03 보어

UNIT 16 다양한 주격 보어 해석하기

본책 p.42

01 What people need to do / is **to accept things [that are beyond their control]**. <모의응용>
(S: What people need to do / V: is / SC: to accept things [that are beyond their control])

사람들이 해야 하는 것은 / [그들의 통제 밖에 있는] 것들을 받아들이는 것이다

- What ~ do는 문장에서 주어 역할을 하는 명사절이다.
- that ~ control은 things를 꾸며주는 주격 관계대명사절이다.

02 The result (of decreased international corporate cooperation) is / **(that) companies worldwide have learned to deal with their own financial hazards**. <모의응용>
(S: The result (of decreased international corporate cooperation) / V: is / SC: (that) companies worldwide have learned to deal with their own financial hazards — S′: companies worldwide / V′: have learned / O′: to deal with their own financial hazards)

(줄어든 국제적 기업 협력의) 결과는 ~이다 / 전 세계의 기업들이 그들 자신의 재정적인 위험을 다루는 것을 배웠다는 것
→ 줄어든 국제적 기업 협력의 결과는 전 세계의 기업들이 그들 자신의 재정적인 위험을 다루는 것을 배웠다는 것이다.

- to부정사구 to deal with ~ hazards는 동사 have learned의 목적어로 쓰였다.

어휘 corporate 형 기업의 financial 형 재정적인 hazard 명 위험

03 The most basic ethical principle / is **treating others / the way you would like to be treated**.
(S: The most basic ethical principle / V: is / SC: treating others / the way you would like to be treated)

가장 기본적인 윤리적 원칙은 / 다른 사람들을 대접하는 것이다 / 네가 대접받고자 하는 방식으로
→ 가장 기본적인 윤리적 원칙은 네가 대접받고자 하는 방식으로 다른 사람들을 대접하는 것이다.

- to부정사가 의미상 주어(you)와 수동 관계이므로 수동형이 쓰였다.

어휘 ethical 형 윤리적인 principle 명 원칙, 원리

04 The building was **massive** / like a megastructure [that could be seen in a kingdom].
(S: The building / V: was / SC: massive / M: like a megastructure [that could be seen in a kingdom])

그 건물은 거대했다 / [왕국 안에서 보일 수 있는] 거대 고층 건물처럼 → 그 건물은 왕국 안에서 보일 수 있는 거대 고층 건물처럼 거대했다.

- that ~ kingdom은 megastructure를 꾸며주는 주격 관계대명사절이다.

어휘 massive 형 거대한

05 The measure (of the HR department) / was **to let the coworkers handle the conflicts [that arose between them] / by themselves**.
(S: The measure (of the HR department) / V: was / SC: to let the coworkers handle the conflicts [that arose between them] / by themselves)

(인사과의) 조치는 / 동료들이 [그들 사이에 발생한] 갈등을 처리하도록 허락하는 것이었다 / 그들 스스로
→ 인사과의 조치는 동료들이 그들 사이에 발생한 갈등을 그들 스스로 처리하도록 허락하는 것이었다.

- 「let+목적어(the coworkers)+목적격 보어(handle ~ themselves)」의 구조이다.
- that ~ them은 conflicts를 꾸며주는 주격 관계대명사절이다.

어휘 measure 명 조치 HR(Human Resources) department 명 인사과, 인력 개발부 conflict 명 갈등 arise 동 발생하다

06 Dolphin populations are **at risk** / owing to commercial fishing practices, // and therefore the industry needs regulations.

돌고래 개체수는 위험에 처해 있다 / 상업적 어업 관행으로 인해 // 그리고 따라서 그 산업은 규제가 필요하다
→ 돌고래 개체수는 상업적 어업 관행으로 인해 위험에 처해 있고, 따라서 그 산업은 규제가 필요하다.

어휘 at risk 위험에 처한 commercial 형 상업적인 practice 명 관행, 관례 regulation 명 규제, 규정

07 The sound [the first phonographs produced] / was **so distorted** / that the invention couldn't attract much interest from many investors.

[최초의 축음기가 만들어낸] 소리는 / 너무 왜곡되어서 / 그 발명품은 많은 투자자들에게서 큰 관심을 끌지 못했다

● sound와 the 사이에는 목적격 관계대명사가 생략되어 있다.

어휘 distorted 형 왜곡된, 비뚤어진 invention 명 발명품 investor 명 투자자

08 The main problem is / **that political parties are focusing on earning voter trust** / **rather than considering proper policies**.

주요 문제는 ~이다 / 정당들이 유권자의 신뢰를 얻는 것에 집중하고 있다는 것 / 제대로 된 정책들을 고려하는 것보다는
→ 주요 문제는 정당들이 제대로 된 정책들을 고려하는 것보다는 유권자의 신뢰를 얻는 것에 집중하고 있다는 것이다.

어휘 political party 정당 proper 형 제대로 된, 적절한 policy 명 정책

09 Emotional displays (of frustration) are / **what give many employees a reputation (for being difficult to work with)**.

(불만의) 감정적 표현은 ~이다 / 많은 직원들에게 (함께 일하기 어렵다는) 평판을 주는 것
→ 불만의 감정적 표현은 많은 직원들에게 함께 일하기 어렵다는 평판을 주는 것이다.

어휘 display 명 표현, 전시 frustration 명 불만 reputation 명 평판

10 The primary question (facing the marketing industry) today is / **how they can discourage the viewers from skipping their ads**. <모의응용>

오늘날 (마케팅 산업에 직면하는) 주된 문제는 ~이다 / 그들이 어떻게 시청자들을 그들의 광고를 건너뛰는 것으로부터 막을 수 있는지
→ 오늘날 마케팅 산업에 직면하는 주된 문제는 그들이 어떻게 시청자들을 그들의 광고를 건너뛰는 것으로부터 막을 수 있는지이다.

● 현재분사구 facing ~ industry는 question을 꾸며준다.

어휘 primary 형 주된, 주요한 face 동 직면하다 discourage 동 막다, 좌절시키다

11 The convention turned out **rewarding / for the small start-ups**, // for they could establish relationships (with distributors).

그 협의회는 가치 있는 것으로 나타났다 / 작은 신생 기업들에게 // 왜냐하면 그들이 (유통업체와의) 관계를 구축할 수 있었기 때문이다
→ 작은 신생 기업들이 유통업체와의 관계를 구축할 수 있었기 때문에, 그 협의회는 그들에게 가치 있는 것으로 나타났다.

어휘 rewarding 형 가치 있는 establish 동 구축하다 distributor 명 유통업체

12 An important decision (for the publishing company) is / **who will be delivering today's lecture (about the newly released book)**.

(그 출판사의) 중요한 결정은 ~이다 / 누가 (새로 출시된 책에 대한) 오늘의 강의를 할지
→ 그 출판사의 중요한 결정은 누가 새로 출시된 책에 대한 오늘의 강의를 할지이다.

어휘 deliver 동 (연설 등을) 하다 release 동 출시하다, 발표하다

13 The speech [Martin Luther King Jr. gave at the march (in Washington)] / was **the most memorable one / in American history.**

S / V / SC

[마틴 루터 킹이 (워싱턴에서의) 행군에서 한] 연설은 / 가장 기억할 만한 것이었다 / 미국 역사상
→ 마틴 루터 킹이 워싱턴에서의 행군에서 한 연설은 미국 역사상 가장 기억할 만한 것이었다.

● speech와 Martin 사이에는 목적격 관계대명사가 생략되어 있다.

어휘 memorable 형 기억할 만한

14 The politician's concern is / **that he is in danger of losing his next election / due to the poor economic situation.**

S / V / SC (S′ V′ SC′ M′)

그 정치인의 걱정은 ~이다 / 그가 그의 다음 선거에서 질 위험에 처해 있다는 것 / 좋지 못한 경제적 상황 때문에
→ 그 정치인의 걱정은 좋지 못한 경제적 상황 때문에 그가 그의 다음 선거에서 질 위험에 처해 있다는 것이다.

● losing ~ election은 danger를 부연 설명하는 동격의 동명사구이다.

어휘 politician 명 정치인 concern 명 걱정 election 명 선거

15 The topic (of the discussion) was / **where the monument (for marking the historic event) should be located.**

S / V / SC (S′ V′)

(그 논의의) 주제는 ~였다 / (그 역사적인 사건을 기록하기 위한) 기념비가 어디에 위치되어야 할지
→ 그 논의의 주제는 그 역사적인 사건을 기록하기 위한 기념비가 어디에 위치되어야 할지였다.

어휘 monument 명 기념비 mark 동 기록하다, 표시하다 locate 동 위치시키다

16 One of the most significant indicators (of intelligence (in animals)) / is **the ability (to recognize and identify themselves).**

S / V / SC

((동물의) 지능에 관한) 가장 중요한 지표들 중 하나는 / (그들 자신을 인식하고 식별하는) 능력이다

● to부정사구 to recognize ~ themselves는 ability를 꾸며주는 형용사적 용법으로 쓰였다.

어휘 significant 형 중요한 indicator 명 지표 intelligence 명 지능 recognize 동 인식하다 identify 동 식별하다

고난도
17 The purpose (of the mathematical models (explored recently)) / was **to confirm that black holes behave according to relativistic predictions.**

S / V / SC

((최근 탐구된) 수학적 모델의) 용도는 / 블랙홀이 상대론적 예측에 따라 행동한다는 것을 확인하는 것이었다

● 과거분사구 explored recently는 models를 꾸며준다.
● that ~ predictions는 to부정사 to confirm의 목적어 역할을 하는 명사절이다.

어휘 confirm 동 확인하다, 확신하다 relativistic 형 상대론적인, 상대성 이론에 의한 prediction 명 예측

고난도
18 The primary thing (discussed over the centuries) is / **when personhood begins,** // and it impacts the rights (assigned to unborn children).

S[1] / V[1] / SC[1] (S′ V′) / S[2] V[2] O[2]

(수 세기에 걸쳐 논의된) 주요한 것은 ~이다 / 인간성이 언제 시작되는지 // 그리고 그것은 (태아에게 부여된) 권리에 영향을 미친다
→ 수 세기에 걸쳐 논의된 주요한 것은 인간성이 언제 시작되는지이고, 그것은 태아에게 부여된 권리에 영향을 미친다.

● 과거분사구 discussed ~ centuries는 thing을 꾸며준다.
● 과거분사구 assigned ~ children은 rights를 꾸며준다.

어휘 impact 동 영향을 미치다 명 영향 assign 동 부여하다 unborn child 태아, 아직 태어나지 않은 아이

명사/형용사 목적격 보어 해석하기

본책 p.44

01 Marcellus considered / Archimedes **a valuable scientific asset**, // so he ordered that Archimedes should not be harmed. <모의응용>

(Marcellus: S1, considered: V1, Archimedes: O1, a valuable scientific asset: OC1, he: S2, ordered: V2, that ~ harmed: O2)

마르켈루스는 생각했다 / 아르키메데스가 귀중한 과학적인 자산이라고 // 그래서 그는 아르키메데스가 해를 입으면 안 된다고 명령했다
→ 마르켈루스는 아르키메데스가 귀중한 과학적인 자산이라고 생각해서, 그는 아르키메데스가 해를 입으면 안 된다고 명령했다.

어휘 valuable 형 귀중한, 소중한 asset 명 자산 harm 동 해를 입히다 명 해, 피해

02 Listening to the bright warm sounds made / her day **more pleasant**. <모의>

(Listening to the bright warm sounds: S, made: V, her day: O, more pleasant: OC)

밝고 따뜻한 소리를 듣는 것은 만들었다 / 그녀의 하루를 더 즐겁게 → 밝고 따뜻한 소리를 듣는 것은 그녀의 하루를 더 즐겁게 만들었다.

- 동명사구 Listening ~ sounds는 문장에서 주어 역할을 하고 있다.

03 His classmates' contributing little to the group project made / Derek **upset**.

(His classmates' contributing little to the group project: S, made: V, Derek: O, upset: OC)

그의 반 친구들이 조 과제에 거의 기여하지 않는 것은 만들었다 / Derek을 화나게
→ 그의 반 친구들이 조 과제에 거의 기여하지 않는 것은 Derek을 화나게 만들었다.

- 동명사구 His classmates' contributing ~ project는 문장에서 주어 역할을 하고 있다.
- 동명사구 contributing ~ project의 의미상 주어로 His classmates가 쓰였다.

어휘 contribute 동 기여하다, 공헌하다

04 Dark clouds (after reports of severe weather) kept / people (in the region) **anxious**.

(Dark clouds (after reports of severe weather): S, kept: V, people (in the region): O, anxious: OC)

(혹독한 날씨에 대한 보도 이후의) 검은 구름들은 뒀다 / (그 지역의) 사람들을 불안한 상태로
→ 혹독한 날씨에 대한 보도 이후의 검은 구름들은 그 지역의 사람들을 불안한 상태로 뒀다.

어휘 severe 형 혹독한, 심각한 anxious 형 불안한

05 The public thought / the city plan **a mistake** / because of the tremendous costs (incurred by the policy) and its limited benefits.

(The public: S, thought: V, the city plan: O, a mistake: OC, because of ~ benefits: M)

대중들은 생각했다 / 그 도시 계획이 실수라고 / (그 정책으로 인해 초래된) 엄청난 비용과 그것의 얼마 안 되는 혜택 때문에
→ 대중들은 그 정책으로 인해 초래된 엄청난 비용과 그것의 얼마 안 되는 혜택 때문에 그 도시 계획이 실수라고 생각했다.

- 과거분사구 incurred ~ policy는 costs를 꾸며준다.

어휘 tremendous 형 엄청난 incur 동 초래하다, 발생시키다

06 Increased pollution turned / many rivers **yellowish**, // and that was vastly different / than their original blue.

(Increased pollution: S1, turned: V1, many rivers: O1, yellowish: OC1, that: S2, was: V2, vastly different: SC2, than their original blue: M2)

증가된 오염은 만들었다 / 많은 강들을 누르스름하게 // 그리고 그것은 크게 달랐다 / 그들의 원래의 파란색과는
→ 증가된 오염은 많은 강들을 누르스름하게 만들었고, 그것은 그들의 원래의 파란색과는 크게 달랐다.

어휘 pollution 명 오염 yellowish 형 누르스름한, 노란색이 감도는 vastly 부 크게, 막대하게

07 On account of its inflated budget and low returns, / analysts called / this film **"the largest commercial failure in history."**

M / S / V / O / OC

그것의 부풀려진 예산과 낮은 수익 때문에 / 분석가들은 불렀다 / 이 영화를 "역사상 가장 큰 상업적 실패"라고
→ 그것의 부풀려진 예산과 낮은 수익 때문에, 분석가들은 이 영화를 "역사상 가장 큰 상업적 실패"라고 불렀다.

어휘 inflated 형 부풀려진, 팽창한 return 명 수익, 수입 동 돌아오다

08 In a break with royal tradition, / Napoleon appointed / himself **"Emperor of the French"** / in an elaborate ceremony (at Notre Dame Cathedral).

M / S / V / O / OC / M

왕실의 전통과 결별하며 / 나폴레옹은 임명했다 / 그 자신을 "프랑스의 황제"로 / (노트르담 대성당에서의) 화려한 의식에서
→ 왕실의 전통과 결별하며, 나폴레옹은 노트르담 대성당에서의 화려한 의식에서 그 자신을 "프랑스의 황제"로 임명했다.

어휘 appoint 동 임명하다 emperor 명 황제 elaborate 형 화려한, 정교한

고난도

09 The workouts (prescribed by the trainer) left / her clients **extremely sore**, // but those [who stuck with them] saw massive improvements.

S[1] / V[1] / O[1] / OC[1] / S[2] / V[2] / O[2]

(트레이너에 의해 지시된) 운동은 뒀다 / 그녀의 고객들을 극도로 아픈 상태로 // 그러나 [그것들을 계속했던] 사람들은 큰 향상을 봤다
→ 트레이너에 의해 지시된 운동은 그녀의 고객들을 극도로 아픈 상태로 뒀으나, 그것들을 계속했던 사람들은 큰 향상을 봤다.

- 과거분사구 prescribed ~ trainer는 workouts를 꾸며준다.
- who ~ them은 those를 꾸며주는 주격 관계대명사절이다.
- workouts 대신 대명사 them이 쓰였다.

어휘 prescribe 동 지시하다, 처방하다 sore 형 (몸이) 아픈 stick with 계속하다

UNIT 18 to부정사/원형부정사 목적격 보어 해석하기

본책 p.45

01 Good parents allow / their children **to talk about their fears and sadness.** <모의응용>

S / V / O / OC

좋은 부모는 허락한다 / 그들의 아이들이 그들의 두려움과 슬픔에 대해 말하도록 → 좋은 부모는 그들의 아이들이 그들의 두려움과 슬픔에 대해 말하도록 허락한다.

02 Patriotism persuades / citizens **to be loyal to a common cause / for their country.**

S / V / O / OC

애국심은 설득한다 / 시민들이 공동의 목적에 충성하라고 / 그들의 국가를 위해 → 애국심은 시민들이 그들의 국가를 위해 공동의 목적에 충성하라고 설득한다.

어휘 patriotism 명 애국심 loyal 형 충성스러운 a common cause 공동의 목적

03 For the first time in history, / the composer Richard Wagner asked / theaters **to darken the auditorium / during performances (of his operas).**

M / S / V / O / OC

역사상 처음으로 / 작곡가 리하르트 바그너는 요청했다 / 극장들이 관객석을 어둡게 하도록 / (그의 오페라의) 공연 동안
→ 역사상 처음으로, 작곡가 리하르트 바그너는 그의 오페라의 공연 동안 극장들이 관객석을 어둡게 하도록 요청했다.

어휘 composer 명 작곡가 darken 동 어둡게 하다 auditorium 명 관객석

04 Hypnosis enabled / patients **to overcome a number of clinical conditions,** // but its mechanisms are being debated / continuously.

S[1] / V[1] / O[1] / OC[1] / S[2] / V[2] / M[2]

최면술은 가능하게 했다 / 환자들이 많은 임상적 문제들을 극복하기를 // 그러나 그것의 방법은 토의되고 있다 / 계속해서
→ 최면술은 환자들이 많은 임상적 문제들을 극복하기를 가능하게 했으나, 그것의 방법은 계속해서 토의되고 있다.

어휘 hypnosis 명 최면술 enable 동 가능하게 하다 overcome 동 극복하다 clinical 형 임상적인, 치료의 mechanism 명 방법, 구조

05 To unwind, / she would watch / dolphins **play in the ocean.** <모의응용>
(To unwind: M / she: S / would watch: V / dolphins: O / play in the ocean: OC)

긴장을 풀기 위해 / 그녀는 보곤 했다 / 돌고래들이 바다에서 노는 것을 → 긴장을 풀기 위해, 그녀는 돌고래들이 바다에서 노는 것을 보곤 했다.

- to부정사 To unwind는 목적을 나타내는 부사적 용법으로 쓰였다.

어휘 unwind 동 긴장을 풀다

06 Rather than providing health care directly, / the new health insurance law had / every adult **buy medical insurance.**
(Rather than providing health care directly: M / the new health insurance law: S / had: V / every adult: O / buy medical insurance: OC)

직접적으로 의료 서비스를 제공하기보다는 / 그 새로운 건강보험법은 시켰다 / 모든 성인이 의료 보험을 구매하도록
→ 직접적으로 의료 서비스를 제공하기보다는, 그 새로운 건강보험법은 모든 성인이 의료 보험을 구매하도록 시켰다.

어휘 health care 명 의료 서비스 insurance 명 보험

07 Manufacturers made / their clothing **have specific colors** / with chemicals [that replaced the natural dyes (used previously)].
(Manufacturers: S / made: V / their clothing: O / have specific colors: OC / with chemicals [that replaced the natural dyes (used previously)]: M)

제조업자들은 만들었다 / 그들의 의류가 특정한 색깔들을 가지도록 / [(이전에 사용된) 천연염료를 대체한] 화학 물질로
→ 제조업자들은 이전에 사용된 천연염료를 대체한 화학 물질로 그들의 의류가 특정한 색깔들을 가지도록 만들었다.

- that ~ previously는 chemicals를 꾸며주는 주격 관계대명사절이다.
- 과거분사구 used previously는 dyes를 꾸며준다.

어휘 manufacturer 명 제조업자 chemical 명 화학 물질 형 화학의 dye 명 염료 동 염색하다

고난도
08 Modern political debate helps / viewers **understand the positions** (**of each candidate**) / and **distinguish those positions from one another.**
(Modern political debate: S / helps: V / viewers: O / understand the positions (of each candidate): OC[1] / distinguish those positions from one another: OC[2])

현대의 정치 토론은 돕는다 / 시청자들이 (각 후보의) 입장을 이해하는 것을 / 그리고 그 입장들을 서로 구분하는 것을
→ 현대의 정치 토론은 시청자들이 각 후보의 입장을 이해하는 것과 그 입장들을 서로 구분하는 것을 돕는다.

- understand와 distinguish가 등위접속사 and로 연결되어 있으며, helps의 목적격 보어 역할을 하는 원형부정사에 해당한다.

어휘 position 명 입장, 위치 candidate 명 후보, 지원자 distinguish 동 구분하다

UNIT 19 현재분사/과거분사 목적격 보어 해석하기

본책 p.46

01 Because of my heart racing so fast, / I couldn't hear / myself **talking.** <모의>
(Because of my heart racing so fast: M / I: S / couldn't hear: V / myself: O / talking: OC)

내 심장이 너무 빠르게 뛰는 것 때문에 / 나는 들을 수 없었다 / 내 자신이 말하는 것을
→ 내 심장이 너무 빠르게 뛰는 것 때문에, 나는 내 자신이 말하는 것을 들을 수 없었다.

- 동명사구 racing so fast의 의미상 주어로 my heart가 쓰였다.

02 Looking through the camera lens made / the photographer **detached from the scene.** <수능응용>

S V O OC

카메라 렌즈를 통해 보는 것은 만들었다 / 사진사가 그 장면으로부터 분리되게 → 카메라 렌즈를 통해 보는 것은 사진사가 그 장면으로부터 분리되게 만들었다.

● 동명사구 Looking ~ lens는 문장에서 주어 역할을 하고 있다.

어휘 detach 동 분리하다, 떼다

03 The water level rose continuously / until the residents saw the town **flooded**.

S V M M (S' V' O' OC')

수위가 계속해서 올랐다 / 주민들이 마을이 침수된 것을 볼 때까지 → 주민들이 마을이 침수된 것을 볼 때까지 수위가 계속해서 올랐다.

어휘 water level 명 수위 resident 명 주민 flood 동 침수하다 명 홍수

04 The CEO found / himself **seeking new creditors / to cover the soaring expenses.**

S V O OC

그 최고 경영자는 발견했다 / 그 자신이 새로운 채권자를 찾고 있는 것을 / 치솟는 비용을 메우기 위해
→ 그 최고 경영자는 그 자신이 치솟는 비용을 메우기 위해 새로운 채권자를 찾고 있는 것을 발견했다.

● to부정사구 to cover ~ expenses는 목적을 나타내는 부사적 용법으로 쓰였다.

어휘 seek 동 찾다, 추구하다 cover 동 메우다, 덮다 soar 동 치솟다 expense 명 비용, 지출

05 Ambush predators remain concealed / until they catch their prey **walking by**.

S V SC M (S' V' O' OC')

매복 포식자는 숨겨진 채로 있는다 / 그들이 그들의 먹이가 지나가고 있는 것을 발견할 때까지
→ 매복 포식자는 그들이 그들의 먹이가 지나가고 있는 것을 발견할 때까지 숨겨진 채로 있는다.

어휘 conceal 동 숨기다, 감추다 prey 명 먹이

06 The district attorney had the entrepreneur **prosecuted** / for bribery / and promised to root out corruption / in the city.

S V^1 O^1 OC^1 M^1 V^2 O^2

그 지방 검사는 그 사업가를 기소되게 했다 / 뇌물 수수로 / 그리고 부패를 근절하겠다고 약속했다 / 시 내부에서
→ 그 지방 검사는 그 사업가를 뇌물 수수로 기소되게 했고 시 내부에서 부패를 근절하겠다고 약속했다.

● to부정사구 to root out ~ city는 동사 promised의 목적어로 쓰였다.

어휘 district attorney 명 지방 검사 entrepreneur 명 사업가 bribery 명 뇌물 수수 root out 동 근절하다, 소탕하다 corruption 명 부패

07 We saw / no one **heading for the exits** / after the fire alarm, // so we thought it must have been a false alarm.

S^1 V^1 O^1 OC^1 M^1 S^2 V^2 O^2

우리는 봤다 / 아무도 출구로 향하고 있지 않은 것을 / 화재 경보 이후에 // 그래서 우리는 그것이 거짓 경보였음이 틀림없다고 생각했다
→ 우리는 화재 경보 이후에 아무도 출구로 향하고 있지 않은 것을 봐서, 그것이 거짓 경보였음이 틀림없다고 생각했다.

● thought와 it 사이에는 명사절 접속사 that이 생략되어 있다.

어휘 head for ~로 향하다

08 Many American stores let / a lot of items **be sold at significant discounts** / the day after Thanksgiving.

S V O OC M

많은 미국 상점들은 허락한다 / 많은 물건들이 대폭 할인된 가격에 팔리도록 / 추수감사절의 다음 날에
→ 많은 미국 상점들은 추수감사절의 다음 날에 많은 물건들이 대폭 할인된 가격에 팔리도록 허락한다.

어휘 Thanksgiving 명 추수감사절

고난도
09 The wildfires got numbers of trees **burned to the ground**, // and it forced / government agencies to plant more trees in the area.

S¹ V¹ O¹ OC¹ S² V² O² OC²

들불은 수많은 나무들이 완전히 태워지게 했다 // 그리고 그것은 강제했다 / 정부 기관들이 그 지역에 더 많은 나무를 심도록
→ 들불은 수많은 나무들이 완전히 태워지게 했고, 그것은 정부 기관들이 그 지역에 더 많은 나무를 심도록 강제했다.

어휘 wildfire 명 들불 to the ground 완전히, 아주

어법
10 Before the standardization (of language), / travelers (on a long journey) heard / different dialects **spoken** / in different villages.

M S V O OC M

(언어의) 표준화 전에 / (긴 여정 중의) 여행객들은 들었다 / 다른 방언들이 발화된 것을 / 다른 마을들에서
→ 언어의 표준화 전에, 긴 여정 중의 여행객들은 다른 마을들에서 다른 방언들이 발화된 것을 들었다.

정답 spoken
해설 목적어인 different dialects가 행위의 대상이므로 과거분사 spoken이 정답이다.
어휘 standardization 명 표준화 dialect 명 방언, 사투리

UNIT 20 위치가 변하는 보어 해석하기

본책 p.47

01 **Terrified** were the visitors [who entered the haunted house].

SC V S

[귀신의 집에 들어간] 방문객들은 겁에 질렸다.

- = The visitors who entered the haunted house were **terrified**.
- who ~ house는 visitors를 꾸며주는 주격 관계대명사절이다.

어휘 terrified 형 겁에 질린 haunted 형 귀신이 나오는

02 **A quiet neighbor** he was, // and he always sat patiently / with his eyes on a book.

SC¹ S¹ V¹ S² M² V² M² M²

그는 조용한 이웃이었다 // 그리고 그는 언제나 차분하게 앉았다 / 그의 눈을 책에 둔 채로
→ 그는 조용한 이웃이었고, 언제나 그의 눈을 책에 둔 채로 차분하게 앉았다.

- = He was **a quiet neighbor**, and he always sat patiently with his eyes on a book.

03 **Similarly time-consuming** are the minute works (required in the completion (of every project)), / just like other main tasks.

SC V S M

((모든 프로젝트의) 완성에서 요구되는) 사소한 업무들도 마찬가지로 시간이 많이 소요된다 / 다른 중요한 업무들처럼
→ 다른 중요한 업무들처럼, 모든 프로젝트의 완성에서 요구되는 사소한 업무들도 마찬가지로 시간이 많이 소요된다.

- = The minute works required in the completion of every project are **similarly time-consuming**, just like other main tasks.
- 과거분사구 required ~ project는 works를 꾸며준다.

어휘 time-consuming 형 시간이 많이 소요되는 minute 형 사소한, 미세한

고난도
04 **Compelling** are characters (in a vivid novel), // but the film versions are often more well-identified, / on account of human reliance on visual memory.

SC¹ V¹ S¹ S² V² M² SC² M²

(생생한 소설 속) 등장 인물들은 강렬하다 // 하지만 영화 버전이 종종 더 잘 식별된다 / 시각적 기억력에 대한 인간의 의존성 때문에
→ 생생한 소설 속 등장 인물들은 강렬하지만, 시각적 기억력에 대한 인간의 의존성 때문에 영화 버전이 종종 더 잘 식별된다.

● = Characters in a vivid novel are **compelling**, but the film versions are often more well-identified, on account of human reliance on visual memory.

어휘 vivid 형 생생한 on account of ~ 때문에 reliance 명 의존성, 신뢰

05 The power (of nuclear fission) makes the natural destruction, / *despite how fascinating its ability (to generate energy) is*, / **more severe**.

S: The power (of nuclear fission) / V: makes / O: the natural destruction / M: despite how fascinating its ability (to generate energy) is / OC: more severe

(핵분열의) 힘은 자연 파괴를 만든다 / (에너지를 생성하는) 그것의 능력이 얼마나 훌륭한지에도 불구하고 / 더 심하게
→ 에너지를 생성하는 핵분열의 능력이 얼마나 훌륭한지에도 불구하고, 그것의 힘은 자연 파괴를 더 심하게 만든다.

● = The power of nuclear fission makes the natural destruction **more severe**, *despite how fascinating its ability to generate energy is.*
● how ~ is는 전치사 despite의 목적어 역할을 하는 명사절이다.
● to부정사구 to generate energy는 ability를 꾸며주는 형용사적 용법으로 쓰였다.

어휘 nuclear fission 명 핵분열 destruction 명 파괴 fascinating 형 훌륭한, 멋진 generate 동 생성하다

06 Primates' innate intelligence and problem-solving abilities are, / *according to the research*, / **higher than those of other mammals**.

S: Primates' innate intelligence and problem-solving abilities / V: are / M: according to the research / SC: higher than those of other mammals

영장류들의 선천적인 지능과 문제 해결 능력은 / 연구에 따르면 / 다른 포유류들의 그것들보다 더 높다
→ 연구에 따르면, 영장류들의 선천적인 지능과 문제 해결 능력은 다른 포유류들의 그것들보다 더 높다.

● = Primates' innate intelligence and problem-solving abilities are **higher than those of other mammals**, *according to the research.*
● innate intelligence and problem-solving abilities 대신 대명사 those가 쓰였다.

어휘 innate 형 선천적인, 타고난 mammal 명 포유류

07 The size (of prey species' herds) makes group members, / *through a strategy (called the "dilution effect,")* / **avoid an incoming attack**.

S: The size (of prey species' herds) / V: makes / O: group members / M: through a strategy (called the "dilution effect,") / OC: avoid an incoming attack

(먹이 종의 무리의) 크기는 집단 구성원들을 만든다 / ("희석 효과"라고 불리는) 전략을 통해 / 들어오는 공격을 피하도록
→ "희석 효과"라고 불리는 전략을 통해, 먹이 종의 무리의 크기는 집단 구성원들을 들어오는 공격을 피하도록 만든다.

● = The size of prey species' herds makes group members **avoid an incoming attack**, *through a strategy called the "dilution effect."*
● 과거분사구 called the "dilution effect"는 strategy를 꾸며준다.

어휘 herd 명 무리, 떼 strategy 명 전략 incoming 형 들어오는

고난도
08 Language lessons [that emphasize speaking out loud] are, / *for auditory learners*, / **a welcome recess from pen-and-paper learning**.

S: Language lessons [that emphasize speaking out loud] / V: are / M: for auditory learners / SC: a welcome recess from pen-and-paper learning

[큰 소리로 말하는 것을 강조하는] 언어 수업은 ~이다 / 청각형 학습자들에게 / 펜과 종이 학습으로부터의 반가운 휴식
→ 청각형 학습자들에게, 큰 소리로 말하는 것을 강조하는 언어 수업은 펜과 종이 학습으로부터의 반가운 휴식이다.

● = Language lessons that emphasize speaking out loud are **a welcome recess from pen-and-paper learning** *for auditory learners.*
● that ~ loud는 lessons를 꾸며주는 주격 관계대명사절이다.

Chapter Test

본책 p.48

01 Countless species are **in trouble** / due to deforestation and pollution (in water sources).

S: Countless species / V: are / SC: in trouble / M: due to deforestation and pollution (in water sources)

수많은 종이 위험에 처해 있다 / 삼림 벌채와 (수원의) 오염 때문에 → 삼림 벌채와 수원의 오염 때문에 수많은 종이 위험에 처해 있다.

어휘 deforestation 명 삼림 벌채 water source 명 수원

02 **Shocked**(SC) was(V) the traveler [whose bag (containing a considerable amount of cash) was stolen](S).

[(상당한 양의 현금을 담은) 가방이 도난된] 그 여행객은 충격받았다.

- = The traveler whose bag containing a considerable amount of cash was stolen was **shocked**.
- whose ~ stolen은 traveler를 꾸며주는 소유격 관계대명사절이다.
- 현재분사구 containing ~ cash는 bag을 꾸며준다.

어휘 considerable ⑱ 상당한

03 The shortage (of computer chips) (occurring as a result of the limited supply (of materials))(S) keeps(V) / the prices (of computer parts)(O) **high**(OC) / worldwide(M).

((소재의) 제한된 공급의 결과로서 발생하는) (컴퓨터 칩의) 부족함은 둔다 / (컴퓨터 부품의) 가격을 높은 상태로 / 전 세계적으로

→ 소재의 제한된 공급의 결과로서 발생하는 컴퓨터 칩의 부족함은 전 세계적으로 컴퓨터 부품의 가격을 높은 상태로 둔다.

- 현재분사구 occurring ~ materials는 shortage를 꾸며준다.

04 The general(S) ordered(V) / his soldiers(O) **to march through the totally isolated wildness**(OC) / as a part of their routine survival training(M).

장군은 명령했다 / 그의 병사들이 완전히 고립된 황야를 가로질러 행진하라고 / 그들의 관례적인 생존 훈련의 일부로서

→ 장군은 그들의 관례적인 생존 훈련의 일부로서 그의 병사들이 완전히 고립된 황야를 가로질러 행진하라고 명령했다.

어휘 general ⑲ 장군, 대장

05 Some animals (like cows)(S) become(V) **restless**(SC) / when they(S′) see(V′) / storm clouds(O′) **rolling over the horizon**(OC′)(M).

(소와 같은) 몇몇 동물들은 안절부절못하게 된다 / 그들이 볼 때 / 폭풍 구름이 수평선 위로 굽이치고 있는 것을

→ 소와 같은 몇몇 동물들은 그들이 폭풍 구름이 수평선 위로 굽이치고 있는 것을 볼 때 안절부절못하게 된다.

어휘 restless ⑱ 안절부절못하는, 불안한 horizon ⑲ 수평선

06 The dreams [that people experience](S) are(V), / *despite their evoking strong emotions*(M), / **a phenomenon (disconnected from conscious thought)**(SC).

[사람들이 경험하는] 꿈은 / 그것들이 강한 감정을 불러일으키는 것에도 불구하고 / (의식적인 생각과 단절된) 현상이다

→ 그것들이 강한 감정을 불러일으키는 것에도 불구하고, 사람들이 경험하는 꿈은 의식적인 생각과 단절된 현상이다.

- = The dreams that people experience are **a phenomenon disconnected from conscious thought**, *despite their evoking strong emotions.*
- that people experience는 dreams를 꾸며주는 목적격 관계대명사절이다.
- 동명사구 evoking strong emotions의 의미상 주어로 their가 쓰였다.
- 과거분사구 disconnected ~ thought는 phenomenon을 꾸며준다.

어휘 evoke ⑧ 불러일으키다, 이끌어내다 phenomenon ⑲ 현상 conscious ⑱ 의식적인, 의식이 있는

07 The heat (in Death Valley)(S^1) has been(V^1) already(M^1) **record-setting**(SC^1), // but climatologists(S^2) warn(V^2) / us(O^2) **to beware of its further increment**(OC^2).

(데스 밸리의) 더위는 이미 기록적이다 // 그러나 기후학자들은 경고한다 / 우리가 그것의 그 이상의 증가를 조심하도록

→ 데스 밸리의 더위는 이미 기록적이나, 기후학자들은 우리가 그것의 그 이상의 증가를 조심하도록 경고한다.

어휘 climatologist ⑲ 기후학자 beware of ~을 조심하다, 주의하다 increment ⑲ 증가

08 Thanks to rapid advancements (in both engineering and manufacturing), / robotics is now helping / disabled individuals **move even more nimbly.**

(공학과 제조업 둘 다의) 급속한 발전 덕분에 / 로봇 공학은 이제 돕고 있다 / 장애를 가진 개인들이 훨씬 더 민첩하게 움직이는 것을

→ 공학과 제조업 둘 다의 급속한 발전 덕분에, 로봇 공학은 이제 장애를 가진 개인들이 훨씬 더 민첩하게 움직이는 것을 돕고 있다.

어휘 robotics 명 로봇 공학 nimbly 부 민첩하게

고난도

09 The greatest question (facing physicists) is / **whether the theory of relativity and quantum mechanics can be reconciled with one another.**

(물리학자들을 직면하는) 가장 큰 문제는 ~이다 / 상대성 이론과 양자 역학이 서로 조화될 수 있는지

→ 물리학자들을 직면하는 가장 큰 문제는 상대성 이론과 양자 역학이 서로 조화될 수 있는지이다.

현재분사구 facing physicists는 question을 꾸며준다.

어휘 physicist 명 물리학자 theory of relativity 명 상대성 이론 reconcile 동 조화시키다, 화합하다

고난도

10 Our ability (to cultivate stem cells and combine them with synthetic materials) lets / organs **be created in labs** / rather than transplanted from donors.

(줄기세포를 배양하고 그것들을 합성 물질과 결합하는) 우리의 능력은 허락한다 / 장기들이 실험실에서 만들어지도록 / 기증자로부터 이식되는 것보다는

→ 줄기세포를 배양하고 그것들을 합성 물질과 결합하는 우리의 능력은 장기들이 기증자로부터 이식되는 것보다는 실험실에서 만들어지도록 허락한다.

to부정사구 to cultivate ~ materials는 ability를 꾸며주는 형용사적 용법으로 쓰였다.

어휘 cultivate 동 배양하다, 재배하다 synthetic 형 합성한, 인조의 transplant 동 이식하다 donor 명 기증자, 기부자

CHAPTER 04 헷갈리는 문장 성분

UNIT 21 주격 보어와 수식어 구분해서 해석하기

본책 p.50

01 The computers / are **for everybody's use**, // so please handle them gently. <모의>

그 컴퓨터들은 / 모두의 사용을 위한 것입니다 // 그러므로 그것들을 조심스럽게 다뤄주세요

→ 그 컴퓨터들은 모두의 사용을 위한 것이므로, 그것들을 조심스럽게 다뤄주세요.

02 Whales swim **in groups** for survival, // and people call the group "a pod."

고래들은 생존을 위해 무리로 수영한다 // 그리고 사람들은 그 무리를 "작은 떼"라고 부른다

→ 고래들은 생존을 위해 무리로 수영하고, 사람들은 그 무리를 "작은 떼"라고 부른다.

어휘 pod 명 (고래 등의) 작은 떼

03 This documentary / is **about countries** [that are richly endowed with a particular resource (like oil)].

이 다큐멘터리는 / [(석유와 같은) 특정 자원이 풍부하게 부여된] 나라들에 관한 것이다

● that ~ oil은 countries를 꾸며주는 주격 관계대명사절이다.

어휘 richly 부 풍부하게

04 The insects (attracted by the aroma) flew **into the flower** / to feed on pollen. <수능응용>

(향기에 의해 이끌린) 벌레들은 그 꽃 안으로 날아갔다 / 꽃가루를 먹기 위해 → 향기에 의해 이끌린 벌레들은 꽃가루를 먹기 위해 그 꽃 안으로 날아갔다.

● 과거분사구 attracted ~ aroma는 insects를 꾸며준다.

● to부정사구 to feed on pollen은 목적을 나타내는 부사적 용법으로 쓰였다.

어휘 pollen 명 꽃가루

05 The main goal (of the Peace Corps) / is **to promote** friendly relations (between America and other countries).

(평화 봉사단의) 주요 목표는 / (미국과 다른 나라들 사이의) 우호적인 관계를 촉진하는 것이다

어휘 promote 동 촉진하다

06 Companies work / **to attract** as many customers as possible / with a number of strategies.

회사들은 일한다 / 가능한 한 많은 고객을 끌어들이기 위해 / 많은 전략을 가지고 → 회사들은 가능한 한 많은 고객을 끌어들이기 위해 많은 전략을 가지고 일한다.

● to부정사구 to attract ~ possible은 목적을 나타내는 부사적 용법으로 쓰였다.

어휘 strategy 명 전략

07 A medical researcher's job / is **to study** health-related issues and medical procedures.

S = SC, V

의학 연구원의 일은 / 건강 관련 문제들과 의료 절차들을 연구하는 것이다

어휘 procedure 명 절차

08 Throughout history, / a lot of artists have created / **to glorify** the gods [they believe in].

M, S, V, M

역사를 통틀어 / 많은 예술가가 창작활동을 했다 / [그들이 믿는] 신을 찬양하기 위해

→ 역사를 통틀어, 많은 예술가가 그들이 믿는 신을 찬양하기 위해 창작활동을 했다.

✪ to부정사구 to glorify ~ in은 목적을 나타내는 부사적 용법으로 쓰였다.

✪ gods와 they 사이에는 목적격 관계대명사가 생략되어 있다.

어휘 create 동 창작활동을 하다 glorify 동 찬양하다

고난도

09 Politically, / the difference (between the Roman Empire and the Roman Republic) / is **that the latter had democratic features**.

M, S = SC, V, S′, V′, O′

정치적으로 / (로마 제국과 로마 공화국 사이의) 차이점은 / 후자가 민주적인 특징들을 가지고 있었다는 것이다

어휘 empire 명 제국 republic 명 공화국 latter 명 후자

고난도

10 Neil Armstrong and Buzz Aldrin's mission succeeded / **when they landed on the Moon's surface in July of 1969**.

S, V, M, S′, V′, M′, M′

닐 암스트롱과 버즈 올드린의 임무는 성공했다 / 그들이 1969년 7월에 달의 표면에 착륙했을 때

→ 닐 암스트롱과 버즈 올드린의 임무는 그들이 1969년 7월에 달의 표면에 착륙했을 때 성공했다.

어휘 surface 명 표면

UNIT 22 주격 보어와 목적어 구분해서 해석하기

본책 p.51

01 Every achievement [one person makes] / is **a breakthrough** (for all). <수능>

S = SC, V

[한 사람이 만드는] 모든 성취는 / (모두를 위한) 발전이다

✪ achievement와 one 사이에는 목적격 관계대명사가 생략되어 있다.

어휘 breakthrough 명 발전, 돌파구

02 The company had **a breakthrough** / with a super-accurate thermometer (created in its labs). <모의>

S ≠ O, V, M

그 회사는 돌파구를 찾았다 / (그것의 연구실에서 만들어진) 아주 정밀한 온도계로

→ 그 회사는 그것의 연구실에서 만들어진 아주 정밀한 온도계로 돌파구를 찾았다.

✪ 과거분사구 created ~ labs는 thermometer를 꾸며준다.

어휘 accurate 형 정밀한, 정확한

03 A vital factor (in maintaining a healthy weight) / is **eating** a balanced diet.

S = SC, V

(건강한 체중을 유지하는 데) 필수적인 요소는 / 균형 잡힌 식사를 하는 것이다

어휘 vital 형 필수적인, 중요한

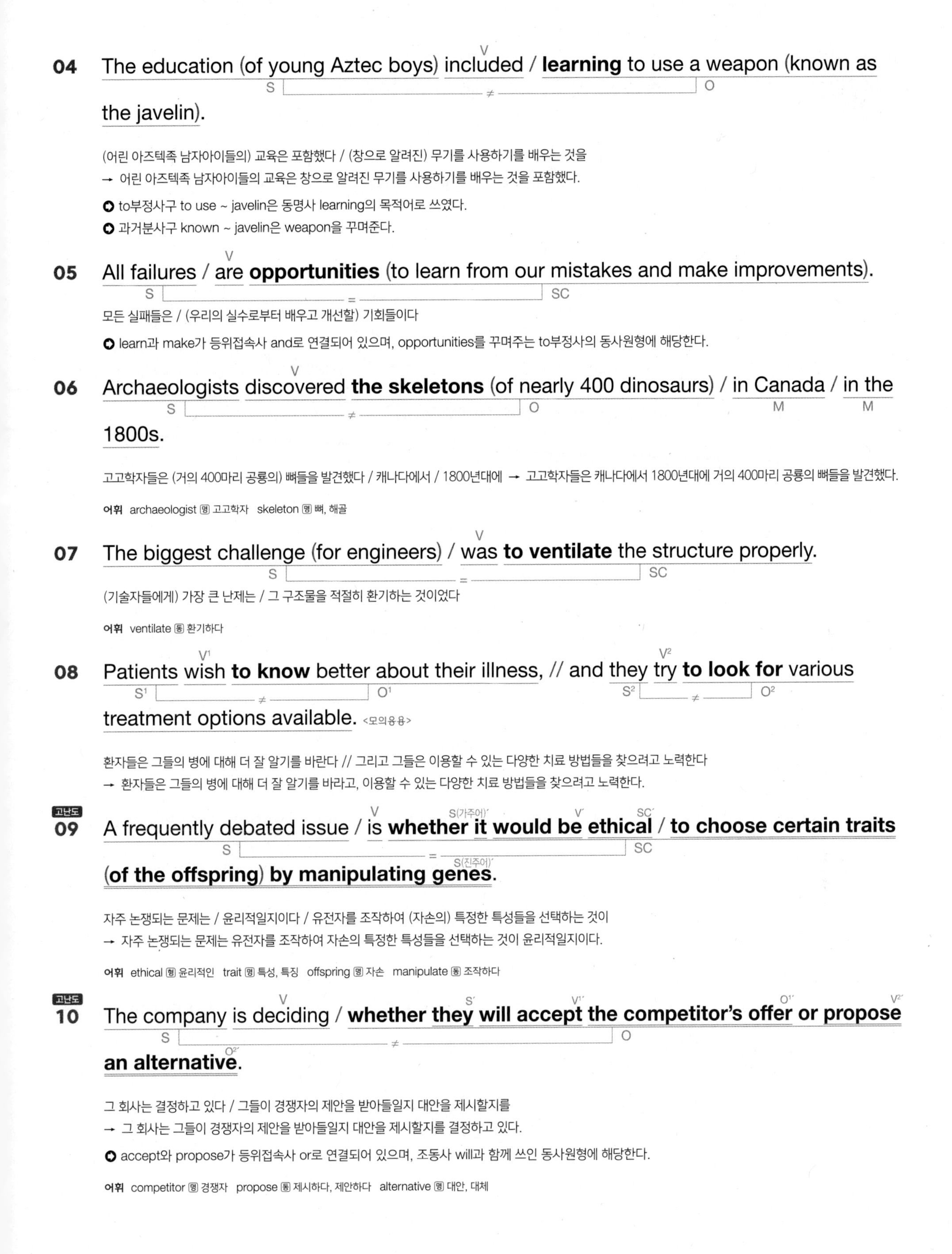

04 The education (of young Aztec boys) included / **learning** to use a weapon (known as the javelin).

(어린 아즈텍족 남자아이들의) 교육은 포함했다 / (창으로 알려진) 무기를 사용하기를 배우는 것을
→ 어린 아즈텍족 남자아이들의 교육은 창으로 알려진 무기를 사용하기를 배우는 것을 포함했다.

- to부정사구 to use ~ javelin은 동명사 learning의 목적어로 쓰였다.
- 과거분사구 known ~ javelin은 weapon을 꾸며준다.

05 All failures / are **opportunities** (to learn from our mistakes and make improvements).

모든 실패들은 / (우리의 실수로부터 배우고 개선할) 기회들이다

- learn과 make가 등위접속사 and로 연결되어 있으며, opportunities를 꾸며주는 to부정사의 동사원형에 해당한다.

06 Archaeologists discovered **the skeletons** (of nearly 400 dinosaurs) / in Canada / in the 1800s.

고고학자들은 (거의 400마리 공룡의) 뼈들을 발견했다 / 캐나다에서 / 1800년대에 → 고고학자들은 캐나다에서 1800년대에 거의 400마리 공룡의 뼈들을 발견했다.

어휘 archaeologist 명 고고학자 skeleton 명 뼈, 해골

07 The biggest challenge (for engineers) / was **to ventilate** the structure properly.

(기술자들에게) 가장 큰 난제는 / 그 구조물을 적절히 환기하는 것이었다

어휘 ventilate 동 환기하다

08 Patients wish **to know** better about their illness, // and they try **to look for** various treatment options available. <모의응용>

환자들은 그들의 병에 대해 더 잘 알기를 바란다 // 그리고 그들은 이용할 수 있는 다양한 치료 방법들을 찾으려고 노력한다
→ 환자들은 그들의 병에 대해 더 잘 알기를 바라고, 이용할 수 있는 다양한 치료 방법들을 찾으려고 노력한다.

고난도
09 A frequently debated issue / is **whether it would be ethical / to choose certain traits (of the offspring) by manipulating genes.**

자주 논쟁되는 문제는 / 윤리적일지이다 / 유전자를 조작하여 (자손의) 특정한 특성들을 선택하는 것이
→ 자주 논쟁되는 문제는 유전자를 조작하여 자손의 특정한 특성들을 선택하는 것이 윤리적일지이다.

어휘 ethical 형 윤리적인 trait 명 특성, 특징 offspring 명 자손 manipulate 동 조작하다

고난도
10 The company is deciding / **whether they will accept the competitor's offer or propose an alternative.**

그 회사는 결정하고 있다 / 그들이 경쟁자의 제안을 받아들일지 대안을 제시할지를
→ 그 회사는 그들이 경쟁자의 제안을 받아들일지 대안을 제시할지를 결정하고 있다.

- accept와 propose가 등위접속사 or로 연결되어 있으며, 조동사 will과 함께 쓰인 동사원형에 해당한다.

어휘 competitor 명 경쟁자 propose 동 제시하다, 제안하다 alternative 명 대안, 대체

UNIT 23 목적어와 목적격 보어 구분해서 해석하기

본책 p.52

01 John gave / Anna **an apologetic look**, // and she responded / with a friendly pat (on his shoulder). <수능>

John은 보냈다 / Anna에게 미안해하는 눈빛을 // 그리고 그녀는 응답했다 / (그의 어깨에) 다정한 토닥거림으로
→ John은 Anna에게 미안해하는 눈빛을 보냈고, 그녀는 그의 어깨에 다정한 토닥거림으로 응답했다.

어휘 apologetic 형 미안해하는, 사죄하는 respond 동 응답하다 pat 명 토닥거림, 가볍게 두드리기

02 One way (to get to know our neighbors) / is to invent a reason (to talk to them), // and I call / this method **the "cup-of-sugar" technique**. <수능응용>

(우리의 이웃들을 알게 되는) 한 가지 방법은 / (그들에게 말을 걸) 이유를 고안해내는 것이다 // 그리고 나는 부른다 / 이 방법을 "설탕 한 컵" 기법이라고
→ 우리의 이웃들을 알게 되는 한 가지 방법은 그들에게 말을 걸 이유를 고안해내는 것이고, 나는 이 방법을 "설탕 한 컵" 기법이라고 부른다.

- to부정사구 to get ~ neighbors는 way를 꾸며주는 형용사적 용법으로 쓰였다.
- to부정사구 to talk to them은 reason을 꾸며주는 형용사적 용법으로 쓰였다.

어휘 invent 동 고안하다, 발명하다

03 What you do in the 15 minutes after your meal sends / your metabolism **a powerful signal**. <수능응용>

네가 너의 식사 이후 15분 안에 하는 것은 보낸다 / 너의 신진대사에 강력한 신호를
→ 네가 너의 식사 이후 15분 안에 하는 것은 너의 신진대사에 강력한 신호를 보낸다.

어휘 metabolism 명 신진대사

04 Her never-failing kindness and sense of justice made / her **a leader** (in every social group). <수능>

그녀의 변하지 않는 다정함과 정의감이 만들었다 / 그녀를 (모든 사회 집단의) 지도자로
→ 그녀의 변하지 않는 다정함과 정의감이 그녀를 모든 사회 집단의 지도자로 만들었다.

어휘 never-failing 형 변하지 않는

05 The native Jamaicans provided / the navigator and his crew **food and other supplies** / while they were stranded there.

자메이카 원주민들은 제공했다 / 항해사와 그의 선원들에게 음식과 다른 물품들을 / 그들이 그곳에 발이 묶인 동안
→ 자메이카 원주민들은 항해사와 그의 선원들에게 그들이 그곳에 발이 묶인 동안 음식과 다른 물품들을 제공했다.

- the navigator and his crew 대신 대명사 they가 쓰였다.

어휘 navigator 명 항해사 strand 동 발을 묶다

06 People believed / Mozart **a prodigy** / because he completed ten symphonies / by the time he was 12.

사람들은 생각했다 / 모차르트가 영재라고 / 그가 열 개의 교향곡들을 완성했기 때문에 / 그가 12살이었을 무렵에
→ 모차르트가 12살이었을 무렵에 열 개의 교향곡들을 완성했기 때문에 사람들은 모차르트가 영재라고 생각했다.

어휘 prodigy 명 영재 symphony 명 교향곡

07 When Queen Maria II (of Portugal) died in 1853, / she left / her eldest son **the throne**.

S′ V′ M′ / M / S V IO ≠ DO

(포르투갈의) 여왕 마리아 2세가 1853년에 사망했을 때 / 그녀는 남겼다 / 그녀의 맏아들에게 왕위를
→ 포르투갈의 여왕 마리아 2세가 1853년에 사망했을 때, 그녀는 그녀의 맏아들에게 왕위를 남겼다.

어휘 throne 명 왕위, 왕좌

08 Social psychologists call / self-interested interactions **expressions of "exchange theory,"** / while philosophers call them **"utilitarianism."** <모의응용>

S V O = OC / S′ V′ O′ = OC′

사회 심리학자들은 부른다 / 이기적인 상호 작용을 "교환 이론"의 표출이라고 / 철학자들이 그것들을 "공리주의"라고 부르는 반면에
→ 철학자들이 이기적인 상호 작용을 "공리주의"라고 부르는 반면에, 사회 심리학자들은 그것들을 "교환 이론"의 표출이라고 부른다.

어휘 self-interested 형 이기적인 interaction 명 상호 작용

09 American inventor and marketer Ron Popeil sold / customers **over seven million units of a BBQ oven** / through his infomercials.

S V IO ≠ DO / M

미국의 발명가이자 마케터인 Ron Popeil은 팔았다 / 고객들에게 700만 개가 넘는 바비큐 오븐을 / 그의 정보 광고를 통해
→ 미국의 발명가이자 마케터인 Ron Popeil은 그의 정보 광고를 통해 고객들에게 700만 개가 넘는 바비큐 오븐을 팔았다.

어휘 unit 명 한 개, 구성 단위

10 In a commercial society, / people may consider / things [that can be brought by wealth] **status symbols**. <수능응용>

M S V O = OC

상업 사회에서 / 사람들은 생각할 수도 있다 / [부에 의해 얻어질 수 있는] 것들을 지위의 상징이라고
→ 상업 사회에서, 사람들은 부에 의해 얻어질 수 있는 것들을 지위의 상징이라고 생각할 수도 있다.

● that ~ wealth는 things를 꾸며주는 주격 관계대명사절이다.

어휘 status symbol 명 지위의 상징

11 All the hardships [that the businessman went through] eventually taught / him **priceless lessons**.

S M V IO ≠ DO

[그 사업가가 겪은] 모든 고난은 결국 가르쳐줬다 / 그에게 값을 매길 수 없는 교훈을
→ 그 사업가가 겪은 모든 고난은 결국 그에게 값을 매길 수 없는 교훈을 가르쳐줬다.

● that ~ through는 hardships를 꾸며주는 목적격 관계대명사절이다.

어휘 go through 겪다, 거치다 priceless 형 값을 매길 수 없는

12 UNESCO designated / the Changdeokgung Palace Complex (in Seoul) **a World Heritage Site** / in 1997, // and in Korea, / it was the fourth site [which received that honor].

S^1 V^1 O^1 = OC^1 / M^1 / M^2 S^2 V^2 SC^2

유네스코는 지정했다 / (서울에 있는) 창덕궁을 세계 문화유산으로 / 1997년에 // 그리고 한국에서 / 그것은 [그 영광을 얻은] 네 번째 장소였다
→ 유네스코는 1997년에 서울에 있는 창덕궁을 세계 문화유산으로 지정했고, 한국에서 그것은 그 영광을 얻은 네 번째 장소였다.

● which ~ honor는 site를 꾸며주는 주격 관계대명사절이다.

어휘 designate 동 지정하다 World Heritage Site 명 세계 문화유산

13 With the Homestead Act of 1862, / the government promised / families **land** / in exchange for settling in the Western United States.

M / S / V / IO ≠ DO / M

1862년의 자영 농지법과 함께 / 정부는 약속했다 / 가족들에게 땅을 / 미국 서부에 정착하는 대가로
→ 1862년의 자영 농지법과 함께, 정부는 미국 서부에 정착하는 대가로 가족들에게 땅을 약속했다.

어휘 in exchange for ~의 대가로, 교환으로 settle 통 정착하다

14 A lot of large corporations appointed / environmental experts **vice presidents** / for sustainability, / since they wanted to make the companies more efficient / by reducing waste. <모의응용>

S / V / O = OC / M / S′ V′ O′ / M

많은 대기업들이 임명했다 / 환경 전문가들을 부회장으로 / 지속 가능성을 위해 / 그들이 회사를 더 효율적으로 만들고 싶었기 때문에 / 쓰레기를 줄임으로써
→ 많은 대기업들이 쓰레기를 줄임으로써 회사를 더 효율적으로 만들고 싶었기 때문에, 그들은 지속 가능성을 위해 환경 전문가들을 부회장으로 임명했다.

❍ 「make+목적어(the companies)+목적격 보어(more efficient)」의 구조이다.

어휘 vice president 명 부회장 sustainability 명 지속 가능성

고난도
15 Guy Mayraz, a behavioral economist, asked / people to predict where the wheat price would move next, / and offered them **a reward** / if their forecasts became true. <모의응용>

S / V¹ / O¹ / OC¹ / V² / IO² ≠ DO² / S′ V′ SC′ / M²

행동 경제학자인 Guy Mayraz는 요청했다 / 사람들이 밀 가격이 다음에 어디로 움직일지를 예측하기를 / 그리고 그들에게 보상을 제공했다 / 만약 그들의 예측이 진짜가 되면 → 행동 경제학자인 Guy Mayraz는 사람들이 밀 가격이 다음에 어디로 움직일지를 예측하기를 요청했고, 만약 그들의 예측이 진짜가 되면 그들에게 보상을 제공했다.

❍ where ~ next는 to부정사 to predict의 목적어 역할을 하는 명사절이다.

어휘 behavioral economist 명 행동 경제학자 forecast 명 예측

고난도
16 When a new political party took power in India, / it renamed / Bombay **Mumbai** / to rid the city of the legacy (of British colonialism).

S′ V′ O′ M′ / M / S / V / O = OC / M

새로운 정당이 인도에서 권력을 잡았을 때 / 그것은 다시 이름 지었다 / 봄베이를 뭄바이라고 / 그 도시에서 (영국 식민주의의) 흔적을 없애기 위해
→ 새로운 정당이 인도에서 권력을 잡았을 때, 그것은 그 도시에서 영국 식민주의의 흔적을 없애기 위해 봄베이를 뭄바이라고 다시 이름 지었다.

❍ a new political party 대신 대명사 it이 쓰였다.
❍ to부정사구 to rid ~ colonialism은 목적을 나타내는 부사적 용법으로 쓰였다.

어휘 legacy 명 흔적, 결과 colonialism 명 식민주의

UNIT 24 목적격 보어와 수식어 구분해서 해석하기

본책 p.54

01 People may perceive / objects **as a group** / when objects lie close together. <모의>

S / V / O = OC / S′ V′ M′ M′ / M

사람들은 인지할 수도 있다 / 물체들을 떼로 / 물체들이 서로 가까이 놓여있을 때 → 물체들이 서로 가까이 놓여있을 때 사람들은 물체들을 떼로 인지할 수도 있다.

02 The florist shop buys roses / **from a wholesaler** [who purchased them from a farmer]. <수능응용>

S / V / O / M

그 꽃집은 장미를 산다 / [농부로부터 그것들을 구매한] 도매상에게서 → 그 꽃집은 농부로부터 그것들을 구매한 도매상에게서 장미를 산다.

❍ who ~ farmer는 wholesaler를 꾸며주는 주격 관계대명사절이다.

어휘 wholesaler 명 도매상

03 Green appears often in nature, // so we associate / the color **with feelings** (of tranquility and purity).

S1 V1 M1 M1 S2 V2 O2 = OC2

초록색은 자연에서 자주 나타난다 // 그래서 우리는 연관 짓는다 / 그 색을 (평안과 깨끗함의) 느낌과
→ 초록색은 자연에서 자주 나타나서, 우리는 그 색을 평안과 깨끗함의 느낌과 연관 짓는다.

어휘 associate 통 연관 짓다 tranquility 명 평안

04 Many species (of butterflies) face threats (**from human activities**), // and one day, / these will lead to the species' extinction.

S1 V1 O1 M1 M2 S2 V2 O2

(나비의) 많은 종들은 (인간 활동으로부터의) 위협들에 직면한다 // 그리고 언젠가 / 이것들은 그 종들의 멸종으로 이어질 것이다
→ 나비의 많은 종들은 인간 활동으로부터의 위협들에 직면하고, 언젠가 이것들은 그 종들의 멸종으로 이어질 것이다.

- threats ~ activities 대신 대명사 these가 쓰였다.

어휘 extinction 명 멸종

05 Centuries ago, / philosophers regarded / memory **as a soft wax tablet** [that would preserve anything (imprinted on it)]. <모의>

M S V O = OC

수세기 전 / 철학자들은 여겼다 / 기억을 [(그것에 각인된) 어떤 것이든 보존할] 부드러운 밀랍판으로
→ 수세기 전, 철학자들은 기억을 그것에 각인된 어떤 것이든 보존할 부드러운 밀랍판으로 여겼다.

- that ~ it은 tablet을 꾸며주는 주격 관계대명사절이다.
- 과거분사구 imprinted on it은 anything을 꾸며준다.
- a soft wax tablet 대신 대명사 it이 쓰였다.

어휘 tablet 명 판, 서판 preserve 통 보존하다 imprint 통 각인하다

06 The contemporaries (of American poet Marianne Moore) admired her / **for her discipline** [that even followed a syllabic count strictly].

S V O M

(미국의 시인인 매리앤 무어의) 동시대인들은 그녀를 존경했다 / [음절 수까지도 엄격히 따르는] 그녀의 규율 때문에
→ 미국의 시인인 매리앤 무어의 동시대인들은 음절 수까지도 엄격히 따르는 그녀의 규율 때문에 그녀를 존경했다.

- that ~ strictly는 discipline을 꾸며주는 주격 관계대명사절이다.

어휘 contemporary 명 동시대인 형 동시대의 discipline 명 규율 syllabic 형 음절의

07 Praise may encourage / children **to do** an activity / only while an adult is watching. <수능응용>

S V O OC M (S' V')

칭찬은 장려할 수도 있다 / 아이들이 활동을 하도록 / 어른이 보고 있는 동안에만 → 칭찬은 아이들이 어른이 보고 있는 동안에만 활동을 하도록 장려할 수도 있다.

08 Patience means / the ability (**to continue** doing something even if you do not see any results immediately). <모의응용>

S V O M

인내는 의미한다 / (비록 당신이 즉각적으로 어느 결과를 보지 못할지라도 무언가를 하는 것을 계속할) 능력을
→ 인내는 비록 당신이 즉각적으로 어느 결과를 보지 못할지라도 무언가를 하는 것을 계속할 능력을 의미한다.

어휘 patience 명 인내

09 The bright colors (of male birds) allow / them **to compete with** other males / during mating season.

S / V / O / OC / M

(수컷 새들의) 밝은 색깔들은 허락한다 / 그들이 다른 수컷들과 경쟁하도록 / 짝짓기 철 동안
→ 수컷 새들의 밝은 색깔들은 짝짓기 철 동안 그들이 다른 수컷들과 경쟁하도록 허락한다.

어휘 mating season 명 짝짓기 철

10 Executives (from both companies) discussed various issues / **to merge** the companies, / hoping to widen their territory in the market.

S / V / O / M / M

(양측 회사의) 이사들은 여러 가지 문제들을 논의했다 / 회사들을 합병하기 위해 / 시장 안에서 그들의 영역을 확장하기를 희망하면서
→ 시장 안에서 그들의 영역을 확장하기를 희망하면서, 양측 회사의 이사들은 회사들을 합병하기 위해 여러 가지 문제들을 논의했다.

- to부정사구 to widen ~ market은 현재분사 hoping의 목적어로 쓰였다.

어휘 executive 명 이사, 임원

11 Studying the brightest star (called Sirius) enabled / ancient Egyptian priests **to predict** the annual flooding (of the Nile River).

S / V / O / OC

(시리우스라고 불리는) 가장 밝은 별을 공부하는 것은 가능하게 했다 / 고대 이집트 사제들이 (나일 강의) 해마다의 홍수를 예측하기를
→ 시리우스라고 불리는 가장 밝은 별을 공부하는 것은 고대 이집트 사제들이 나일 강의 해마다의 홍수를 예측하기를 가능하게 했다.

- 과거분사구 called Sirius는 star를 꾸며준다.

어휘 ancient 형 고대의 priest 명 사제, 성직자

고난도

12 Whether they want to stop an unwanted behavior or simply manage their mental health, / people [who attend therapy] / have a desire (**to change** in some way).

S′ / V′ / O1′ / O2′ / M / S / V / O / M

그들이 원치 않는 행동을 멈추고 싶든 단순히 그들의 정신 건강을 관리하고 싶든 / [상담을 다니는] 사람들은 / (어떤 면에서 바뀔) 열망을 가지고 있다

- stop과 manage가 등위접속사 or로 연결되어 있으며, want의 목적어 역할을 하는 to부정사의 동사원형에 해당한다.
- who attend therapy는 people을 꾸며주는 주격 관계대명사절이다.

어휘 therapy 명 상담, 치료

13 One good break can keep / the workers **dedicating** themselves to their job.

S / V / O / OC

한 번의 좋은 휴식은 계속하게 할 수 있다 / 직원들이 그들의 일에 전념하는 것을 → 한 번의 좋은 휴식은 직원들이 그들의 일에 전념하는 것을 계속하게 할 수 있다.

어휘 dedicate oneself to ~에 전념하다

14 The first settlers were either soldiers or aristocrats (**looking** for adventure or wealth). <모의>

S / V / O / M

첫 정착민들은 (모험이나 부를 찾는) 군인들이나 귀족들 둘 중 하나였다.

어휘 aristocrat 명 귀족

15 Neurons (in the brain) help / us to determine the source, / when we notice a sound **coming** from a certain location.

S / V / O / OC / S′ / V′ / O′ / OC′ / M

(뇌 속의) 신경 세포들은 돕는다 / 우리가 그 근원지를 밝히는 것을 / 우리가 소리가 특정 위치로부터 오는 것을 알아차릴 때
→ 우리가 소리가 특정 위치로부터 오는 것을 알아차릴 때, 뇌 속의 신경 세포들은 우리가 그 근원지를 밝히는 것을 돕는다.

어휘 neuron 명 신경 세포

16 In the financial industry, / we can meet / many interns or potential employees (**majoring** in economics).

금융 업계에서 / 우리는 만날 수 있다 / (경제학을 전공하는) 많은 인턴들이나 잠재적 직원들을
→ 금융 업계에서, 우리는 경제학을 전공하는 많은 인턴들이나 잠재적 직원들을 만날 수 있다.

17 Flying into the spider web left / the birds' feathers **covered** with sticky threads. <모의>

거미줄로 날아가는 것은 뒀다 / 새들의 깃털을 끈적한 실로 덮인 채로 → 거미줄로 날아가는 것은 새들의 깃털을 끈적한 실로 덮인 채로 뒀다.

어휘 thread 명 실 통 꿰다

고난도
18 Repeatedly recounting shared incidents / strengthens the cohesion (**based** on key group values (held by the members)). <수능응용>

공유된 사건들을 반복적으로 이야기하는 것은 / ((구성원들에 의해 보유된) 핵심 집단 가치를 기반으로 한) 화합을 강화한다

● 과거분사구 held ~ members는 values를 꾸며준다.

어휘 recount 통 이야기하다 strengthen 통 강화하다 cohesion 명 화합 value 명 가치

Chapter Test

본책 p.56

01 The future (of the Amazon rainforest) is **in doubt** / due to deforestation, drought, fires, and climate change.

(아마존 열대 우림의) 미래는 불확실하다 / 삼림 벌채, 가뭄, 화재, 그리고 기후 변화 때문에
→ 삼림 벌채, 가뭄, 화재, 그리고 기후 변화 때문에 아마존 열대 우림의 미래는 불확실하다.

어휘 rainforest 명 열대 우림 deforestation 명 삼림 벌채 drought 명 가뭄

02 The process (of aging) begins **in adolescence**, // yet most of us will not suffer / any significant cognitive loss / for decades. <모의응용>

(노화의) 과정은 청소년기에 시작된다 // 그렇지만 우리 대부분은 겪지 않을 것이다 / 어떠한 심각한 인지적 손실도 / 수십 년 동안
→ 노화의 과정은 청소년기에 시작되지만, 우리 대부분은 수십 년 동안 어떠한 심각한 인지적 손실도 겪지 않을 것이다.

어휘 adolescence 명 청소년기 cognitive 형 인지적인

03 In a play, / the climax / is **the moment** [at which all the preceding plot developments reach a peak].

연극에서 / 절정은 / [모든 앞선 줄거리 전개가 최고조에 달하는] 순간이다

● at ~ peak은 moment를 꾸며주는 목적격 관계대명사절이다.

어휘 preceding 형 이전의, 앞선 development 명 전개, 발달 peak 명 최고조, 절정

04 We have expanded **our range** (of vision) / through infrared technology / and now can interpret / information [that was previously inaccessible].

우리는 우리의 (시력의) 범위를 확장했다 / 적외선 기술을 통해 / 그리고 이제 이해할 수 있다 / [이전에는 접근하기 어려웠던] 정보를
→ 우리는 적외선 기술을 통해 우리의 시력의 범위를 확장했고 이제 이전에는 접근하기 어려웠던 정보를 이해할 수 있다.

that ~ inaccessible은 information을 꾸며주는 주격 관계대명사절이다.

어휘 infrared 형 적외선의 inaccessible 형 접근하기 어려운

05 Technological developments often force uncomfortable changes, // so some think of them **as a threat.** <모의응용>

기술의 발전들은 종종 불편한 변화들을 강요한다 // 그래서 몇몇 사람들은 그것들을 위협으로 인식한다
→ 기술의 발전들은 종종 불편한 변화들을 강요해서, 몇몇 사람들은 그것들을 위협으로 인식한다.

Technological developments 대신 대명사 them이 쓰였다.

어휘 threat 명 위협

06 We can renew our energy **by changing** the focus (of a task) / when we are completely out of energy. <모의응용>

우리는 (일에 대한) 초점을 바꿈으로써 우리의 힘을 회복할 수 있다 / 우리가 완전히 힘이 바닥났을 때
→ 우리가 완전히 힘이 바닥났을 때 우리는 일에 대한 초점을 바꿈으로써 우리의 힘을 회복할 수 있다.

어휘 renew 동 회복하다, 재개하다

07 Ray Tomlinson, / who was an American computer programmer, / sent himself **the world's first e-mail** / after implementing the first e-mail program.

Ray Tomlinson은 / 미국의 컴퓨터 프로그래머였는데 / 그 자신에게 세계 최초의 이메일 한 통을 보냈다 / 최초의 이메일 프로그램을 실행한 후에
→ Ray Tomlinson은 미국의 컴퓨터 프로그래머였는데, 최초의 이메일 프로그램을 실행한 후에 그 자신에게 세계 최초의 이메일 한 통을 보냈다.

관계대명사 which 앞에 콤마(,)가 쓰이면 콤마 앞의 선행사에 대한 부가적인 정보를 덧붙인다.

어휘 implement 동 실행하다, 이행하다

08 Colombians elected Alvaro Uribe **president** / in 2001 / as he promised to end the violence (of guerilla groups) and bring security back.

콜롬비아인들은 알바로 우리베를 대통령으로 뽑았다 / 2001년에 / 그가 (게릴라 단체의) 폭력을 끝내고 안보를 되찾겠다고 약속했기 때문에
→ 알바로 우리베가 게릴라 단체의 폭력을 끝내고 안보를 되찾겠다고 약속했기 때문에 콜롬비아인들은 2001년에 그를 대통령으로 뽑았다.

end와 bring이 등위접속사 and로 연결되어 있으며, promised의 목적어 역할을 하는 to부정사의 동사원형에 해당한다.

고난도
09 A great many of the chemicals [plants produce] can compel / other creatures **to leave** the plants: / deadly poisons, foul odors, and toxins. <모의>

[식물이 생산하는] 꽤 많은 화학 물질은 강제할 수 있다 / 다른 생물이 그 식물을 떠나도록 / 즉 치명적인 독물, 악취, 그리고 독소
→ 식물이 생산하는 꽤 많은 화학 물질, 즉 치명적인 독물, 악취, 그리고 독소는 다른 생물이 그 식물을 떠나도록 강제할 수 있다.

chemicals와 plants 사이에는 목적격 관계대명사가 생략되어 있다.

어휘 compel 동 강제하다 deadly 형 치명적인 foul 형 악취가 나는 odor 명 냄새 toxin 명 독소

고난도
10 Blogs give / the ability (**to express** readers' opinions), / which satisfies both the blogger and the reader. <모의>

블로그는 준다 / (독자들의 의견을 표현할 수 있는) 능력을 / 그리고 그것은 블로그 운영자와 독자 둘 다를 만족시킨다
→ 블로그는 독자들의 의견을 표현할 수 있는 능력을 주고, 그것은 블로그 운영자와 독자 둘 다를 만족시킨다.

관계대명사 which 앞에 콤마(,)가 쓰이면 콤마 앞의 선행사에 대한 부가적인 정보를 덧붙이며, 이 문장의 which는 앞에 나온 절을 선행사로 가졌다.

CHAPTER 05 시제와 조동사

UNIT 25 단순시제 해석하기

본책 p.58

01 Adventure-seeking tourists **walk** / across this narrow, swinging bridge. <모의응용>

모험을 추구하는 관광객들은 걷는다 / 이 좁고 흔들리는 다리를 건너서 → 모험을 추구하는 관광객들은 이 좁고 흔들리는 다리를 건너서 걷는다.

어휘 swing 동 흔들리다, 흔들다

02 The train (for London) **leaves** at 2 P.M., // and it **takes** almost three hours to get there. <수능응용>

(런던으로 가는) 열차는 오후 2시에 떠날 것이다 // 그리고 거기에 도착하는 데 거의 세 시간이 걸린다

→ 런던으로 가는 열차는 오후 2시에 떠날 것이고, 거기에 도착하는 데 거의 세 시간이 걸린다.

고난도

03 A nerve (called the chorda tympani) **runs** / through the middle ear to the brain, / where it **delivers** messages (about what the tongue just tasted). <모의>

(고삭 신경이라고 불리는) 신경은 이어진다 / 중이를 통해 뇌까지 / 그리고 그곳에서 그것은 (혀가 방금 맛본 것에 대한) 메시지를 전달한다

→ 고삭 신경이라고 불리는 신경은 중이를 통해 뇌까지 이어지고, 그곳에서 그것은 혀가 방금 맛본 것에 대한 메시지를 전달한다.

- 과거분사구 called ~ tympani는 nerve를 꾸며준다.
- A nerve 대신 대명사 it이 쓰였다.
- what ~ tasted는 전치사 about의 목적어 역할을 하는 명사절이다.

어휘 nerve 명 신경

04 Several years ago, / I **judged** people only by their appearance / and **missed** the chance (to make a good friend). <수능응용>

몇 년 전에 / 나는 사람들을 그들의 겉모습으로만 판단했다 / 그리고 (좋은 친구를 사귈) 기회를 놓쳤다

→ 몇 년 전에, 나는 사람들을 그들의 겉모습으로만 판단했고 좋은 친구를 사귈 기회를 놓쳤다.

- to부정사구 to make ~ friend는 chance를 꾸며주는 형용사적 용법으로 쓰였다.

05 In the late Joseon Dynasty, / people (making maps) **attempted** / to define the borders (of the country) precisely.

조선 시대 말에 / (지도를 만드는) 사람들은 시도했다 / (나라의) 국경선을 정확하게 정하는 것을

→ 조선 시대 말에, 지도를 만드는 사람들은 나라의 국경선을 정확하게 정하는 것을 시도했다.

- 현재분사구 making maps는 people을 꾸며준다.
- to부정사구 to define ~ precisely는 동사 attempted의 목적어로 쓰였다.

어휘 dynasty 명 시대, 왕조 border 명 국경선, 경계 precisely 부 정확하게, 신중하게

06 Building a meaningful and successful East-West relationship / **will be** possible / only with a proper understanding (of each other). <수능응용>

의미 있고 성공적인 동서양 관계를 구축하는 것은 / 가능할 것이다 / 오직 (서로에 대한) 올바른 이해가 있을 때

→ 의미 있고 성공적인 동서양 관계를 구축하는 것은 오직 서로에 대한 올바른 이해가 있을 때 가능할 것이다.

- 동명사구 Building ~ relationship은 문장에서 주어 역할을 하고 있다.

고난도
07 The tech company **will complete** the acquisition (of the small start-up) / when it **raises** enough capital / by selling large quantities of stock to investors.

그 기술 회사는 (그 작은 신생기업의) 인수를 완료할 것이다 / 그것이 충분한 자본을 모으면 / 투자자들에게 대량의 주식을 판매함으로써
→ 투자자들에게 대량의 주식을 판매함으로써 그 기술 회사가 충분한 자본을 모으면 그것은 그 작은 신생기업의 인수를 완료할 것이다.

● The tech company 대신 대명사 it이 쓰였다.

UNIT 26 진행시제 해석하기

본책 p.59

01 The populations (of many species) **are declining** rapidly / because of disappearing food sources. <모의응용>

(많은 종들의) 개체수가 빠르게 감소하고 있다 / 사라지고 있는 식량 자원 때문에 → 사라지고 있는 식량 자원 때문에 많은 종들의 개체수가 빠르게 감소하고 있다.

02 The employees **are holding** a strike / over management's cuts (to their pensions).

그 직원들은 파업을 하고 있다 / (그들의 연금에 대한) 경영진의 삭감 때문에 → 그들의 연금에 대한 경영진의 삭감 때문에 직원들은 파업을 하고 있다.

어휘 strike 명 파업 cut 명 삭감, 감축 pension 명 연금, 수당

03 All of the major party candidates [who decided to run for mayor] **are sending out** / advertisements (for their candidacy) / on TV / from tomorrow.

[시장에 출마하기로 결정한] 주요 당 후보자들 모두는 내보낼 것이다 / (그들의 출마를 위한) 광고들을 / TV에 / 내일부터
→ 시장에 출마하기로 결정한 주요 당 후보자들 모두는 내일부터 TV에 그들의 출마를 위한 광고들을 내보낼 것이다.

● who ~ mayor는 candidates를 꾸며주는 주격 관계대명사절이다.
● to부정사구 to run for mayor는 동사 decided의 목적어로 쓰였다.

어휘 run for ~에 출마하다, 입후보하다 mayor 명 시장, 군수

04 While Joan **was looking for** a tablecloth, / Kate **was wandering** around the room, / looking at the pictures (on the walls). <수능>

Joan이 식탁보를 찾고 있었던 동안 / Kate는 방을 어슬렁거리고 있었다 / (벽에 걸린) 그림들을 보면서
→ Joan이 식탁보를 찾고 있었던 동안, Kate는 벽에 걸린 그림들을 보면서 방을 어슬렁거리고 있었다.

어휘 tablecloth 명 식탁보 wander 동 어슬렁거리다, 거닐다

05 When the domestic economy reached new heights, / the stock prices **were** also **recovering** gradually.

국가 경제가 새로운 정점에 도달했을 때 / 주가도 점진적으로 회복하고 있었다

어휘 domestic 형 국내의, 가정의 stock price 명 주가 gradually 부 점진적으로

고난도
06 At the same time Isaac Newton **was inventing** calculus, / another mathematician **was** independently **developing** the same concept.

아이작 뉴턴이 미적분학을 고안하고 있었던 동시에 / 또 다른 수학자가 똑같은 개념을 독립적으로 만들고 있었다

07 Fremont Art College **will be hosting** / its 11th Annual Art Exhibition / next week. <수능>

Fremont 예술 대학은 개최하고 있을 것이다 / 그것의 11번째 연례 미술 전시회를 / 다음 주에
→ Fremont 예술 대학은 다음 주에 그것의 11번째 연례 미술 전시회를 개최하고 있을 것이다.

어휘 host 동 개최하다, 주최하다

08 A newspaper **will be publishing** / articles (detailing the latest leak (of financial documents)).

한 신문사는 발행하고 있을 것이다 / ((금융 문서의) 가장 최근의 유출에 대해 상세히 알리는) 기사들을
→ 한 신문사는 금융 문서의 가장 최근의 유출에 대해 상세히 알리는 기사들을 발행하고 있을 것이다.

● 현재분사구 detailing ~ documents는 articles를 꾸며준다.

어휘 detail 동 상세히 알리다 명 세부 사항 leak 명 유출 동 유출하다, 새다

UNIT 27 완료시제 해석하기

본책 p.60

01 Treasure hunters **have accumulated** / valuable historical artifacts [that can reveal much about the past]. <수능>

보물 사냥꾼들은 축적했다 / [과거에 대해 많은 것을 밝힐 수 있는] 귀중한 역사적 유물들을
→ 보물 사냥꾼들은 과거에 대해 많은 것을 밝힐 수 있는 귀중한 역사적 유물들을 축적했다.

● that ~ past는 artifacts를 꾸며주는 주격 관계대명사절이다.

어휘 accumulate 동 축적하다 artifact 명 유물, 인공물

02 The company **has** just **decided** / that it will lower the retail price (of the product).

그 회사는 막 결정했다 / 그것이 (제품의) 소매 가격을 낮추기로 → 그 회사는 제품의 소매 가격을 낮추기로 막 결정했다.

● that ~ product는 동사 has ~ decided의 목적어로 쓰인 명사절이다.

어휘 retail 형 소매의

03 **Have** you ever **spoken** to someone / at length / and **realized** that person **hasn't heard** a single thing? <모의>

너는 누군가에게 말해본 적이 있니 / 길게 / 그리고 그 사람이 단 하나도 듣지 않았다는 것을 알아채본 적이 있니
→ 너는 누군가에게 길게 말하고 그 사람이 단 하나도 듣지 않았다는 것을 알아채본 적이 있니?

● spoken과 realized가 등위접속사 and로 연결되어 있으며, Have와 함께 쓰인 과거분사에 해당한다.
● realized와 that 사이에는 명사절 접속사 that이 생략되어 있다.

04 Many diplomats (from different countries) **have remained** / in the conference room / for more than six hours, / trying to reach an agreement.

(다른 나라들에서 온) 많은 외교관들은 남았다 / 회의실에 / 여섯 시간 이상 동안 / 합의에 도달하려고 노력하면서
→ 합의에 도달하려고 노력하면서, 다른 나라들에서 온 많은 외교관들은 회의실에 여섯 시간 이상 동안 남았다.

05 Scientists **have** recently **presented** / the first-ever photograph (of a black hole), / which finally confirmed / the theories (about its behavior).

과학자들은 최근에 제시했다 / (블랙홀의) 사상 최초의 사진을 / 그리고 그것은 마침내 확증했다 / (그것의 습성에 대한) 이론들을
→ 과학자들은 최근에 블랙홀의 사상 최초의 사진을 제시했고, 그것은 마침내 그것의 습성에 대한 이론들을 확증했다.

● 관계대명사 which 앞에 콤마(,)가 쓰이면 콤마 앞의 선행사에 대한 부가적인 정보를 덧붙인다.

어휘 present 동 제시하다 first-ever 형 사상 최초의, 생전 처음의

06 Since 1798, / the world's population **has grown** by eight times, // but farms **haven't increased** production accordingly.

1798년 이래로 / 세계의 인구는 여덟 배로 늘었다 // 그러나 농장들은 생산을 그에 맞게 늘리지 않았다
→ 1798년 이래로, 세계의 인구는 여덟 배로 늘었지만, 농장들은 생산을 그에 맞게 늘리지 않았다.

어휘 production 명 생산 accordingly 부 그에 맞게, 부응해서

07 Over the course (of their evolution), / ostriches began to gain weight, // and they **have lost** the ability (to fly) / while adapting to land life.

(그들의 진화의) 과정 동안에 / 타조들은 체중이 늘기 시작했다 // 그리고 그들은 (나는) 능력을 잃었다 / 육지 생활에 적응하는 동안
→ 그들의 진화의 과정 동안에, 타조들은 체중이 늘기 시작했고, 육지 생활에 적응하는 동안 그들은 나는 능력을 잃었다.

- to부정사구 to gain weight는 동사 began의 목적어로 쓰였다.
- to부정사구 to fly는 ability를 꾸며주는 형용사적 용법으로 쓰였다.

어휘 ostrich 명 타조 adapt 동 적응하다, 맞추다

고난도
08 For decades, / critics **have been predicting** the death (of classical music), / suggesting that the classical music audience **has grown** old / with no younger generation (to take its place). <모의>

수십 년 동안 / 비평가들은 (클래식 음악의) 종말을 예측해오고 있다 / 클래식 음악 관객들이 나이 들었다고 주장하면서 / (그 자리를 대신할) 더 젊은 세대 없이
→ 클래식 음악 관객들이 그 자리를 대신할 더 젊은 세대 없이 나이 들었다고 주장하면서, 수십 년 동안 비평가들은 클래식 음악의 종말을 예측해오고 있다.

- that ~ place는 현재분사 suggesting의 목적어 역할을 하는 명사절이다.
- to부정사구 to take its place는 generation을 꾸며주는 형용사적 용법으로 쓰였다.

09 I **had** never **seen** this book before / until somebody left it on my desk. <모의응용>

나는 전에 그 책을 한 번도 본 적이 없었다 / 누군가가 그것을 내 책상 위에 놔두고 가기 전까지
→ 누군가가 그것을 내 책상 위에 놔두고 가기 전까지 나는 전에 그 책을 한 번도 본 적이 없었다.

10 Hurricane Gilbert (in 1988) **had been** the hurricane (with the highest pressure) / until Hurricane Wilma took the record in 2005.

(1988년의) 허리케인 Gilbert는 (가장 높은 기압을 가진) 허리케인이었었다 / 허리케인 Wilma가 2005년에 그 기록을 가져가기 전까지
→ 허리케인 Wilma가 2005년에 그 기록을 가져가기 전까지 1988년의 허리케인 Gilbert는 가장 높은 기압을 가진 허리케인이었었다.

어휘 pressure 명 기압, 압박

고난도
11 People **had used** blockchain technology / for more than a decade / to record the date and time (of documents) / before it was applied to cryptocurrency.

사람들은 블록체인 기술을 사용해왔었다 / 10년 이상 동안 / (문서의) 날짜와 시간을 기록하기 위해 / 그것이 암호화폐에 적용되기 전에
→ 블록체인 기술이 암호화폐에 적용되기 전에 사람들은 10년 이상 동안 문서의 날짜와 시간을 기록하기 위해 그것을 사용해왔었다.

- to부정사구 to record ~ documents는 목적을 나타내는 부사적 용법으로 쓰였다.
- blockchain technology 대신 대명사 it이 쓰였다.

12 By the time the penguins are ready to return to the ocean, / their natural oil [that keeps them waterproof] **will have come** back. <모의>

펭귄들이 바다로 돌아갈 준비가 되었을 무렵에는 / [그들을 방수인 채로 유지하는] 그들의 자연 기름은 되돌아왔을 것이다

- that ~ waterproof는 oil을 꾸며주는 주격 관계대명사절이다.

어휘 waterproof 형 방수의

13 By the end (of this month), / the new space telescope **will have taken** / thousands of images (of distant celestial bodies).

(이번 달의) 말까지 / 그 새로운 우주 망원경은 찍었을 것이다 / (멀리 있는 천체들의) 수천 장의 사진을
→ 이번 달의 말까지, 그 새로운 우주 망원경은 멀리 있는 천체들의 수천 장의 사진을 찍었을 것이다.

어휘 distant 형 멀리 있는

고난도
14 If the current study replicates the previous findings once more, / then it **will have provided** definitive evidence / that the preceding results were not a coincidence.

만약 현재의 연구가 이전 결과를 다시 한 번 반복한다면 / 그땐 그것이 결정적인 증거를 제공했을 것이다 / 앞선 결과들이 우연이 아니었다는
→ 만약 현재의 연구가 이전 결과를 다시 한 번 반복한다면, 그땐 그것이 앞선 결과들이 우연이 아니었다는 결정적인 증거를 제공했을 것이다.

◆ that ~ coincidence는 evidence를 부연 설명하는 동격의 that절이다.

어휘 replicate 통 반복하다, 모사하다 finding 명 (연구 등의) 결과 definitive 형 결정적인 coincidence 명 우연

UNIT 28 to부정사와 동명사의 완료형 해석하기

본책 p.62

01 *Beowulf* is believed / **to have existed** since between 700 and 1000 A.D., / though determining the exact date from the surviving manuscript is impossible.

'베어울프'는 믿어진다 / 기원후 700년에서 1000년 사이부터 존재해왔다고 / 비록 현존하는 필사본으로부터 정확한 날짜를 밝히는 것은 불가능하지만

→ 비록 현존하는 필사본으로부터 정확한 날짜를 밝히는 것은 불가능하지만, '베어울프'는 기원후 700년에서 1000년 사이부터 존재해왔다고 믿어진다.

◆ 동명사구 determining ~ manuscript는 절에서 주어 역할을 하고 있다.

어휘 manuscript 명 필사본, 원고

02 A currently popular attitude / is to blame technology or technologists / for **having brought on** the environmental problems [we face today]. <수능응용>

현재 대중적인 사고방식은 / 기술이나 과학 기술자를 비난하는 것이다 / [우리가 현재 직면하는] 환경적인 문제들을 초래했던 것으로

→ 현재 대중적인 사고방식은 우리가 현재 직면하는 환경적인 문제들을 초래했던 것으로 기술이나 과학 기술자를 비난하는 것이다.

◆ problems와 we 사이에는 목적격 관계대명사가 생략되어 있다.

어휘 bring on ~을 초래하다, 야기하다

03 Pharaoh Ramses II is said / **to have ruled** Egypt / for 66 years, / greatly expanding its borders.

파라오 람세스 2세는 말해진다 / 이집트를 통치했다고 / 66년 동안 / 그것의 국경을 크게 확장하면서

→ 파라오 람세스 2세는 국경을 크게 확장하면서 이집트를 66년 동안 통치했다고 말해진다.

◆ greatly expanding its borders는 동시 동작을 나타내는 분사구문으로 해석될 수 있다.

어휘 rule 통 통치하다, 다스리다 expand 통 확장하다, 넓히다

04 The extinct African elephant [that was nearly five meters tall] / is likely **to have been** the largest land mammal / in history.

[키가 거의 5미터였던] 멸종된 아프리카 코끼리는 / 가장 큰 육지 포유류였을 가능성이 높다 / 역사상

→ 키가 거의 5미터였던 멸종된 아프리카 코끼리는 역사상 가장 큰 육지 포유류였을 가능성이 높다.

◆ that ~ tall은 elephant를 꾸며주는 주격 관계대명사절이다.

05 Although the international community still struggles to agree on issues, / **having cooperated** in the 1980s was significant / in saving the ozone layer.

비록 국제 사회가 쟁점들에 합의하기 위해 여전히 고전하지만 / 1980년대에 협력했던 것은 의미 있었다 / 오존층을 살리는 데 있어

→ 비록 국제 사회가 쟁점들에 합의하기 위해 여전히 고전하지만, 1980년대에 협력했던 것은 오존층을 살리는 데 있어 의미 있었다.

◆ to부정사구 to agree on issues는 목적을 나타내는 부사적 용법으로 쓰였다.
◆ 동명사구 having cooperated ~ 1980s는 문장에서 주어 역할을 하고 있다.

어휘 cooperate 통 협력하다 ozone layer 명 오존층

06 While the judges did not deny reports (about their controversial ruling), / they criticized reporters / for **having leaked** it.

판사들이 (그들의 논란이 많은 판결에 대한) 보도를 부인하지 않은 반면에 / 그들은 기자들을 비난했다 / 그것을 유출했었던 것으로

→ 판사들이 그들의 논란이 많은 판결에 대한 보도를 부인하지 않은 반면에, 그들은 그것을 유출했었던 것으로 기자들을 비난했다.

◆ their controversial ruling 대신 대명사 it이 쓰였다.

어휘 controversial 형 논란이 많은

07 Some dinosaurs are thought / **to have succeeded** in attacking their prey / by stalking them quietly / for a long time.

몇몇 공룡들은 생각된다 / 그들의 사냥감을 공격하는 것에 성공했다고 / 그들에게 조용히 몰래 접근함으로써 / 오랜 시간 동안
→ 몇몇 공룡들은 오랜 시간 동안 그들의 사냥감에게 조용히 몰래 접근함으로써 그들을 공격하는 것에 성공했다고 생각된다.

08 Despite **having made** numerous incorrect forecasts, / some meteorologists continue to be certain about their forecasting abilities.

수많은 부정확한 예측들을 했음에도 불구하고 / 몇몇 기상학자들은 그들의 예측 능력에 대해 확신하기를 계속한다

● to부정사구 to be ~ abilities는 동사 continued의 목적어로 쓰였다.

어휘 numerous 형 수많은 forecast 명 예측, 예보

09 Polynesian tribes were known / for **having explored** many islands, // and they also made maps (covering thousands of kilometers around their homes).

폴리네시아 부족들은 알려져 있었다 / 많은 섬들을 탐험했었다고 // 그리고 그들은 또한 (그들의 집 주변 수천 킬로미터를 포함하는) 지도를 만들었다
→ 폴리네시아 부족들은 많은 섬들을 탐험했었다고 알려져 있었고, 그들은 또한 그들의 집 주변 수천 킬로미터를 포함하는 지도를 만들었다.

● 현재분사구 covering ~ homes는 maps를 꾸며준다.

어휘 cover 동 포함하다, 다루다

고난도
10 Education (based on theories of intrinsic motivation) appears / **to have been** an effective approach (to enhancing learning among students). <수능응용>

(내재적 동기 이론에 기초한) 교육은 보인다 / (학생들 사이에서 학습을 향상시키는 데에) 효과적인 접근법이었던 것으로
→ 내재적 동기 이론에 기초한 교육은 학생들 사이에서 학습을 향상시키는 데에 효과적인 접근법이었던 것으로 보인다.

● 과거분사구 based ~ motivation은 Education을 꾸며준다.

어휘 intrinsic motivation 명 내재적 동기 enhance 동 향상시키다, 높이다

UNIT 29 추측을 나타내는 조동사 해석하기

본책 p.63

01 A number of studies suggest / that the state (of your desk) **might** affect / how you work. <모의응용>

많은 연구들은 시사한다 / (당신의 책상의) 상태가 영향을 미칠 수도 있다는 것을 / 당신이 어떻게 일하는지에
→ 많은 연구들은 당신의 책상의 상태가 당신이 어떻게 일하는지에 영향을 미칠 수도 있다는 것을 시사한다.

● that ~ work는 동사 suggest의 목적어 역할을 하는 명사절이다.
● how you work는 동사 might affect의 목적어 역할을 하는 명사절이다.

어휘 state 명 상태

02 The playwright thinks / that the audiences **must** love his play, / given the number of people (buying tickets).

그 극작가는 생각한다 / 관객들이 그의 연극을 사랑함이 틀림없다고 / (티켓을 사는) 사람들의 수를 고려해 볼 때
→ 그 극작가는 티켓을 사는 사람들의 수를 고려해 볼 때, 관객들이 그의 연극을 사랑함이 틀림없다고 생각한다.

● that ~ play는 동사 thinks의 목적어 역할을 하는 명사절이다.
● 현재분사구 buying tickets는 people을 꾸며준다.

어휘 playwright 명 극작가

03 Error (in DNA replication) **may** lead to gene mutations, / though environmental factors have been shown to induce these variances as well.

(DNA 복제의) 오류는 유전자 변이들로 이어질 수도 있다 / 비록 환경적 요인 또한 이 변이들을 유발하는 것으로 보여졌지만
→ 비록 환경적 요인 또한 이 변이들을 유발하는 것으로 보여졌지만, DNA 복제의 오류는 유전자 변이들로 이어질 수도 있다.

어휘 replication 명 복제 gene mutation 명 유전자 변이 induce 동 유발하다, 유도하다 variance 명 변이, 변화

04 Adding a new lane to an existing road / **would** temporarily ease congestion, // but this extra capacity tends to attract new traffic.

기존 도로에 새로운 차선을 추가하는 것은 / 일시적으로 혼잡을 완화할 것이다 // 그러나 이런 추가 수용은 새로운 교통량을 불러 일으키는 경향이 있다
→ 기존 도로에 새로운 차선을 추가하는 것은 일시적으로 혼잡을 완화할 것이나, 이런 추가 수용은 새로운 교통량을 불러 일으키는 경향이 있다.

- 동명사구 Adding ~ road는 문장에서 주어 역할을 하고 있다.

어휘 congestion 명 혼잡, 정체 capacity 명 수용, 용량

05 For the instructor (of early-stage learners), / pouring energy into explaining every mistake [they make] / **will** only bring discouragement.

(초기 단계 학습자의) 지도자에게는 / [그들이 하는] 모든 실수를 설명하는 것에 힘을 쏟아 붓는 것은 / 낙담만 가져올 것이다

- 동명사구 pouring ~ make는 문장에서 주어 역할을 하고 있다.
- mistake와 they 사이에는 목적격 관계대명사가 생략되어 있다.
- early-stage learners 대신 대명사 they가 쓰였다.

어휘 discouragement 명 낙담

06 The government **ought to** be aware of the low efficacy (of their previous policy) by now, // so they **may** start making appropriate adjustments soon.

정부는 (그들의 이전 정책의) 낮은 효능을 지금쯤 알고 있을 것이다 // 그래서 그들은 적절한 조정을 하기를 곧 시작할 수도 있다
→ 정부는 그들의 이전 정책의 낮은 효능을 지금쯤 알고 있을 것이어서, 그들은 적절한 조정을 하기를 곧 시작할 수도 있다.

- 동명사구 making appropriate adjustments는 동사 may start의 목적어로 쓰였다.

어휘 efficacy 명 효능, 유효성 adjustment 명 조정

07 The overprescription (of medication) / **could** be related to pressure (from patients), // but pharmaceutical companies also play a role.

(약의) 과다 처방은 / (환자들로부터의) 압박과 관련이 있을 수도 있다 // 그러나 제약회사 또한 한 몫을 한다
→ 약의 과다 처방은 환자들로부터의 압박과 관련이 있을 수도 있으나, 제약회사 또한 한 몫을 한다.

어휘 overprescription 명 (약의) 과다 처방 medication 명 약, 약물 pharmaceutical 형 제약의

고난도
08 That "trying harder" can substitute for talent and method / **cannot** be true, / since environmental, physical, and psychological factors / often limit our potential. <모의응용>

"더 열심히 노력하는 것"이 재능과 수단을 대체할 수 있다는 것은 / 사실일 리가 없다 / 환경적, 신체적, 그리고 심리적인 요인들이 / 종종 우리의 잠재력을 제한하기 때문에 → 환경적, 신체적, 그리고 심리적인 요인들이 종종 우리의 잠재력을 제한하기 때문에, "더 열심히 노력하는 것"이 재능과 수단을 대체할 수 있다는 것은 사실일 리가 없다.

- That ~ method는 문장에서 주어 역할을 하는 명사절이다.

어휘 substitute 동 대체하다

UNIT 30 should의 다양한 쓰임 해석하기

본책 p.64

01 Science demands / that observations **should** be subject to public verification. <모의응용>

과학은 요구한다 / 관측이 공개 검증의 대상이 되어야 한다고 → 과학은 관측이 공개 검증의 대상이 되어야 한다고 요구한다.

어휘 observation 명 관측 be subject to ~의 대상이다 verification 명 검증, 입증

02 With drought conditions continuing, / it has become necessary / that cities (in affected areas) **should** find ways (of reducing water waste).

가뭄 상태가 계속되면서 / 필요해졌다 / (영향받는 지역들의) 도시들이 (물 낭비를 줄이는) 방법을 찾아야 한다는 것이
→ 가뭄 상태가 계속되면서, 영향받는 지역들의 도시들이 물 낭비를 줄이는 방법을 찾아야 한다는 것이 필요해졌다.

어휘 affected 형 영향받는, 피해입은

03 Some insist / that parents **should** stimulate their children / in the traditional ways / through reading or playing sports, / instead of computers. <모의>

몇몇은 주장한다 / 부모들이 그들의 아이들에게 흥미를 불러일으켜야 한다고 / 전통적인 방식으로 / 독서나 운동을 하는 것을 통해 / 컴퓨터 대신
→ 몇몇은 부모들이 그들의 아이들에게 컴퓨터 대신, 독서나 운동을 하는 것을 통해 전통적인 방식으로 흥미를 불러일으켜야 한다고 주장한다.

어휘 stimulate 동 흥미를 불러일으키다, 격려하다

04 In the early phases (of the pandemic), / it was suggested / that patent protections (of the vaccine) **(should)** **be** deferred / in order to assist distribution.

(전세계적 유행병의) 초기 단계에서 / 제안되었다 / (백신의) 특허 보호가 연기되어야 한다고 / 유통을 돕기 위해
→ 전세계적 유행병의 초기 단계에서, 유통을 돕기 위해 백신의 특허 보호가 연기되어야 한다고 제안되었다.

- to부정사구 to assist distribution은 목적을 나타내는 부사적 용법으로 쓰였으며, to 대신 in order to가 왔다.

어휘 phase 명 단계, 국면 patent 명 특허 defer 동 연기하다, 미루다 distribution 명 유통, 배급

05 The declaration (in 1848) demanded / that women **should** be granted equal status / under the law.

(1848년의) 그 선언은 요구했다 / 여성들이 동등한 지위를 부여받아야 한다고 / 법에 따라
→ 1848년의 그 선언은 법에 따라 여성들이 동등한 지위를 부여받아야 한다고 요구했다.

어휘 declaration 명 선언 grant 동 부여하다, 주다

06 The ad agency's advice was / that the manufacturer **(should)** **stop** expanding its product lineup, / so that it can narrow the product range.

그 광고 회사의 충고는 ~이었다 / 그 제조업체가 제품 구성을 확대하는 것을 멈춰야 한다는 것 / 그것이 그것의 제품 범위를 좁힐 수 있도록
→ 그 광고 회사의 충고는 그 제조업체가 그것의 제품 범위를 좁힐 수 있도록 제품 구성을 확대하는 것을 멈춰야 한다는 것이었다.

- 동명사구 expanding ~ lineup은 동사 stop의 목적어로 쓰였다.
- the manufacturer 대신 대명사 it이 쓰였다.

어휘 range 명 범위, 폭

고난도
07 Though legal terms can seem confusing to us, / it is essential / that we **should** learn them / and precisely define what is being discussed in Congress.

비록 법률 용어가 우리에게 혼란스럽게 보일 수 있지만 / 필수적이다 / 우리가 그것들을 배워야 한다는 것은 / 그리고 의회에서 무엇이 논의되고 있는지를 정확하게 정의해야 한다는 것은 → 비록 법률 용어가 우리에게 혼란스럽게 보일 수 있지만, 우리가 그것들을 배우고 의회에서 무엇이 논의되고 있는지를 정확하게 정의해야 한다는 것은 필수적이다.

- learn과 define이 등위접속사 and로 연결되어 있으며, 조동사 should와 함께 쓰인 동사원형에 해당한다.
- legal terms 대신 대명사 them이 쓰였다.
- what ~ Congress는 동사 define의 목적어 역할을 하는 명사절이다.

어휘 term 명 용어

어법
08 The researcher advises / that a person (with chronic fatigue) **sleep** well / to fully make up for inadequate rest. <모의응용>

그 연구자는 충고한다 / (만성 피로를 가진) 사람이 잘 자야 한다고 / 불충분한 휴식을 완전히 보충하기 위해
→ 그 연구자는 만성 피로를 가진 사람이 불충분한 휴식을 완전히 보충하기 위해 잘 자야 한다고 충고한다.

- to부정사구 to fully make ~ rest는 목적을 나타내는 부사적 용법으로 쓰였다.

정답 sleep
해설 요구/제안의 의미를 가진 동사 뒤 that절 안의 should가 생략되어도 should 뒤 동사원형의 형태는 바뀌지 않으므로 동사원형 sleep이 정답이다.

09 Coins reflect both a country's history and its aspirations, // so it is natural / that coin collections (based on place of origin) **should** prevail. <수능>

동전들은 한 나라의 역사와 그것의 염원을 반영한다 // 그래서 자연스럽다 / (주조지를 기반으로 한) 동전 수집이 유행하는 것은
→ 동전들은 한 나라의 역사와 그것의 염원을 반영해서, 주조지를 기반으로 한 동전 수집이 유행하는 것은 자연스럽다.

● 과거분사구 based ~ origin은 collections를 꾸며준다.

어휘 aspiration 명 염원, 포부 prevail 동 유행하다, 우세하다

10 It was surprising / that the Nobel Prize for Literature **should** be awarded / to a man (known for accomplishments (as a musician)).

놀라웠다 / 노벨 문학상이 수여되다니 / ((음악가로서의) 성취들로 알려진) 남자에게 → 음악가로서의 성취들로 알려진 남자에게 노벨 문학상이 수여되다니 놀라웠다.

● 과거분사구 known ~ musician은 man을 꾸며준다.

어휘 accomplishment 명 성취, 업적

11 It is strange / that a puma (from the mountains) **should** roam in a city area, / which may show the severity (of California's water shortage).

이상하다 / (산지에서 온) 퓨마가 도시 지역 안에서 거닐다니 / 그런데 그것은 (캘리포니아 물 부족의) 심각성을 보여줄 수도 있다
→ 산지에서 온 퓨마가 도시 지역 안에서 거닐다니 이상한데, 그것은 캘리포니아 물 부족의 심각성을 보여줄 수도 있다.

● 관계대명사 which 앞에 콤마(,)가 쓰이면 콤마 앞의 선행사에 대한 부가적인 정보를 덧붙이며, 이 문장의 which는 앞에 나온 절을 선행사로 가졌다.

어휘 roam 동 거닐다 severity 명 심각성 shortage 명 부족

12 I regret / that I **should** inform you / your application (for a scholarship) has not been accepted / by the university.

저는 유감으로 생각합니다 / 제가 당신에게 알려야 하다니 / (장학금을 위한) 당신의 신청서가 수락되지 않았다는 것을 / 대학교에 의해
→ 저는 장학금을 위한 당신의 신청서가 대학교에 의해 수락되지 않았다는 것을 당신에게 알려야 하다니 유감으로 생각합니다.

● 「inform+간접 목적어(you)+직접 목적어(your ~ university)」의 구조이다.
● you와 your 사이에는 명사절 접속사 that이 생략되어 있다.

어휘 application 명 신청서, 지원 scholarship 명 장학금

13 It is natural / that toddlers **should** assert their individuality / through a constant chorus (of saying "no.")

자연스럽다 / 유아들이 그들의 개성을 주장하는 것은 / ("아니오"라고 말하는) 끊임없는 합창을 통해
→ 유아들이 "아니오"라고 말하는 끊임없는 합창을 통해 그들의 개성을 주장하는 것은 자연스럽다.

어휘 toddler 명 유아 individuality 명 개성, 인격

고난도
14 It is a shame / the CEO **should** decide to go through massive financial restructuring / despite always having been in favor of awarding adequate compensation to employees.

유감이다 / 그 최고 경영자가 대규모 금융 구조 조정을 시행하기로 결정하다니 / 항상 직원들에게 적절한 보상을 주는 것에 찬성했음에도 불구하고
→ 항상 직원들에게 적절한 보상을 주는 것에 찬성했음에도 불구하고 그 최고 경영자가 대규모 금융 구조 조정을 시행하기로 결정하다니 유감이다.

● to부정사구 to go ~ restructuring은 동사 should decide의 목적어로 쓰였다.

어휘 restructuring 명 구조 조정 compensation 명 보상

다양한 조동사 표현 해석하기

본책 p.66

01 We **used to** think / that the brain never changed, // but according to a neuroscientist, / specific brain circuits grow stronger / through practice. <모의응용>

이전에 우리는 생각했다 / 뇌는 절대 변하지 않는다고 // 그러나 한 신경과학자에 따르면 / 특정 뇌 회로들은 강해진다 / 연습을 통해

→ 이전에 우리는 뇌는 절대 변하지 않는다고 생각했으나, 한 신경과학자에 따르면, 특정 뇌 회로들은 연습을 통해 강해진다.

• that ~ changed는 동사 used to think의 목적어 역할을 하는 명사절이다.

어휘 neuroscientist 명 신경과학자 circuit 명 회로

02 Up until the 19th century, / passenger pigeons, once the most common birds (in North America), / **would** darken the sky / during migration season.

19세기까지 / 한때 (북아메리카의) 가장 흔한 새였던 나그네비둘기들은 / 하늘을 어둡게 하곤 했다 / 이주 철 동안

→ 19세기까지, 한때 북아메리카의 가장 흔한 새였던 나그네비둘기들은 이주 철 동안 하늘을 어둡게 하곤 했다.

어휘 darken 동 어둡게 하다 migration 명 이주, 이동

03 Because we **cannot** be **too** careful / when it comes to cybersecurity, / it's mandatory / to create strong passwords.

우리는 아무리 주의해도 지나치지 않기 때문에 / 사이버 보안에 관해서는 / 필수적이다 / 강력한 비밀번호를 만드는 것은

→ 사이버 보안에 관해서는 우리는 아무리 주의해도 지나치지 않기 때문에, 강력한 비밀번호를 만드는 것은 필수적이다.

• 진주어 to create strong passwords 대신 가주어 it이 주어 자리에 쓰였다.

어휘 cybersecurity 명 사이버 보안 mandatory 형 필수적인, 의무적인

04 Nearly every city (in the developed world) **used to** have cable cars / in the past, / though most have now been removed / to accommodate automobiles.

(선진국 내) 거의 모든 도시는 케이블카를 가졌었다 / 과거에 / 비록 대부분이 지금은 철거되었지만 / 자동차를 수용하기 위해

→ 비록 자동차를 수용하기 위해 대부분이 지금은 철거되었지만, 과거에 선진국 내 거의 모든 도시는 케이블카를 가졌었다.

• to부정사구 to accommodate automobiles는 목적을 나타내는 부사적 용법으로 쓰였다.

어휘 accommodate 동 수용하다

05 After winning the case, / prosecutors **couldn't help feeling** relieved / to finally convict the accused [who ((they thought)) was the real criminal].

재판에서 이긴 후에 / 검사들은 안도감을 느끼지 않을 수 없었다 / [((그들이 생각하기에)) 진범이었던] 피의자에게 마침내 유죄를 입증하게 되어

→ 재판에서 이긴 후에, 그들이 생각하기에 진범이었던 피의자에게 마침내 유죄를 입증하게 되어 검사들은 안도감을 느끼지 않을 수 없었다.

• who ~ criminal은 the accused를 꾸며주는 주격 관계대명사절이다.

어휘 case 명 재판, 사건 prosecutor 명 검사 convict 동 유죄를 입증하다, 유죄를 선고하다 criminal 명 범죄자

06 I **would like to** make preserving old forests a top priority, / rather than make efforts (to replant trees).

나는 오래된 숲을 보존하는 것을 최우선으로 하고 싶다 / (나무를 옮겨 심으려는) 노력을 하기보다는

→ 나무를 옮겨 심으려는 노력을 하기보다는, 나는 오래된 숲을 보존하는 것을 최우선으로 하고 싶다.

• 「make+목적어(preserving old forests)+목적격 보어(a top priority)」의 구조이다.

• to부정사구 to replant trees는 efforts를 꾸며주는 형용사적 용법으로 쓰였다.

어휘 preserve 동 보존하다 priority 명 우선 (사항) replant 동 옮겨 심다, 이주시키다

07 The Padrón Real map **may well be** the first scientifically accurate world map, / although much of the Americas was unknown / at the time.

Padrón Real 지도는 아마 최초의 과학적으로 정확한 세계지도일 것이다 / 비록 아메리카 대륙의 많은 부분이 알려지지 않았지만 / 그 당시에
→ 비록 그 당시에 아메리카 대륙의 많은 부분이 알려지지 않았지만, Padrón Real 지도는 아마 최초의 과학적으로 정확한 세계지도일 것이다.

고난도
08 Critics (of Johannes Brahms's compositions) said / he was a person [who **would rather** make his work be admired **than** be enjoyed].

(요하네스 브람스의 작곡에 대한) 비평가들은 말했다 / 그는 [그의 작품이 즐겨지느니 차라리 존경받도록 만든] 사람이었다고
→ 요하네스 브람스의 작곡에 대한 비평가들은 그는 그의 작품이 즐겨지느니 차라리 존경받도록 만든 사람이었다고 말했다.

- said와 he 사이에는 명사절 접속사 that이 생략되어 있다.
- who ~ enjoyed는 person을 꾸며주는 주격 관계대명사절이다.
- 「make+목적어(his work)+목적격 보어(be admired ~ enjoyed)」의 구조이다.

어휘 critic 명 비평가 composition 명 작곡

UNIT 32 조동사+have+p.p. 해석하기

본책 p.67

01 In traditional societies, / high status **may have been** extremely hard to acquire, // but it was also hard to lose. <모의>

전통적인 사회에서 / 높은 지위는 획득하기에 극도로 어려웠을 수도 있다 // 그러나 그것은 또한 잃기도 어려웠다
→ 전통적인 사회에서, 높은 지위는 획득하기에 극도로 어려웠을 수도 있으나, 그것은 또한 잃기도 어려웠다.

- high status 대신 대명사 it이 쓰였다.

어휘 acquire 동 얻다

02 Living in a time [when the cost (of property) was low] / **must have been** satisfying / to the middle-income family [that could expect to own a house].

[(부동산의) 가격이 낮았던] 시기에 사는 것은 / 만족스러웠음이 틀림없다 / [집을 소유하기를 기대할 수 있던] 중산층 가정에게
→ 부동산의 가격이 낮았던 시기에 사는 것은 집을 소유하기를 기대할 수 있던 중산층 가정에게 만족스러웠음이 틀림없다.

- 동명사구 Living ~ low는 문장에서 주어 역할을 하고 있다.
- when ~ low는 time을 꾸며주는 관계부사절이다.
- that ~ house는 middle-income family를 꾸며주는 주격 관계대명사절이다.
- to부정사구 to own a house는 동사 could expect의 목적어로 쓰였다.

어휘 property 명 부동산, 재산 middle-income family 중산층 가정

03 Professional sports **may not have turned** central to modern life / if they didn't afford so many opportunities (to advertise) / for companies.

프로 스포츠는 현대 생활의 중심이 되지 않았을 수도 있다 / 만약 그들이 (광고를 할) 그렇게 많은 기회를 주지 않았다면 / 회사들에게
→ 만약 그들이 회사들에게 광고를 할 그렇게 많은 기회를 주지 않았다면, 프로 스포츠는 현대 생활의 중심이 되지 않았을 수도 있다.

- Professional sports 대신 대명사 they가 쓰였다.
- to부정사 to advertise는 opportunities를 꾸며주는 형용사적 용법으로 쓰였다.

04 Today **should have been** the first day (of the Cannes Film Festival), // but the virus outbreak has temporarily delayed all public events.

오늘이 (칸 영화제의) 첫날이었어야 했다 // 그러나 바이러스의 발발이 모든 공식 행사를 일시적으로 연기했다
→ 오늘이 칸 영화제의 첫날이었어야 했으나, 바이러스의 발발이 모든 공식 행사를 일시적으로 연기했다.

어휘 outbreak 명 발발, 발생

05 You **needn't have researched** Mars so thoroughly / on the Internet, / since this book (about all the planets (in our solar system)) explains even the tiny details.

너는 화성을 그렇게 철저하게 조사할 필요가 없었다 / 인터넷으로 / ((우리 태양계 안의) 모든 행성들에 대한) 이 책이 작은 세부사항까지도 설명하기 때문에
→ 우리 태양계 안의 모든 행성들에 대한 이 책이 작은 세부사항까지도 설명하기 때문에, 너는 화성을 인터넷으로 그렇게 철저하게 조사할 필요가 없었다.

어휘 thoroughly 부 철저하게 solar system 명 태양계

고난도
06 The two rival scholars **could have made** great friends, // for they shared many mutual interests and remarkable capabilities.

그 두 경쟁하는 학자들은 좋은 친구가 되었을 수도 있었다 // 왜냐하면 그들은 많은 공통의 관심사와 뛰어난 역량을 공유했기 때문이다
→ 그 두 경쟁하는 학자들이 많은 공통의 관심사와 뛰어난 역량을 공유했기 때문에, 그들은 좋은 친구가 되었을 수도 있었다.

어휘 scholar 명 학자 mutual 형 공동의, 상호간의 remarkable 형 뛰어난 capability 명 역량

Chapter Test

본책 p.68

01 The king's lavish gift-giving is said / **to have depressed** the local price (of gold).

그 왕의 사치스러운 선물 증여는 말해진다 / (금의) 현지 가격을 떨어뜨렸다고 → 그 왕의 사치스러운 선물 증여는 금의 현지 가격을 떨어뜨렸다고 말해진다.

어휘 depress 동 떨어트리다, 침체시키다

02 The referee **should have taken** control of the situation / and **spoken** with both players [who made different claims].

심판은 상황을 통제했어야 했다 / 그리고 [다른 주장을 한] 선수 둘 다와 이야기했어야 했다
→ 심판은 상황을 통제하고 다른 주장을 한 선수 둘 다와 이야기했어야 했다.

- taken과 spoken이 등위접속사 and로 연결되어 있으며, should have와 함께 쓰인 과거분사에 해당한다.
- who ~ claims는 players를 꾸며주는 주격 관계대명사절이다.

03 In the nature film [we **are watching**], / a cheetah **is running** after a gazelle, / attempting to capture it.

[우리가 보고 있는] 자연 영화에서 / 치타가 가젤을 쫓아 달리고 있다 / 그것을 잡으려고 노력하면서
→ 우리가 보고 있는 자연 영화에서, 치타가 가젤을 잡으려고 노력하면서 그것을 쫓아 달리고 있다.

- film과 we 사이에는 목적격 관계대명사가 생략되어 있다.
- to부정사구 to capture it은 현재분사 attempting의 목적어로 쓰였다.

어휘 capture 동 잡다, 포획하다

04 The school's policy demands / that each student (**should**) **wear** name badges / when they are in school.

학교의 방침은 요구한다 / 각각의 학생들이 명찰을 달아야 한다고 / 그들이 학교에 있을 때
→ 학교의 방침은 각각의 학생들이 그들이 학교에 있을 때 명찰을 달아야 한다고 요구한다.

어휘 policy 명 방침, 정책

05 People **had called** Istanbul Constantinople / before it was formally renamed / following the establishment (of the Turkish Republic).

사람들은 이스탄불을 콘스탄티노플이라고 불렀었다 / 그것이 공식적으로 다시 이름 지어지기 전에 / (터키 공화국의) 수립에 따라
→ 터키 공화국의 수립에 따라 이스탄불이 공식적으로 다시 이름 지어지기 전에 사람들은 그것을 콘스탄티노플이라고 불렀었다.

- 「call+목적어(Istanbul)+목적격 보어(Constantinople)」의 구조이다.

어휘 rename 동 다시 이름 짓다 establishment 명 수립, 설립

06 The president's decision (to raise petrol taxes) **cannot** be a popular one, / as it **has** recently **inspired** a protest movement.

(유류세를 올린다는) 그 대통령의 결정은 평판이 좋은 것일 리가 없다 / 그것이 최근에 시위 운동을 일어나게 했기 때문에
→ 유류세를 올린다는 그 대통령의 결정은 최근에 시위 운동을 일어나게 했기 때문에, 그것은 평판이 좋은 것일 리가 없다.

● to부정사구 to raise petrol taxes는 decision을 꾸며주는 형용사적 용법으로 쓰였다.

어휘 petrol tax 명 유류세(기름값에 붙는 세) inspire 동 일어나게 하다, 고무하다 protest 명 시위

07 Reversing the current trend (of mass insect extinction) / **will** require a commitment (from multiple governments) / to prevent further habitat loss.

(대량의 곤충 멸종의) 현재 추세를 뒤바꾸는 것은 / (여러 정부로부터의) 개입을 필요로 할 것이다 / 더 이상의 서식지 손실을 막기 위해
→ 대량의 곤충 멸종의 현재 추세를 뒤바꾸는 것은 더 이상의 서식지 손실을 막기 위해 여러 정부로부터의 개입을 필요로 할 것이다.

● 동명사구 Reversing ~ extinction은 문장에서 주어 역할을 하고 있다.
● to부정사구 to prevent ~ loss는 목적을 나타내는 부사적 용법으로 쓰였다.

어휘 reverse 동 뒤바꾸다, 뒤집다 extinction 명 멸종 commitment 명 개입, 헌신 habitat loss 명 서식지 손실

08 It is a shame / that subscription systems (of media consumption) **should** deprive us / of physical collections (of films, music, and even literature).

유감이다 / (미디어 소비의) 구독 제도가 우리로부터 빼앗는 것은 / (영화, 음악, 그리고 심지어 문학에 대한) 물질적인 수집을
→ 미디어 소비의 구독 제도가 영화, 음악, 그리고 심지어 문학에 대한 물질적인 수집을 우리로부터 빼앗는 것은 유감이다.

어휘 subscription 명 구독, 구독료 consumption 명 소비 deprive 동 빼앗다 physical 형 물질적인, 물리적인

09 Even when your problem gets worse, / you **may as well** embrace it / because being discouraged doesn't help make things better.

너의 문제가 나빠질 때에도 / 너는 그것을 받아들이는 편이 낫다 / 낙심하는 것은 상황을 낫게 만들도록 돕지 않기 때문에
→ 낙심하는 것은 상황을 낫게 만들도록 돕지 않기 때문에, 너의 문제가 나빠질 때에도 너는 그것을 받아들이는 편이 낫다.

● 동명사구 being discouraged는 문장에서 주어 역할을 하고 있다.
● 「make+목적어(things)+목적격 보어(better)」의 구조이다.

어휘 embrace 동 받아들이다

고난도
10 The writers (of the country's constitution) **must have been** aware / that it contained unsustainable contradictions, // but they hurried to proceed / for their own good.

(그 나라 헌법의) 작성자들은 알았음이 틀림없다 / 그것이 지속 불가능한 모순을 포함하고 있다는 것을 // 그러나 그들은 급히 진행했다 / 그들 자신의 이익을 위해
→ 그 나라 헌법의 작성자들은 그것이 지속 불가능한 모순을 포함하고 있다는 것을 알았음이 틀림없으나, 그들은 그들 자신의 이익을 위해 급히 진행했다.

● the country's constitution 대신 대명사 it이 쓰였다.

어휘 constitution 명 헌법, 규약 unsustainable 형 지속 불가능한 contradiction 명 모순, 반대 proceed 동 진행하다, 나아가다

CHAPTER 06 태

UNIT 33 3/4/5형식 문장의 수동태 해석하기

본책 p.70

01 Each time you experience true happiness, / the stored emotions **are activated**, // and you **will be flooded** / with even deeper joy. <모의응용>

네가 진정한 행복을 느낄 때마다 / 축적된 감정들은 활성화된다 // 그리고 너는 넘쳐나게 될 것이다 / 훨씬 더 깊은 기쁨으로

→ 네가 진정한 행복을 느낄 때마다, 축적된 감정들은 활성화되고, 너는 훨씬 더 깊은 기쁨으로 넘쳐나게 될 것이다.

어휘 stored 형 축적된 activate 동 활성화하다, 작동시키다

02 Our senses **are heightened** / during frightening situations / due to the release (of adrenaline).

우리의 감각은 고조된다 / 무서운 상황 동안 / (아드레날린의) 방출로 인해 → 아드레날린의 방출로 인해 우리의 감각은 무서운 상황 동안 고조된다.

어휘 heighten 동 고조시키다, 높이다

03 Except for the Arctic and Antarctic, / most of Earth's surface **had** already **been explored** / by the start of the 20th century.

북극과 남극을 제외하고 / 지구 표면의 대부분은 이미 탐사되었었다 / 20세기 초까지

→ 북극과 남극을 제외하고, 20세기 초까지 지구 표면의 대부분은 이미 탐사되었었다.

어휘 Arctic 명 북극 Antarctic 명 남극

고난도

04 How our solar system **will be transformed** / when the Sun dies five billion years from now / **is being studied** / by astronomers.

우리의 태양계가 어떻게 변형될 것인지는 / 지금으로부터 50억 년 후에 태양이 소멸하면 / 연구되고 있다 / 천문학자들에 의해

→ 지금으로부터 50억 년 후에 태양이 소멸하면 우리의 태양계가 어떻게 변형될 것인지는 천문학자들에 의해 연구되고 있다.

○ How ~ now는 문장에서 주어 역할을 하는 명사절이다.

어휘 solar system 명 태양계 transform 동 변형시키다 astronomer 명 천문학자

05 I(S) **was asked**(V) a question(O) / by someone, // and my mind suddenly went blank. <모의응용>

나는 질문을 받았다 / 누군가에 의해 // 그리고 나의 정신이 갑자기 멍해졌다 → 나는 누군가에 의해 질문을 받았고, 나의 정신이 갑자기 멍해졌다.

○ ← Someone(S) asked(V) me(IO) a question(DO), and my mind suddenly went blank.

어휘 go blank 멍해지다, 텅 비다

06 A trade discount(S) **is offered**(V) / *to* businesses(M) / by the wholesaler. <수능응용>

영업 할인은 제공된다 / 사업체들에게 / 도매업자에 의해 → 영업 할인은 도매업자에 의해 사업체들에게 제공된다.

○ ← The wholesaler(S) offers(V) businesses(IO) a trade discount(DO).

어휘 trade discount 명 영업 할인, 동업자 간의 할인 wholesaler 명 도매업자

07 After flight ticket purchases, / confirmation e-mails **are sent** / *to* the customers.
S V M

비행기표 구매 이후 / 확인 이메일이 전송된다 / 고객들에게 → 비행기표 구매 이후, 고객들에게 확인 이메일이 전송된다.

어휘 confirmation 명 확인

08 In 1788, / Congress **was granted** the power (to regulate the value (of money)), /
S V O
according to the US Constitution.

1788년에 / 의회는 ((돈의) 가치를 규제할) 권한을 승인받았다 / 미국 헌법에 따라
→ 1788년에, 미국 헌법에 따라 의회는 돈의 가치를 규제할 권한을 승인받았다.

● to부정사구 to regulate ~ money는 power를 꾸며주는 형용사적 용법으로 쓰였다.

어휘 grant 동 승인하다, 부여하다 regulate 동 규제하다 constitution 명 헌법, 규약

09 Free animal-shaped balloons **were made** / *for* the children (visiting the amusement
S V M
park) / by a clown.

무료 동물 모양 풍선들이 만들어졌다 / (놀이공원을 방문하는) 아이들에게 / 광대에 의해
→ 놀이공원을 방문하는 아이들에게 광대에 의해 무료 동물 모양 풍선들이 만들어졌다.

● ← A clown made the children visiting the amusement park free animal-shaped balloons.
S V IO DO

● 현재분사구 visiting ~ park는 children을 꾸며준다.

10 The accused **is considered** innocent / until proven guilty / by the court, / under the
S V C
legal principle (called "the presumption of innocence.") <수능응용>

피의자는 무죄라고 생각된다 / 유죄임이 입증되기 전까지 / 법정에 의해 / ("무죄추정의 원칙"이라고 불리는) 법리 하에
→ "무죄추정의 원칙"이라고 불리는 법리 하에, 피의자는 법정에 의해 유죄임이 입증되기 전까지 무죄라고 생각된다.

● ← The court considers the accused innocent until proven guilty, under the legal principle called "the presumption of innocence."
S V O OC

● 과거분사구 called ~ innocence는 principle을 꾸며준다.

어휘 innocent 형 무죄인 guilty 형 유죄의, 죄를 범한 legal principle 명 법리, 합법적 원리 presumption 명 추정 innocence 명 무죄, 순결

11 The task force **was made** / to set plans (for the upcoming hurricane) / by the
S V C
government.

대책 위원회는 강요받았다 / (다가오는 허리케인에 대한) 계획을 세우도록 / 정부에 의해
→ 대책 위원회는 정부에 의해 다가오는 허리케인에 대한 계획을 세우도록 강요받았다.

● ← The government made the task force set plans for the upcoming hurricane.
S V O OC

어휘 task force 명 대책 위원회

12 In England, / a number of famous actors and singers **have been appointed** knights /
S V C
for their contributions (to society).

영국에서 / 많은 유명한 배우들과 가수들이 기사로 임명되었다 / 그들의 (사회에의) 기여로
→ 영국에서, 많은 유명한 배우들과 가수들이 그들의 사회에의 기여로 기사로 임명되었다.

어휘 appoint 동 임명하다, 지명하다 knight 명 기사, 훈작위

13 The ingredients (of the dish) **had been kept** frozen / and then left out for a while, // so the quality (of it) was not much praiseworthy.

S V C

(그 요리의) 재료들은 얼려진 상태로 두어졌었다 / 그러고 나서 한동안 방치되었다 // 그래서 (그것의) 질은 매우 훌륭하지는 않았다
→ 그 요리의 재료들은 얼려진 상태로 두어졌었고 그러고 나서 한동안 방치되어서, 그것의 질은 매우 훌륭하지는 않았다.

- kept와 left가 등위접속사 and로 연결되어 있으며, had been과 함께 쓰인 과거분사에 해당한다.
- the dish 대신 대명사 it이 쓰였다.

어휘 praiseworthy 형 훌륭한, 칭찬할 만한

14 The company **was seen** / to embrace social ideals, / which attracted consumers (focusing on issues (like climate change and the ethical treatment of workers)).

S V C

그 회사는 보였다 / 사회적인 이상을 수용하는 것이 / 그리고 그것은 ((기후 변화와 노동자의 윤리적 대우와 같은) 문제들에 집중하는) 소비자들을 끌어들였다
→ 그 회사는 사회적인 이상을 수용하는 것이 보였고, 그것은 기후 변화와 노동자의 윤리적 대우와 같은 문제들에 집중하는 소비자들을 끌어들였다.

- 관계대명사 which 앞에 콤마(,)가 쓰이면 콤마 앞의 선행사에 대한 부가적인 정보를 덧붙이며, 이 문장의 which는 앞에 나온 절을 선행사로 가졌다.
- 현재분사구 focusing ~ workers는 consumers를 꾸며준다.

어휘 embrace 동 수용하다, 받아들이다 social ideal 사회적 이상 ethical 형 윤리적인 treatment 명 대우, 처리

UNIT 34 구동사의 수동태 해석하기

본책 p.72

01 Like a normal bus, / the school bus follows a timetable, // so students can **be picked up** / at scheduled times / by the bus. <모의응용>

일반적인 버스처럼 / 학교 버스는 시간표를 따른다 // 그래서 학생들은 태워질 수 있다 / 예정된 시간에 / 버스에 의해
→ 일반적인 버스처럼, 학교 버스는 시간표를 따라서, 학생들은 예정된 시간에 버스에 의해 태워질 수 있다.

- ← Like a normal bus, the school bus follows a timetable, so the bus can **pick up** students at scheduled times.

02 Some children **are taken care of** / when they become ill / by an organization (providing free health care).

몇몇 아이들은 돌봐진다 / 그들이 병에 걸렸을 때 / (무료 의료 서비스를 제공하는) 기관에 의해
→ 몇몇 아이들은 그들이 병에 걸렸을 때 무료 의료 서비스를 제공하는 기관에 의해 돌봐진다.

- ← An organization providing free health care **take care of** some children when they become ill.
- 현재분사구 providing ~ care는 organization을 꾸며준다.

어휘 organization 명 기관 health care 명 의료 서비스

03 A range of media (including images, video, and text) **is made use of** / by e-commerce websites / when displaying product information.

(사진, 영상, 그리고 글을 포함하는) 다양한 매체는 이용된다 / 전자 상거래 웹사이트에 의해 / 상품 정보를 보여줄 때
→ 사진, 영상, 그리고 글을 포함하는 다양한 매체는 전자 상거래 웹사이트에 의해 상품 정보를 보여줄 때 이용된다.

- ← E-commerce websites **make use of** a range of media including images, video, and text when displaying product information.
- 현재분사구 including ~ text는 media를 꾸며준다.

어휘 media 명 매체 e-commerce 명 전자 상거래

04 The New Deal policy **was set up** / by President Franklin D. Roosevelt's administration / in order to help America recover / from the Great Depression.

뉴딜 정책은 세워졌다 / 프랭클린 D. 루스벨트 대통령의 정부에 의해 / 미국이 회복하는 것을 돕기 위해 / 대공황으로부터
→ 뉴딜 정책은 대공황으로부터 미국이 회복하는 것을 돕기 위해 프랭클린 D. 루스벨트 대통령의 정부에 의해 세워졌다.

◆ ← President Franklin D. Roosevelt's administration **set up** the New Deal policy in order to help America recover from the Great Depression.
◆ 「help+목적어(America)+목적격 보어(recover ~ Depression)」의 구조이다.
◆ to부정사구 to help ~ Depression은 목적을 나타내는 부사적 용법으로 쓰였으며, to 대신 in order to가 왔다.

어휘 New Deal policy (미국의) 뉴딜 정책 administration 명 정부, 행정부 recover 동 회복하다 the Great Depression (1929년의) 대공황

05 Play (for adults) **is** sometimes **looked down on**, // for grown-ups tend to be judged / by cultural norms [that despise "frivolity."] <수능응용>

(어른들을 위한) 놀이는 종종 무시받는다 // 왜냐하면 성인들은 평가되는 경향이 있기 때문이다 / ["바보 같은 짓"을 경멸하는] 문화적 규범에 의해
→ 성인들은 "바보 같은 짓"을 경멸하는 문화적 규범에 의해 평가되는 경향이 있기 때문에, 어른들을 위한 놀이는 종종 무시받는다.

◆ that despise "frivolity"는 norms를 꾸며주는 주격 관계대명사절이다.

어휘 norm 명 규범, 기준 despise 동 경멸하다

06 The manuscript (for the first Harry Potter novel) **was turned down** / by numerous publishers [who didn't think the book would be a commercial success].

(첫 번째 해리 포터 소설의) 원고는 거절되었다 / [그 책이 상업적 성공이 될 것이라고 생각하지 않은] 수많은 출판업자들에 의해
→ 첫 번째 해리 포터 소설의 원고는 그 책이 상업적 성공이 될 것이라고 생각하지 않은 수많은 출판업자들에 의해 거절되었다.

◆ ← Numerous publishers who didn't think the book would be a commercial success **turned down** the manuscript for the first Harry Potter novel.
◆ who ~ success는 publishers를 꾸며주는 주격 관계대명사절이다.
◆ think와 the 사이에는 명사절 접속사 that이 생략되어 있다.

어휘 manuscript 명 원고, 필사본 publisher 명 출판업자

07 She **was brought up** with great care, / and skilled in all areas (of knowledge [that are necessary to the education (of a decent person)]). <모의응용>

그녀는 지극한 보살핌으로 길러졌다 / 그리고 ([(품위 있는 사람의) 교육에 필요한] 지식의) 모든 분야에 숙련되었다
→ 그녀는 지극한 보살핌으로 길러졌고, 품위 있는 사람의 교육에 필요한 지식의 모든 분야에 숙련되었다.

◆ brought와 skilled가 등위접속사 and로 연결되어 있으며, be동사 was와 함께 쓰인 과거분사에 해당한다.
◆ that ~ person은 knowledge를 꾸며주는 주격 관계대명사절이다.

어휘 decent 형 품위 있는, 예의 바른

고난도
08 Excessive bureaucratic processes **are referred to as** "red tape" / because administrative documents were once bound together / with red string.

과도한 관료주의적인 절차는 "레드 테이프"라고 불린다 / 행정 문서가 한때 함께 묶여 있었기 때문에 / 붉은 끈으로
→ 행정 문서가 한때 붉은 끈으로 함께 묶여 있었기 때문에, 과도한 관료주의적인 절차는 "레드 테이프"라고 불린다.

어휘 excessive 형 과도한, 지나친 administrative 형 행정적인, 관리적인 bind 동 묶다

UNIT 35 목적어가 that절인 문장의 수동태 해석하기

본책 p.73

01 *It* **is thought** / *that* very slight changes in the position (of the Earth (relative to the Sun)) / can be the cause (of climate change). <모의>

생각된다 / ((태양과 관련된) 지구의) 위치에의 아주 약간의 변화가 / (기후 변화의) 원인이 될 수 있다고
→ 태양과 관련된 지구의 위치에의 아주 약간의 변화가 기후 변화의 원인이 될 수 있다고 생각된다.

◆ ← People[They] think that very slight changes in the position of the Earth relative to the Sun can be the cause of climate change.

어휘 relative 형 관련된, 관계있는

02 *Video conferencing* **is said** / *to be* one of the most effective ways (to communicate) / these days. <모의>

화상회의는 말해진다 / (의사소통하는) 가장 효과적인 방법들 중 하나라고 / 요즘
→ 화상회의는 요즘 의사소통하는 가장 효과적인 방법들 중 하나라고 말해진다.

⭘ ← People[They] say that video conferencing is one of the most effective ways to communicate these days.
⭘ to부정사구 to communicate는 ways를 꾸며주는 형용사적 용법으로 쓰였다.

어휘 video conferencing 명 화상회의

03 *It* **is known** / *that* regularly consuming an excessive amount of salt / can increase blood pressure.

알려져 있다 / 정기적으로 과도한 양의 소금을 섭취하는 것은 / 혈압을 상승시킬 수 있다고
→ 정기적으로 과도한 양의 소금을 섭취하는 것은 혈압을 상승시킬 수 있다고 알려져 있다.

⭘ ← People[They] know that regularly consuming an excessive amount of salt can increase blood pressure.
⭘ 동명사구 regularly consuming ~ salt는 절에서 주어 역할을 하고 있다.

어휘 consume 동 섭취하다 blood pressure 명 혈압

04 *Respect* (*for the elderly*) **is thought** / *to be* very natural and important / traditionally.

(노인에 대한) 존중은 생각된다 / 매우 자연스럽고 중요하다고 / 전통적으로
→ 노인에 대한 존중은 전통적으로 매우 자연스럽고 중요하다고 생각된다.

⭘ ← People[They] think that respect for the elderly is very natural and important traditionally.

어휘 the elderly 명 노인들

05 *It* **is said** / *that* some of the trees [the Pilgrims planted in the 1620s] / are still standing today.

말해진다 / [청교도들이 1620년대에 심은] 나무들 중 몇몇이 / 오늘날에도 여전히 서 있다고
→ 청교도들이 1620년대에 심은 나무들 중 몇몇이 오늘날에도 여전히 서 있다고 말해진다.

⭘ ← People[They] say that some of the trees the Pilgrims planted in the 1620s are still standing today.
⭘ trees와 the 사이에는 목적격 관계대명사가 생략되어 있다.

06 *It* **is believed** / *that* fully autonomous self-driving cars will be available / even to private buyers / within the next couple of decades.

믿어진다 / 완전 자율 주행 자동차가 이용 가능해질 것이라고 / 개인 구매자들에게도 / 앞으로 20년 이내에
→ 완전 자율 주행 자동차가 앞으로 20년 이내에 개인 구매자들에게도 이용 가능해질 것이라고 믿어진다.

⭘ ← People[They] believe that fully autonomous self-driving cars will be available even to private buyers within the next couple of decades.

어휘 autonomous 형 자율적인, 자주적인 self-driving 형 자율 주행의 private 형 개인의, 사적인

07 *Red roses* **are known** / *to symbolize* romantic love and affection, / while white roses are often used / to convey purity and innocence.

붉은 장미는 알려져 있다 / 낭만적인 사랑과 애정을 상징한다고 / 흰 장미가 자주 사용되는 반면에 / 순수와 순결을 전하기 위해
→ 흰 장미가 순수와 순결을 전하기 위해 자주 사용되는 반면에, 붉은 장미는 낭만적인 사랑과 애정을 상징한다고 알려져 있다.

⭘ ← People[They] know that red roses symbolize romantic love and affection, while white roses are often used to convey purity and innocence.
⭘ to부정사구 to convey ~ innocence는 목적을 나타내는 부사적 용법으로 쓰였다.

어휘 symbolize 동 상징하다 affection 명 애정 convey 동 전하다, 전달하다

08 *It* **was thought** / *that* it was in the 1800s / that peanuts started to be grown commercially / although they were cultivated also in the 1700s.

생각되었다 / 바로 1800년대였다고 / 땅콩이 상업적으로 길러지기 시작했던 것은 / 비록 그것들이 1700년대에도 재배되었지만
→ 비록 땅콩들이 1700년대에도 재배되었지만 그것들이 상업적으로 길러지기 시작했던 것은 바로 1800년대였다고 생각되었다.

- ← People[They] thought that it was in the 1800s that peanuts started to be grown commercially although they were cultivated also in the 1700s.
- 부사구(in the 1800s)가 it~ that 구문으로 강조되고 있다.
- to부정사구 to be grown commercially는 동사 started의 목적어로 쓰였다.
- peanuts 대신 대명사 they가 쓰였다.

어휘 commercially 부 상업적으로 cultivate 동 재배하다, 경작하다

고난도
09 *Some animals* **are believed** / *to have* the ability (to predict earthquakes shortly before the occurrence), / as they behave in abnormal patterns / as soon as they sense danger.

몇몇 동물들은 믿어진다 / (발생 직전에 지진을 예측하는) 능력을 가지고 있다고 / 그들이 비정상적인 양상으로 행동하기 때문에 / 그들이 위험을 감지하자마자
→ 몇몇 동물들은 그들이 위험을 감지하자마자 비정상적인 양상으로 행동하기 때문에, 그들이 발생 직전에 지진을 예측하는 능력을 가지고 있다고 믿어진다.

- ← People[They] believe that some animals have the ability to predict earthquakes shortly before the occurrence, as they behave in abnormal patterns as soon as they sense danger.
- to부정사구 to predict ~ occurrence는 ability를 꾸며주는 형용사적 용법으로 쓰였다.

어휘 occurrence 명 발생, 출현 abnormal 형 비정상적인

UNIT 36 to부정사와 동명사의 수동형 해석하기

본책 p.74

01 More manpower needs / **to be allocated** / to provide diverse services / for greater efficiency. <모의>

더 많은 인력이 필요하다 / 할당되는 것이 / 다양한 서비스를 제공하기 위해 / 더 큰 효율성을 위해
→ 더 큰 효율성을 위해 더 많은 인력이 다양한 서비스를 제공하기 위해 할당되는 것이 필요하다.

- to부정사구 to be allocated는 동사 needs의 목적어로 쓰였다.

어휘 manpower 명 인력 allocate 동 할당하다, 배분하다 efficiency 명 효율성

02 Only a few customers remembered / **having been kept** waiting long / when their problem was solved right away. <모의응용>

몇 안 되는 손님들만 기억했다 / 길게 기다리는 채로 두어졌었던 것을 / 그들의 문제가 바로 해결되었을 때
→ 그들의 문제가 바로 해결되었을 때 몇 안 되는 손님들만 길게 기다리는 채로 두어졌었던 것을 기억했다.

- 동명사구 having ~ long은 동사 remembered의 목적어로 쓰였다.

03 The tradition (of afternoon tea) is thought / **to have been popularized** / in the Victorian era.

(애프터눈 티의) 전통은 생각된다 / 대중화되었다고 / 빅토리아 시대에 → 애프터눈 티의 전통은 빅토리아 시대에 대중화되었다고 생각된다.

어휘 popularize 동 대중화하다, 보급하다

04 The fear (of **being criticized**) can stop people / from speaking their mind and making steady progress.

(비판받는 것에 대한) 두려움은 사람들을 막을 수 있다 / 그들의 생각을 말하는 것과 꾸준한 진전을 이루는 것으로부터
→ 비판받는 것에 대한 두려움은 사람들을 그들의 생각을 말하는 것과 꾸준한 진전을 이루는 것으로부터 막을 수 있다.

- speaking과 making이 등위접속사 and로 연결되어 있으며, 전치사 from의 목적어 역할을 하는 동명사에 해당한다.

어휘 criticize 동 비판하다 steady 형 꾸준한

05 Uranus, originally thought of as a comet, / was the first planet (**to be discovered** using a telescope).

원래 혜성이라고 생각되었던 천왕성은 / (망원경을 사용하여 발견된) 첫 번째 행성이었다

- to부정사구 to be discovered ~ telescope는 planet을 꾸며주는 형용사적 용법으로 쓰였다.

어휘 Uranus 명 천왕성 comet 명 혜성

06 Applicants [who make a good first impression] are more likely / **to be considered** for future opportunities.

[좋은 첫인상을 주는] 지원자들은 가능성이 더 높다 / 미래의 기회가 고려될 → 좋은 첫인상을 주는 지원자들은 미래의 기회가 고려될 가능성이 더 높다.

⊙ who ~ impression은 Applicants를 꾸며주는 주격 관계대명사절이다.

어휘 applicant 명 지원자 impression 명 인상, 감명

07 Despite **being protected** by Arizona law, / the Gila monster is often killed / due to people (thinking it is dangerous).

애리조나 법에 의해 보호됨에도 불구하고 / 미국독도마뱀은 종종 죽임을 당한다 / (그것이 위험하다고 생각하는) 사람들 때문에
→ 애리조나 법에 의해 보호됨에도 불구하고, 미국독도마뱀은 그것이 위험하다고 생각하는 사람들 때문에 종종 죽임을 당한다.

⊙ 현재분사구 thinking ~ dangerous는 people을 꾸며준다.
⊙ thinking과 it 사이에는 명사절 접속사 that이 생략되어 있다.

고난도
08 Microfossils are the remains (of bacteria, animals, and plants) [that are too small **to be observed** without a microscope].

미세 화석은 [너무 작아서 현미경 없이 관찰될 수 없는] (박테리아, 동물, 그리고 식물의) 잔해이다.

⊙ that ~ microscope는 remains를 꾸며주는 주격 관계대명사절이다.

어휘 remains 명 잔해, 유해 observe 동 관찰하다

고난도
09 Nearly a quarter of participants (in a study (on how suggestion can create false memory)) identically recalled / **having been lost** in a shopping mall as a child, / which they had never actually experienced.

((연상이 어떻게 가짜 기억을 만들어낼 수 있는지에 대한) 연구의) 참가자들 중 거의 4분의 1이 동일하게 회상했다 / 어릴 때 쇼핑몰에서 길을 잃었었던 것을 / 그런데 그것은 그들이 한 번도 실제로 겪어본 적이 없었다 → 연상이 어떻게 가짜 기억을 만들어낼 수 있는지에 대한 연구의 참가자들 중 거의 4분의 1이 동일하게 어릴 때 쇼핑몰에서 길을 잃었었던 것을 회상했는데, 그것은 그들이 한 번도 실제로 겪어본 적이 없었다.

⊙ how ~ memory는 전치사 on의 목적어 역할을 하는 명사절이다.
⊙ 동명사구 having ~ child는 동사 recalled의 목적어로 쓰였다.
⊙ 관계대명사 which 앞에 콤마(,)가 쓰이면 콤마 앞의 선행사에 대한 부가적인 정보를 덧붙인다.

어휘 suggestion 명 연상, 암시 identically 부 동일하게

UNIT 37 수동의 의미를 가지는 능동태 해석하기

본책 p.75

01 If someone argues in a raised voice, / their blood pressure **builds** up. <모의>

누군가가 고조된 목소리로 언쟁하면 / 그 사람의 혈압이 높아진다

어휘 raised 형 고조된, 높아진

02 One thing [that prevents a pen from **writing** smoothly] / is dried ink (stuck in the pen point).

[펜이 매끄럽게 써지는 것을 막는] 한 가지는 / (펜촉에 끼인) 마른 잉크이다

⊙ that ~ smoothly는 thing을 꾸며주는 주격 관계대명사절이다.
⊙ 과거분사구 stuck ~ point는 ink를 꾸며준다.

어휘 prevent 동 막다 smoothly 부 부드럽게 pen point 명 펜촉

03 The comb completely **caught** in her thick hair / while she was attempting to untangle it / after a shower.

그 빗은 그녀의 굵은 머리카락 안에 완전히 걸렸다 / 그녀가 그것을 풀려고 노력하는 동안 / 샤워 후에
→ 그 빗은 그녀가 샤워 후에 그것을 풀려고 노력하는 동안 그녀의 굵은 머리카락 안에 완전히 걸렸다.

- to부정사구 to untangle it은 동사 was attempting의 목적어로 쓰였다.
- hair 대신 대명사 it이 쓰였다.

어휘 untangle 동 (엉킨 것을) 풀다

04 Vinyl flooring **cleans** easily and is very durable, / which is the reason [many homeowners choose it for their kitchens and bathrooms].

비닐 바닥재는 쉽게 깨끗해지고 내구성이 매우 좋다 / 그런데 그것은 [많은 집주인이 주방과 화장실을 위해 그것을 선택하는] 이유이다
→ 비닐 바닥재는 쉽게 깨끗해지고 내구성이 매우 좋은데, 그것은 많은 집주인이 주방과 화장실을 위해 그것을 선택하는 이유이다.

- 관계대명사 which 앞에 콤마(,)가 쓰이면 콤마 앞의 선행사에 대한 부가적인 정보를 덧붙이며, 이 문장의 which는 앞에 나온 절을 선행사로 가졌다.
- reason과 many 사이에는 관계부사가 생략되어 있다.
- Vinyl flooring 대신 대명사 it이 쓰였다.

어휘 durable 형 내구성이 좋은 homeowner 명 집주인

05 The wood didn't **cut** well with a blunt axe, // but after the blade was filed sharp, / the work proceeded / with much less exertion. <모의응용>

그 나무는 무딘 도끼로 잘 잘리지 않았다 // 하지만 날이 날카롭게 다듬어진 후 / 일은 진행되었다 / 훨씬 적은 노력으로
→ 그 나무는 무딘 도끼로 잘 잘리지 않았지만, 날이 날카롭게 다듬어진 후, 일은 훨씬 적은 노력으로 진행되었다.

- 「file+목적어(the blade)+목적격 보어(sharp)」의 구조가 수동태로 바뀐 문장이다.

어휘 blunt 형 무딘, 뭉툭한 file 동 다듬다 proceed 동 진행되다 exertion 명 노력, 분투

06 *Robinson Crusoe* **read** / like an account (of true events), / with many readers (of the first edition) believing the book to be a travelogue.

'로빈슨 크루소'는 읽혔다 / (진짜 사건에 대한) 설명처럼 / (초판본의) 많은 독자들이 이 책을 여행담이라고 믿으면서
→ 초판본의 많은 독자들이 이 책을 여행담이라고 믿으면서, '로빈슨 크루소'는 진짜 사건에 대한 설명처럼 읽혔다.

- 「believe+목적어(the book)+목적격 보어(to be a travelogue)」의 구조이다.

어휘 account 명 설명, 이야기

07 Some products (like videogame consoles) **sell** so extensively worldwide / that they have an impact on popular culture.

(비디오 게임기와 같은) 몇몇 상품들은 전 세계적으로 너무 광범위하게 팔려서 / 그들은 대중문화에 영향을 미친다

어휘 videogame console 명 비디오 게임기 extensively 부 광범위하게 popular culture 대중문화

08 Although fresh pasta **cooks** quickly, / making it from scratch / is a demanding process [that can be difficult to master].

비록 생 파스타는 빠르게 요리되지만 / 그것을 처음부터 만드는 것은 / [숙달하기에 어려울 수 있는] 힘든 과정이다

- 동명사구 making ~ scratch는 문장에서 주어 역할을 하고 있다.
- that ~ master는 process를 꾸며주는 주격 관계대명사절이다.

어휘 from scratch 처음부터, 무에서부터 demanding 형 힘든, 빠듯한

고난도
09 When the door (of residents (not knowing anything about the situation)) **opened**, / the Boy Scouts launched into their prepared speech (about the importance (of recycling)). <모의응용>

((상황에 대해 아무것도 모르는) 주민들의) 문이 열렸을 때 / 보이 스카우트는 ((재활용의) 중요성에 대한) 그들의 준비된 연설을 시작했다

- 현재분사구 not knowing ~ situation은 residents를 꾸며준다.

어휘 resident 명 주민 launch into ~을 시작하다

Chapter Test

본책 p.76

01 We all have a strong desire (**to be acknowledged** by others in our lives).

우리는 모두 (우리 삶에서 다른 사람들에게 인정받아야 한다는) 강한 욕구를 가지고 있다.

● to부정사구 to be acknowledged ~ lives는 need를 꾸며주는 형용사적 용법으로 쓰였다.

어휘 acknowledge 통 인정하다

02 She **was picked up** at the airport / by a limousine service [she had bought a ticket for to get to the hotel].

그녀는 공항에서 태워졌다 / [그녀가 호텔로 가기 위해 티켓을 산] 리무진 서비스에 의해

→ 그녀는 그녀가 호텔로 가기 위해 티켓을 산 리무진 서비스에 의해 공항에서 태워졌다.

● ← A limousine service she had bought a ticket for to get to the hotel **picked** her **up** at the airport.

● service와 she 사이에는 목적격 관계대명사가 생략되어 있다.

● to부정사구 to get ~ hotel은 목적을 나타내는 부사적 용법으로 쓰였다.

03 *The sale* **is thought** / *to draw* large crowds of shoppers / as it will take place / over a holiday weekend.

그 세일은 생각된다 / 많은 쇼핑객 무리를 끌어모을 것이라고 / 그것이 열릴 것이기 때문에 / 휴일 주말 동안에

→ 그 세일이 휴일 주말 동안에 열릴 것이기 때문에 그것은 많은 쇼핑객 무리를 끌어모을 것이라고 생각된다.

● ← People[They] think that the sale will draw large crowds of shoppers as it will take place over a holiday weekend.

어휘 draw 통 끌어모으다, 당기다

04 Brexit, or the United Kingdom's withdrawal (from the European Union), / **was put off**, / since the consultation process (with other EU members) was not simple.

브렉시트, 즉 (유럽 연합으로부터의) 영국의 탈퇴는 / 미뤄졌다 / (다른 유럽 연합 회원국과의) 협상 과정이 단순하지 않았기 때문에

→ 다른 유럽 연합 회원국과의 협상 과정이 단순하지 않았기 때문에, 브렉시트, 즉 유럽 연합으로부터의 영국의 탈퇴는 미뤄졌다.

어휘 withdrawal 명 탈퇴, 철수 EU(European Union) 명 유럽 연합 consultation 명 협상

05 Because of my experience as a traveler, / I(S) **was taught**(V) / a lesson that people (all over the world) are very much the same, / despite differences (in dress or language).(O) <수능>

여행자로서의 나의 경험 때문에 / 나는 배웠다 / (전 세계의) 사람들은 거의 똑같다는 교훈을 / (복장이나 언어에의) 차이에도 불구하고

→ 여행자로서의 나의 경험 때문에, 나는 복장이나 언어에의 차이에도 불구하고 전 세계의 사람들은 거의 똑같다는 교훈을 배웠다.

● that ~ language는 lesson을 부연 설명하는 동격의 that절이다.

06 *It* **was found** / *that* people are less prone to offer assistance / to victims (of accidents or crimes) / when there are other people around.

밝혀졌다 / 사람들은 도움을 주는 경향이 덜 하다고 / (사고나 범죄의) 피해자들에게 / 주변에 다른 사람들이 있을 때

→ 주변에 다른 사람들이 있을 때 사람들은 사고나 범죄의 피해자들에게 도움을 주는 경향이 덜 하다고 밝혀졌다.

● ← People[They] found that people are less prone to offer assistance to victims of accidents or crimes when there are other people around.

어휘 prone to ~의 경향이 있는 assistance 명 도움

07 **Having been denied** admission at his first choice (for university) / made him apply / to a number of schools (across the country).

그의 (대학에의) 첫 번째 선택에서 입학을 거부당했던 것은 / 그를 지원하게 만들었다 / (전국에 있는) 수많은 학교들에

→ 그의 대학에의 첫 번째 선택에서 입학을 거부당했던 것은 그를 전국에 있는 수많은 학교들에 지원하게 만들었다.

◎ 동명사구 Having ~ university는 문장에서 주어 역할을 하고 있다.
◎ 「make+목적어(him)+목적격 보어(apply ~ country)」의 구조이다.

어휘 admission 명 입학

08 Four-leaf clovers **are considered** lucky / because of their relative rarity, // and *it* **was** also **believed** / *that* carrying them brought magical powers (of protection).

(S: Four-leaf clovers / V: are considered / C: lucky)

네 잎 클로버는 행운으로 생각된다 / 그들의 상대적인 희귀성 때문에 // 그리고 또한 믿어졌다 / 그것들을 가지고 다니는 것은 (보호의) 마법적 힘을 가져다 주었다고
→ 네 잎 클로버의 상대적인 희귀성 때문에 그들은 행운으로 생각되고, 또한 그것들을 가지고 다니는 것은 보호의 마법적 힘을 가져다 주었다고 믿어졌다.

◎ ← Four-leaf clovers are considered lucky because of their relative rarity, and people[they] also believed that carrying them brought magical powers of protection.
◎ 동명사구 carrying them은 절에서 주어 역할을 하고 있다.

어휘 rarity 명 희귀성 protection 명 보호

고난도
09 Geological processes (on the ocean floor) cause magma to rise upward with gases, // and as pressure **builds**, / the possibility (of a volcanic eruption) **is increased.**

(바다 밑바닥에서의) 지질학적 작용은 마그마가 가스와 함께 위로 상승하게 한다 // 그리고 압력이 높아지면서 / (화산 분출의) 가능성이 커진다
→ 바다 밑바닥에서의 지질학적 작용은 마그마가 가스와 함께 위로 상승하게 하고, 압력이 높아지면서 화산 분출의 가능성이 커진다.

◎ 「cause+목적어(magma)+목적격 보어(to rise ~ gases)」의 구조이다.

어휘 geological 형 지질학적인 volcanic eruption 화산 분출

고난도
10 Before the modern scientific era, / creativity **was attributed to** a superhuman force, // so *all innovative ideas* **were believed** / *to have originated with* the gods. <모의>

현대의 과학 시대 이전에 / 창조성은 초인적인 힘에 기인한다고 생각되었다 // 그래서 모든 획기적인 발상은 믿어졌다 / 신에게서 생겨났었다고
→ 현대의 과학 시대 이전에, 창조성은 초인적인 힘에 기인한다고 생각되어서, 모든 획기적인 발상은 신에게서 생겨났었다고 믿어졌다.

◎ ← Before the modern scientific era, creativity was attributed to a superhuman force, so people[they] believed that all innovative ideas had originated with the gods.

어휘 era 명 시대 attribute 동 기인한다고 생각하다 superhuman 형 초인적인, 신기의 innovative 형 획기적인 originate 동 생겨나다, 발생하다

CHAPTER 07 형용사구와 관계사절

UNIT 38 명사를 뒤에서 꾸며주는 형용사구 해석하기

본책 p.78

01 Using emotional language / is *a way* (**to get your audience not only to understand your argument but also to feel it**). <모의>

감정을 자극하는 언어를 사용하는 것은 / (당신의 청중이 당신의 주장을 이해할 뿐만 아니라 그것을 느낄 수도 있게 하는) 방법이다

◐ 동명사구 Using emotional language는 문장에서 주어 역할을 하고 있다.

어휘 emotional 형 감정을 자극하는, 감정적인 argument 명 주장, 논점

02 The residents have made *a compelling argument* (**about road repairing**) / for years.

주민들은 (도로 수리에 대한) 설득력 있는 주장을 해왔다 / 수년 동안 → 주민들은 수년 동안 도로 수리에 대한 설득력 있는 주장을 해왔다.

어휘 compelling 형 설득력 있는, 강력한

03 There are *countless approaches* (**to consider**), // so we should weigh the options carefully and select the best one.

(고려할) 수많은 접근법들이 있다 // 그래서 우리는 그 선택지들을 신중하게 평가하고 최선의 것을 선택해야 한다

→ 고려할 수많은 접근법들이 있어서, 우리는 그 선택지들을 신중하게 평가하고 최선의 것을 선택해야 한다.

◐ weigh와 select가 등위접속사 and로 연결되어 있으며, 조동사 should와 함께 쓰인 동사원형에 해당한다.

◐ option 대신 대명사 one이 쓰였다.

어휘 countless 형 수많은 approach 명 접근법, 방법

04 Often, / business leaders become close with their rivals / because they are *helpful people* (**to learn a lot from**).

종종 / 기업 지도자들은 그들의 경쟁자들과 가까워진다 / 그들이 (많은 것을 배울) 도움이 되는 사람들이기 때문에

→ 그들이 많은 것을 배울 도움이 되는 사람들이기 때문에 기업 지도자들은 종종 그들의 경쟁자들과 가까워진다.

◐ their rivals 대신 대명사 they가 쓰였다.

어휘 helpful 형 도움이 되는

05 Critical analysis is *a skill* (**vital for philosophy and debate**), // so it is crucial / for students to master the skill.

비판적 분석은 (철학과 토론에 필수적인) 기술이다 // 그래서 중요하다 / 학생들이 그 기술을 터득하는 것은

→ 비판적 분석은 철학과 토론에 필수적인 기술이어서, 학생들이 그 기술을 터득하는 것은 중요하다.

◐ 진주어 to master the skill 대신 가주어 it이 주어 자리에 쓰였다.

◐ to부정사구 to master the skill의 의미상 주어로 students가 쓰였다.

어휘 critical analysis 비판적 분석 master 통 터득하다, 숙달하다

06 The ideal job candidate must have / *the motivation* (**to succeed in a competitive environment**) / in addition to years of experience.

이상적인 입사 지원자는 가져야 한다 / (경쟁적인 환경에서 성공할) 욕구를 / 수년의 경력에 더하여
→ 이상적인 입사 지원자는 수년의 경력에 더하여 경쟁적인 환경에서 성공할 욕구를 가져야 한다.

어휘 motivation 명 욕구, 동기 부여 competitive 형 경쟁적인

07 *Someone* (**knowledgeable and willing to answer questions**) / can be *an excellent resource* (**for learning**).

(박식하고 질문들에 기꺼이 답하고자 하는) 누군가는 / (학습을 위한) 훌륭한 자원이 될 수 있다

어휘 knowledgeable 형 박식한 resource 명 자원

고난도
08 Our intuitions are not always *trustworthy moral indicators* / (**useful for *the newer complexities* (of the modern world)**). <모의응용>

우리의 직관은 항상 신뢰할 수 있는 정신적인 지표는 아니다 / ((현대 사회의) 더 새로운 복잡성에 쓸모가 있는)
→ 우리의 직관은 현대 사회의 더 새로운 복잡성에 쓸모가 있는 항상 신뢰할 수 있는 정신적인 지표는 아니다.

어휘 intuition 명 직관 trustworthy 형 신뢰할 수 있는 moral 형 정신적인 indicator 명 지표 complexity 명 복잡성

UNIT 39 명사를 꾸며주는 분사 해석하기

본책 p.79

01 Since what we remember is selective, / it is likely / that we tell one another **edited** *stories* (**interpreted within our respective views**). <모의응용>

우리가 기억하는 것은 선택적이기 때문에 / 있을 법하다 / 우리가 서로에게 (우리 각자의 관점 안에서 해석된) 편집된 이야기를 말하는 것은
→ 우리가 기억하는 것은 선택적이기 때문에, 우리가 서로에게 우리 각자의 관점 안에서 해석된 편집된 이야기를 말하는 것은 있을 법하다.

● 진주어 that ~ views 대신 가주어 it이 주어 자리에 쓰였다.

어휘 selective 형 선택적인 interpret 동 해석하다 respective 형 각자의, 각각의

02 The **injured** *man* had spent months / with his arm in a cast / until he fully recovered.

그 다친 남자는 몇 달을 보냈었다 / 그의 팔이 깁스된 채로 / 그가 완전히 회복했을 때까지
→ 그가 완전히 회복했을 때까지 그 다친 남자는 그의 팔이 깁스된 채로 몇 달을 보냈었다.

어휘 cast 명 깁스

03 *The question* (**asked to the presenter**) / surprised her / and left her unsure of what to say.

(발표자에게 물어진) 그 질문은 / 그녀를 놀라게 했다 / 그리고 그녀를 무엇을 말할지에 대해 불확실한 상태로 뒀다
→ 발표자에게 물어진 그 질문은 그녀를 놀라게 했고 그녀를 무엇을 말할지에 대해 불확실한 상태로 뒀다.

● 「leave+목적어(her)+목적격 보어(unsure ~ say)」의 구조이다.
● 「what+to부정사」는 '무엇을 ~할지'라고 해석한다.

어휘 presenter 명 발표자 unsure 형 불확실한

04 *A group of athletes* (**practicing for the baseball season**) / went to the field / to train new strategies.

(야구 시즌을 위해 연습하는) 한 무리의 운동선수들은 / 경기장으로 갔다 / 새로운 전략을 훈련하기 위해
→ 야구 시즌을 위해 연습하는 한 무리의 운동선수들은 새로운 전략을 훈련하기 위해 경기장으로 갔다.

● to부정사구 to train new strategies는 목적을 나타내는 부사적 용법으로 쓰였다.

어휘 athlete 명 운동선수 field 명 경기장, 들판

05 The test contained / *some problems* (**entailing finding solutions** (**to complex calculations**) **in a logical manner**).

그 시험은 포함했다 / ((복잡한 계산에 대한) 해결책을 논리적인 방식으로 찾는 것을 수반하는) 몇몇 문제들을
→ 그 시험은 복잡한 계산에 대한 해결책을 논리적인 방식으로 찾는 것을 수반하는 몇몇 문제들을 포함했다.

● 동명사구 finding ~ manner는 현재분사 entailing의 목적어로 쓰였다.

어휘 contain 동 포함하다 entail 동 수반하다 logical 형 논리적인

06 The *prepared* **remarks** were sympathetic and kind, // but later they came across as insincere / because they were found to be written by someone else.

준비된 말들은 호의적이고 친절했다 // 하지만 나중에 그것들은 진실되지 않은 인상을 줬다 / 그것들이 다른 누군가에 의해 쓰여진 것이 발견되었기 때문에
→ 준비된 말들은 호의적이고 친절했지만, 그것들이 다른 누군가에 의해 쓰여진 것이 발견되었기 때문에 나중에 그것들은 진실되지 않은 인상을 줬다.

어휘 sympathetic 형 호의적인, 공감하는 come across as ~이라는 인상을 주다 insincere 형 진실되지 않은, 거짓의

07 The auditorium was filled with / **competing** *dancers* (**showing off their dance routines for the judges**).

강당은 가득 찼다 / (심사위원들에게 그들의 춤 동작을 뽐내고 있는) 경쟁하는 댄서들로
→ 강당은 심사위원들에게 그들의 춤 동작을 뽐내고 있는 경쟁하는 댄서들로 가득 찼다.

어휘 show off 뽐내다, 과시하다

고난도
08 *The return policy* (**written on the bottom** (**of the receipt**)) / explains when *items* (**purchased at the store**) can be returned.

((영수증의) 맨 아래에 쓰인) 환불정책은 / (상점에서 구매된) 물건들이 언제 환불될 수 있는지를 설명한다

● when ~ returned는 동사 explains의 목적어 역할을 하는 명사절이다.

어휘 return policy 명 환불정책

명사를 꾸며주는 관계대명사절 해석하기

본책 p.80

01 Making friends with *people* [**who are not involved in your immediate social circle**] / can be more exciting. <모의>

[당신의 가까운 사회적 모임에 관련되지 않은] 사람들과 친구가 되는 것은 / 더 신날 수 있다

● 동명사구 Making ~ circle은 문장에서 주어 역할을 하고 있다.

어휘 be involved in ~에 관련되다, 개입되다 immediate 형 가까운, 직속의 circle 명 모임, 그룹

02 *The man* [**who was cleaning the building**] / let me go inside / when I left my access card in the office.

[건물을 청소하고 있던] 그 남자는 / 내가 안에 들어가도록 허락했다 / 내가 나의 출입카드를 사무실에 두고 왔을 때

→ 내가 나의 출입카드를 사무실에 두고 왔을 때 건물을 청소하고 있던 그 남자는 내가 안에 들어가도록 허락했다.

● 「let+목적어(me)+목적격 보어(go inside)」의 구조이다.

03 A new species (introduced into existing ecosystems) / may be exposed to *a disease* [**that it has not yet developed immunity for**]. <모의응용>

(현존하는 생태계에 들여와진) 새로운 종은 / [그것이 아직 면역을 발달시키지 않은] 질병에 노출될 수도 있다

● 과거분사구 introduced ~ ecosystems는 species를 꾸며준다.

어휘 ecosystem 명 생태계 immunity 명 면역

04 Doctors informed *the woman* [**whose heart had been transplanted from a donor**] / that the surgery had been a complete success.

의사들은 [기증자로부터 심장이 이식되었던] 그 여자에게 알렸다 / 그 수술이 완전한 성공이었다는 것을

→ 의사들은 기증자로부터 심장이 이식되었던 그 여자에게 그 수술이 완전한 성공이었다는 것을 알렸다.

● 「inform+간접 목적어(the woman ~ donor)+직접 목적어(that ~ success)」의 구조이다.

어휘 transplant 동 이식하다 surgery 명 수술

05 *The band* [**which is on stage right now**] is world-famous, // so their entrance caused the audience to stand up and cheer wildly.

[바로 지금 무대 위에 있는] 그 밴드는 세계적으로 유명하다 // 그래서 그들의 입장은 청중들이 일어나서 격렬하게 환호하게 했다

→ 바로 지금 무대 위에 있는 그 밴드는 세계적으로 유명해서, 그들의 입장은 청중들이 일어나서 격렬하게 환호하게 했다.

● 「cause+목적어(the audience)+목적격 보어(to stand ~ wildly)」의 구조이다.

어휘 world-famous 형 세계적으로 유명한 entrance 명 입장, 입구 wildly 부 격렬하게

06 The students were asked / to request a reference letter / from *teachers* [**for whom they had the most opportunity (to demonstrate their abilities)**]. <모의응용>

학생들은 요구되었다 / 추천서를 요청할 것이 / [그들이 (그들의 능력을 증명할) 최대한의 기회를 가졌던] 선생님들에게

→ 학생들은 그들이 그들의 능력을 증명할 최대한의 기회를 가졌던 선생님들에게 추천서를 요청할 것이 요구되었다.

◆ 「ask+목적어(the students)+목적격 보어(to request ~ abilities)」의 구조가 수동태로 바뀐 문장이다.
◆ students 대신 대명사 they가 쓰였다.
◆ to부정사구 to demonstrate their abilities는 opportunity를 꾸며주는 형용사적 용법으로 쓰였다.

어휘 opportunity 명 기회 demonstrate 동 증명하다, 보여주다

07 *The objects* [**that the dog was biting**] / were *large bones* [**that were leftovers from making soup the night before**].

[그 개가 물어뜯고 있던] 그 물체들은 / [전날 밤 수프를 만든 것에서 나온 음식 잔여물인] 큰 뼈들이었다

08 *The general* [**whose strategy had won the war**] was awarded a medal / for his service and dedication.

[전략이 전쟁을 이긴] 그 장군은 훈장을 수여받았다 / 그의 노고와 헌신으로 → 전략이 전쟁을 이긴 그 장군은 그의 노고와 헌신으로 훈장을 수여받았다.
◆ 「award+간접 목적어(the general ~ war)+직접 목적어(a medal)」의 구조가 수동태로 바뀐 문장이다.

어휘 general 명 장군 형 보편적인 strategy 명 전략 dedication 명 헌신

09 The anthropology department spends a lot of time studying / *the humans* [**that lived in this area thousands of years ago**].

인류학과는 공부하는 데 많은 시간을 쓴다 / [수천 년 전 이곳에 살았던] 인간들을 → 인류학과는 수천 년 전 이곳에 살았던 인간들을 공부하는 데 많은 시간을 쓴다.

어휘 anthropology 명 인류학

10 Elephants have evolved / *elaborate greeting behaviors*, [**the form of which reflects the strength (of the social bond)**]. <모의>

코끼리들은 진화시켰다 / [그 형태가 (사회적 유대의) 견고함을 나타내는] 정교한 인사 행위를
→ 코끼리들은 그 형태가 사회적 유대의 견고함을 나타내는 정교한 인사 행위를 진화시켰다.

어휘 evolve 동 진화시키다, 발달하다 elaborate 형 정교한 greeting 명 인사 reflect 동 나타내다, 비추다 bond 명 유대, 끈

11 The number of *people* [**whom we can continue stable relationships with**] / might be limited naturally / by circumstances. <모의응용>

[우리가 안정적인 관계를 지속할 수 있는] 사람들의 수는 / 자연스럽게 제한될 수도 있다 / 상황에 의해
→ 우리가 안정적인 관계를 지속할 수 있는 사람들의 수는 상황에 의해 자연스럽게 제한될 수도 있다.

어휘 circumstance 명 상황

12 Researchers are working on developing / *prosthetic arms* [**whose fingers will be capable of far more intricate movements**].

연구자들은 개발하는 것에 노력을 들이고 있다 / [손가락이 훨씬 더 복잡한 움직임을 할 수 있을] 의수를
→ 연구자들은 손가락이 훨씬 더 복잡한 움직임을 할 수 있을 의수를 개발하는 것에 노력을 들이고 있다.

어휘 be capable of ~할 수 있다 intricate 형 복잡한

13 Optimal experiences / are *moments* [**that we make happen by stretching our body and mind to the limit**]. <모의응용>

최상의 경험들은 / [우리가 우리의 신체와 마음을 한계치까지 뻗음으로써 일어나게 만드는] 순간들이다

어휘 optimal 형 최상의

14 A good education encourages learners to seek out / the opinions (of *intelligent people* [**with whom they disagree**]), / in order to prevent "confirmation bias." <모의>

좋은 교육은 학습자들이 주의 깊게 찾도록 독려한다 / ([그들과 의견이 맞지 않는] 명석한 사람들의) 견해들을 / "확증 편향"을 막기 위해
→ 좋은 교육은 "확증 편향"을 막기 위해 학습자들이 그들과 의견이 맞지 않는 명석한 사람들의 견해들을 주의 깊게 찾도록 독려한다.

- 「encourage+목적어(learners)+목적격 보어(to seek ~ disagree)」의 구조이다.
- learners 대신 대명사 they가 쓰였다.
- to부정사구 to prevent "confirmation bias"는 목적을 나타내는 부사적 용법으로 쓰였으며, to 대신 in order to가 왔다.

어휘 seek out ~을 주의 깊게 찾다, ~을 찾아내다 prevent 동 막다, 예방하다

고난도
15 Someday, / we will be able to read the genetic information from a plant / and reconstitute *the plant's genes*, [**the information of which was once a part**]. <모의응용>

언젠가 / 우리는 식물로부터 유전적인 정보를 읽을 수 있을 것이다 / 그리고 [한때 그 정보가 한 일부였던] 식물의 유전자를 재구성할 수 있을 것이다
→ 언젠가, 우리는 식물로부터 유전적인 정보를 읽고 한때 그 정보가 한 일부였던 식물의 유전자를 재구성할 수 있을 것이다.

- read와 reconstitute가 등위접속사 and로 연결되어 있으며, will be able to와 함께 쓰인 동사원형에 해당한다.

어휘 genetic 형 유전적인 reconstitute 동 재구성하다

UNIT 41 명사를 꾸며주는 관계부사절 해석하기

본책 p.82

01 Anger often indicates ignored values, // so we need to think of / *specific times* [**when we were mad**] / to find our values. <모의응용>

화는 종종 간과된 가치관을 나타낸다 // 그래서 우리는 떠올릴 필요가 있다 / [우리가 화났던] 특정 시기들을 / 우리의 가치관을 찾기 위해
→ 화는 종종 간과된 가치관을 나타내서, 우리는 우리의 가치관을 찾기 위해 우리가 화났던 특정 시기들을 떠올릴 필요가 있다.

- to부정사구 to find our values는 목적을 나타내는 부사적 용법으로 쓰였다.

02 A recent study suggested / that vegetation scarcity (due to changes (in weather patterns)) is *the reason* [**why mammoths went extinct**].

최근의 연구는 주장했다 / ((날씨 양상에의) 변화로 인한) 초목 부족이 [매머드가 멸종한] 이유라고
→ 최근의 연구는 날씨 양상에의 변화로 인한 초목 부족이 매머드가 멸종한 이유라고 주장했다.

- that ~ extinct는 동사 suggested의 목적어로 쓰인 명사절이다.

어휘 vegetation 명 초목 scarcity 명 부족, 결핍 pattern 명 양상, 형태 extinct 형 멸종한

03 The year 2000 / was *a year* [**when people were panicking about numerous upcoming technological changes**].

2000년은 / [사람들이 다가오는 수많은 기술적 변화들에 대해 당황하고 있던] 해였다

어휘 panic 동 당황하다 명 공포

04 You're the only artist in the world [who can draw *the way* [**you do**]], / since each of us has our own unique style. <모의응용>

당신은 [당신이 하는] 방법으로 그릴 수 있는 세계에서 유일한 예술가이다 / 우리 각자는 우리 자신의 유일한 방식을 가지고 있기 때문에
→ 우리 각자는 우리 자신의 유일한 방식을 가지고 있기 때문에, 당신은 당신이 하는 방법으로 그릴 수 있는 세계에서 유일한 예술가이다.

⊙ who ~ do는 artist를 꾸며주는 주격 관계대명사절이다.

05 *The factory* [**where my company manufactures products**] / is currently closed / to replace the old machines with new ones.

[나의 회사가 상품을 제조하는] 공장은 / 현재 닫혔다 / 낡은 기계들을 새 것으로 교체하기 위해
→ 나의 회사가 상품을 제조하는 공장은 현재 낡은 기계들을 새 것으로 교체하기 위해 닫혔다.

⊙ to부정사구 to replace ~ ones는 목적을 나타내는 부사적 용법으로 쓰였다.

어휘 manufacture 동 제조하다 replace 동 교체하다

06 *The days* [**during which we are the busiest**] / are often the times [that teach us how to respond to stressful situations].

[우리가 가장 바쁜] 날들은 / 종종 [우리에게 스트레스 받는 상황들에 어떻게 대응할지를 가르쳐주는] 시간들이다

⊙ that ~ situations는 times를 꾸며주는 주격 관계대명사절이다.
⊙ 「teach+간접 목적어(us)+직접 목적어(how ~ situations)」의 구조이다.

어휘 stressful 형 스트레스 받는, 긴장을 일으키는

07 Researchers found / **how the African village weaverbirds tell their eggs from cuckoos'** / by identifying those eggs (with different freckles). <모의응용>

연구자들은 발견했다 / 아프리카 마을 피리새가 그들의 알을 뻐꾸기의 것으로부터 구별하는 방법을 / (다른 얼룩을 가진) 알들을 식별함으로써
→ 연구자들은 아프리카 마을 피리새가 다른 얼룩을 가진 알들을 식별함으로써 그들의 알을 뻐꾸기의 것으로부터 구별하는 방법을 발견했다.

어휘 tell 동 구별하다 cuckoo 명 뻐꾸기 freckle 명 얼룩

고난도
08 *The reason* [**why herbivores have eyes on the sides (of their heads)**] / is that it enables them to watch out for approaching predators.

[초식동물들이 (그들 머리의) 측면에 눈이 있는] 이유는 / 그것이 그들이 접근하는 포식자들을 경계하는 것을 가능하게 한다는 것이다

⊙ that ~ predators는 문장에서 주격 보어 역할을 하는 명사절이다.
⊙ 「enable+목적어(them)+목적격 보어(to watch ~ predators)」의 구조이다.

관계사가 생략된 관계사절 해석하기

본책 p.83

01 *A lot of sophisticated products* [**we use today**] / have developed / through a long period of technological evolution. <모의응용>

[오늘날 우리가 사용하는] 많은 정교한 제품들은 / 발전해왔다 / 오랜 기간의 기술적 진화를 통해
→ 오늘날 우리가 사용하는 많은 정교한 제품들은 오랜 기간의 기술적 진화를 통해 발전해왔다.

어휘 sophisticated 형 정교한, 수준 높은 evolution 명 진화

02 There were some delays / with *the athlete* [**we attempted to recruit for the team**], / as she was considering other offers then.

약간의 지체가 있었다 / [우리가 팀으로 선발하려고 시도한] 운동선수와 / 그녀가 그때 다른 제안들을 고려하고 있었기 때문에
→ 그녀가 그때 다른 제안들을 고려하고 있었기 때문에, 우리가 팀으로 선발하려고 시도한 운동선수와 약간의 지체가 있었다.

⊙ to부정사구 to recruit ~ team은 동사 attempted의 목적어로 쓰였다.

어휘 recruit 동 선발하다, 채용하다

03 *The book* [**the writer put a lot of work into**] was revolutionary, // and it has influenced almost every author / since it was first published.

[그 작가가 많은 공을 들인] 그 책은 혁신적이었다 // 그리고 그것은 거의 모든 작가에게 영향을 줘 왔다 / 그것이 처음 출판된 이후로
→ 그 작가가 많은 공을 들인 그 책은 혁신적이었고, 그것은 처음 출판된 이후로 거의 모든 작가에게 영향을 줘 왔다.

어휘 revolutionary 형 혁신적인

04 The whole office tried to find / the answer (to *the question* [**the manager asked them**]), // but they could never get it.

그 사무실 전체가 찾으려고 노력했다 / ([관리자가 그들에게 물은] 질문에 대한) 답을 // 그러나 그들은 절대 그것을 구할 수 없었다
→ 그 사무실 전체가 관리자가 그들에게 물은 질문에 대한 답을 찾으려고 노력했으나, 그들은 절대 그것을 구할 수 없었다.

⊙ to부정사구 to find ~ them은 동사 tried의 목적어로 쓰였다.
⊙ 「ask+직접 목적어(them)+간접 목적어(the question)」의 구조에서 바뀐 관계사절이다.

05 The birth of a child in a family / is often *the reason* [**people begin to take up photography**]. <모의>

한 가족 안에서 아이의 탄생은 / 종종 [사람들이 사진 찍기를 배우기 시작하는] 이유이다

⊙ to부정사구 to take up photography는 동사 begin의 목적어로 쓰였다.

어휘 take up 시작하다, 회복되다

06 At the corporate dinner, / the CEO stood up / and told a story (about *the time* [**he first imagined founding the company**]).

기업 만찬에서 / 최고 경영자는 일어났다 / 그리고 ([그가 처음 회사를 창립하는 것을 상상했던] 때에 대한) 이야기를 했다
→ 기업 만찬에서, 최고 경영자는 일어났고 그가 처음 회사를 창립하는 것을 상상했던 때에 대한 이야기를 했다.

◐ 동명사구 founding the company는 동사 imagined의 목적어로 쓰였다.

어휘 corporate 형 기업의, 회사의 found 동 창립하다, 설립하다

07 The fear (of making a mistake) / is exactly *the reason* [**I spend so much time on research before taking on a project**].

(실수를 하는 것에 대한) 두려움은 / 정확히 [내가 프로젝트를 맡기 전 조사에 많은 시간을 쓰는] 이유이다

어휘 take on 동 (일 등을) 맡다

고난도
08 Whenever people experience hardships or loss, / the chest is generally *the place* [**they feel the most physical discomfort**].

사람들이 어려움이나 상실을 겪을 때마다 / 가슴은 일반적으로 [그들이 가장 신체적 불편함을 느끼는] 곳이다

어휘 hardship 명 어려움, 곤란 loss 명 상실, 손실 discomfort 명 불편함

UNIT 43 콤마와 함께 쓰인 관계사절 해석하기

본책 p.84

01 The Netherlands has *the world's largest tidal surge barrier*, / **which was constructed after disastrous floods (in 1953).** <모의응용>

네덜란드는 세계에서 가장 큰 해일 장벽을 가지고 있다 / 그리고 그것은 (1953년의) 처참한 홍수 이후에 건축되었다
→ 네덜란드는 세계에서 가장 큰 해일 장벽을 가지고 있고, 그것은 1953년의 처참한 홍수 이후에 건축되었다.

어휘 tidal surge 해일 barrier 명 장벽, 장애물 disastrous 형 처참한, 피해가 막심한

02 *Phyllium giganteum*, / **which is called the "walking leaf,"** / disguises itself / to hide from the enemy. <모의응용>

큰나뭇잎벌레는 / "걸어 다니는 잎사귀"라고 불리는데 / 그것 자신을 위장한다 / 적으로부터 숨기 위해
→ 큰나뭇잎벌레는 "걸어 다니는 잎사귀"라고 불리는데, 적으로부터 숨기 위해 그것 자신을 위장한다.

◐ to부정사구 to hide ~ enemy는 목적을 나타내는 부사적 용법으로 쓰였다.

어휘 disguise 동 위장하다

03 It took years for the market to respond positively to *the automobile*, / **which was originally considered unsafe / by the public.**

시장이 자동차에 긍정적으로 반응하는 데 수년이 걸렸다 / 그런데 그것은 처음에는 안전하지 않은 것으로 여겨졌다 / 대중들에 의해
→ 시장이 자동차에 긍정적으로 반응하는 데 수년이 걸렸는데, 그것은 처음에는 대중들에 의해 안전하지 않은 것으로 여겨졌다.

◐ to부정사구 to respond ~ automobile의 의미상 주어로 the market이 쓰였다.
◐ 「consider+목적어(the automobile)+목적격 보어(unsafe)」의 구조가 수동태로 바뀐 관계사절이다.

어휘 automobile 명 자동차 originally 부 처음에는, 원래는

04 *The survey respondents*, / **who the researchers selected entirely at random**, / strangely had much in common.

그 설문 응답자들은 / 연구자들이 완전히 무작위로 선발했는데 / 이상하게 공통점이 많았다

어휘 respondent 명 응답자 at random 무작위로, 되는대로 strangely 부 이상하게 have much in common 공통점이 많다

05 *Climate change had a tremendous impact / on the average temperatures (in cities)*, / **which motivated more people to move to the countryside.**

기후 변화는 엄청난 영향을 미쳤다 / (도시의) 평균 기온에 / 그리고 그것은 더 많은 사람들이 시골로 이주하도록 동기를 부여했다

→ 기후 변화는 도시의 평균 기온에 엄청난 영향을 미쳤고, 그것은 더 많은 사람들이 시골로 이주하도록 동기를 부여했다.

⊙ 「motivate+목적어(more people)+목적격 보어(to move ~ countryside)」의 구조이다.

어휘 tremendous 형 엄청난 average 형 평균의, 보통의 명 평균 motivate 동 동기를 부여하다 countryside 명 시골, 교외

고난도

06 *Declining the previous offer*, / **which forced the importer to offer a larger amount of money**, / was the strategy [that the export company lawyer recommended].

이전의 제안을 거절하는 것은 / 수입자가 더 큰 액수의 돈을 제안하도록 강요했는데 / [수출 회사 변호사가 제시한] 전략이었다

⊙ 동명사구 Declining ~ offer는 문장에서 주어 역할을 하고 있다.

⊙ 「force+목적어(the importer)+목적격 보어(to offer ~ money)」의 구조이다.

⊙ that ~ recommended는 strategy를 꾸며주는 목적격 관계대명사절이다.

어휘 decline 동 거절하다 previous 형 이전의 force 동 강요하다 importer 명 수입자 export 형 수출의 명 수출

07 Dr. Lambert recommended *many hands-on activities*, / **all of which contribute to a reduction in stress and anxiety.** <모의응용>

Lambert 박사는 손으로 하는 많은 활동들을 추천했다 / 그리고 그것들 중 모두는 스트레스와 불안의 감소에 기여한다

→ Lambert 박사는 손으로 하는 많은 활동들을 추천했고, 그것들 중 모두는 스트레스와 불안의 감소에 기여한다.

어휘 reduction 명 감소

08 The provocative advertisement was rejected by *the focus group's participants*, / **most of whom were very firm / about their disapproval.**

그 자극적인 광고는 소비자 그룹의 참가자들에 의해 거부되었다 / 그리고 그들 중 대부분이 매우 강경했다 / 그들의 반대에 대해

→ 그 자극적인 광고는 소비자 그룹의 참가자들에 의해 거부되었고, 그들 중 대부분이 그들의 반대에 대해 매우 강경했다.

어휘 provocative 형 자극적인 participant 명 참가자 firm 형 강경한, 확고한 disapproval 명 반대

09 The vineyard grows *a wide selection of grapes*, / **only some of which are aged and turned into wines.**

그 포도밭은 다양한 종류의 포도를 기른다 / 그런데 그것들 중 몇몇만이 숙성되고 포도주로 바뀐다

→ 그 포도밭은 다양한 종류의 포도를 기르는데, 그것들 중 몇몇만이 숙성되고 포도주로 바뀐다.

⊙ aged와 turned가 등위접속사 and로 연결되어 있으며, be동사 are와 함께 쓰인 과거분사에 해당한다.

어휘 vineyard 명 포도밭 a wide selection of 다양한 종류의, 다양하게 구비된 age 동 숙성하다, 익히다

10 On January 10, 1992, / a ship (traveling through rough seas) lost *12 cargo containers*, / **one of which held 28,800 floating bath toys.** <모의>

1992년 1월 10일에 / (거친 바다를 항해하는) 배 한 척이 12개의 화물 컨테이너를 잃어버렸다 / 그런데 그것들 중 하나는 28,800개의 물에 뜨는 목욕용 장난감을 싣고 있었다 → 1992년 1월 10일에, 거친 바다를 항해하는 배 한 척이 12개의 화물 컨테이너를 잃어버렸는데, 그것들 중 하나는 28,800개의 물에 뜨는 목욕용 장난감을 싣고 있었다.

⊙ 현재분사구 traveling ~ seas는 ship을 꾸며준다.

어휘 cargo 명 화물, 짐 float 동 (물에) 뜨다, 떠다니다

11 The nation has *a massive population*, / **half of which disagree about current national policies / and are working together for change.**

그 나라는 엄청난 인구를 가지고 있다 / 그런데 그들 중 절반은 현재의 국가 정책들에 대해 동의하지 않는다 / 그리고 변화를 위해 함께 일하고 있다
→ 그 나라는 엄청난 인구를 가지고 있는데, 그들 중 절반은 현재의 국가 정책들에 대해 동의하지 않고 변화를 위해 함께 일하고 있다.

어휘 massive 형 엄청난, 대규모의 current 형 현재의

12 Dutch auctions are different from *regular auctions*, / **where an item starts at a minimum price.** <모의응용>

역경매는 일반적인 경매와 다르다 / 그리고 그곳에서 물품은 최소 가격에서 시작한다
→ 역경매는 일반적인 경매와 다르고, 그곳에서 물품은 최소 가격에서 시작한다.

어휘 Dutch auction 명 역경매(팔릴 때까지 값을 내려가는 경매법)

13 Those (in their 50s) may get nostalgic about *their youth*, / **when they had almost no concerns or responsibilities (to deal with).**

(50대인) 사람들은 그들의 젊은 시절에 대해 향수를 느낄 수도 있다 / 그런데 그때 그들은 (처리할) 걱정이나 책임이 거의 없었다
→ 50대인 사람들은 그들의 젊은 시절에 대해 향수를 느낄 수도 있는데, 그때 그들은 처리할 걱정이나 책임이 거의 없었다.

● to부정사구 to deal with는 concerns와 responsibilities를 꾸며주는 형용사적 용법으로 쓰였다.

어휘 nostalgic 형 향수를 느끼는 youth 명 젊은 시절, 젊음 responsibility 명 책임 deal with ~을 처리하다, 다루다

14 Farmers often gather / in *co-operative markets*, / **where they sell their produce to local customers.**

농부들은 종종 모인다 / 협동조합 시장에서 / 그리고 그곳에서 그들은 그들의 생산품을 지역의 고객들에게 판다
→ 농부들은 협동조합 시장에서 종종 모이고, 그곳에서 그들은 그들의 생산품을 지역의 고객들에게 판다.

어휘 co-operative 형 협동조합, 소비조합의 produce 명 생산품 동 생산하다

15 Many people stay inside more / and become less social / during *the rainy season*, / **when the weather prohibits a number of activities.**

많은 사람들이 실내에 더 머무른다 / 그리고 덜 사교적이 된다 / 장마철에 / 그런데 그때 날씨가 많은 활동을 방해한다
→ 많은 사람들이 장마철에 실내에 더 머무르고 덜 사교적이 되는데, 그때 날씨가 많은 활동을 방해한다.

● stay와 become이 등위접속사 and로 연결되어 병렬 구문을 이룬다.

어휘 prohibit 동 방해하다, 금지하다

고난도
16 A colony [that explores more widely for food] / has a more "risk-taking" personality, // and this is more common in *the north*, / **where the climate is colder.** <모의응용>

[식량을 위해 더 넓게 탐험하는] 집단은 / 더 "위험을 감수하는" 성격을 가지고 있다 / 그리고 이것은 북쪽에서 더 흔하다 / 그런데 그곳은 기후가 더 춥다
→ 식량을 위해 더 넓게 탐험하는 집단은 더 "위험을 감수하는" 성격을 가지고 있고, 이것은 북쪽에서 더 흔한데, 그곳은 기후가 더 춥다.

● that ~ food는 colony를 꾸며주는 주격 관계대명사절이다.

어휘 colony 명 집단 personality 명 성격

UNIT 44 다양한 형태의 관계사절 해석하기

본책 p.86

01 Future Drive Motor Show is / *the most popular motor show* (**in the world**) [**that has been held annually since 2001**]. <모의>

Future Drive Motor Show는 ~이다 / [2001년 이래로 매년 개최되어온] (세상에서) 가장 인기 있는 모터쇼
→ Future Drive Motor Show는 2001년 이래로 매년 개최되어온 세상에서 가장 인기 있는 모터쇼이다.

어휘 annually 부 매년, 한 해에

02 Many modern accomplishments were achieved / by *generations* (**of people worldwide**) [**that preceded the current one**].

많은 현대의 업적들은 성취되었다 / (전 세계 사람들의) [현재의 것보다 앞선] 세대들에 의해
→ 많은 현대의 업적들은 전 세계 사람들의 현재의 세대보다 앞선 세대들에 의해 성취되었다.

어휘 generation 명 세대 precede 동 앞서다, 선행하다

03 Every living thing includes / *components* (**essential for survival**) [**that are paradoxically from the nonliving universe**]. <모의응용>

모든 생명체는 함유한다 / [역설적이게도 무생물 영역으로부터 온] (생존에 필수적인) 성분들을
→ 모든 생명체는 역설적이게도 무생물 영역으로부터 온 생존에 필수적인 성분들을 함유한다.

어휘 component 명 성분 essential 형 필수적인 paradoxically 부 역설적이게도, 모순적으로

고난도
04 *The scientist* (**on the project**) [**who first reported the discovery**] / was extremely excited / about the potential applications [it could lead to].

[그 발견을 처음 보고한] (그 프로젝트의) 과학자는 / 극도로 흥분했다 / [그것이 가져올 수 있는] 잠재적인 활용에 대해
→ 그 발견을 처음 보고한 그 프로젝트의 과학자는 그것이 가져올 수 있는 잠재적인 활용에 대해 극도로 흥분했다.

- applications와 it 사이에는 목적격 관계대명사가 생략되어 있다.
- the discovery 대신 대명사 it이 쓰였다.

어휘 discovery 명 발견 application 명 활용, 적용

05 Mature workers often have / *skills* [**that are quite specific to the firm**] but [**that are not general enough to move between jobs**]. <모의응용>

원숙한 근로자들은 종종 가지고 있다 / [회사에 꽤 특정적인] 그러나 [이직할 만큼 충분히 보편적이지 않은] 기술들을
→ 원숙한 근로자들은 종종 회사에 꽤 특정적이지만 이직할 만큼 충분히 보편적이지 않은 기술들을 가지고 있다.

어휘 mature 형 원숙한, 성숙한

06 We tried to find / *an opportunity* [**that wasn't being taken advantage of by other businesses**], [**that filled a gap in the market**].

우리는 찾으려고 노력했다 / [다른 사업체에 의해 이용되고 있지 않은], [시장의 틈새를 메우는] 기회를
→ 우리는 다른 사업체에 의해 이용되고 있지 않고, 시장의 틈새를 메우는 기회를 찾으려고 노력했다.

어휘 take advantage of ~을 이용하다 fill a gap 틈새를 메우다, 격차를 줄이다

07 *Each idea* [**that our team comes across**] [**that is outside our current strategies**] / is worth considering fully / as a means (of finding the key (to the problem)).

[우리 팀이 우연히 마주치는] [우리의 현재의 전략 밖에 있는] 각각의 아이디어는 / 충분하게 고려할 가치가 있다 / ((문제에 대한) 열쇠를 찾는) 수단으로서
→ 우리 팀이 우연히 마주치는 우리의 현재의 전략 밖에 있는 각각의 아이디어는 문제에 대한 열쇠를 찾는 수단으로서 충분하게 고려할 가치가 있다.

어휘 come across 우연히 마주치다 means 명 수단

고난도
08 *Students* [**who are given responsibility in choosing what to learn**] or [**who are allowed flexibility in determining class schedules**] / tend to achieve more academic success.

[무엇을 배울지를 선택할 책임이 주어진] 또는 [수업 일정을 정하는 것에 유연성이 허락된] 학생들은 / 더 많은 학문적 성공을 거두는 경향이 있다
→ 무엇을 배울지를 선택할 책임이 주어지거나 수업 일정을 정하는 것에 유연성이 허락된 학생들은 더 많은 학문적 성공을 거두는 경향이 있다.

- 「give+간접 목적어(students)+직접 목적어(responsibility ~ learn)」의 구조가 수동태로 바뀐 관계사절이다.
- 「allow+간접 목적어(students)+직접 목적어(flexibility ~ schedules)」의 구조가 수동태로 바뀐 관계사절이다.

어휘 flexibility 명 유연성 academic 형 학문적인

09 *The time* may soon come [**when we have to take an oxygen tank with us**]. <수능>

[우리가 산소 탱크를 가지고 다녀야 하는] 때가 곧 올 수도 있다.

10 *A label* is required [**which explicitly describes the substances (included in food products)**].

[(식품에 포함된) 재료들을 명료하게 설명하는] 라벨은 필수적이다.

- 과거분사구 included ~ products는 substances를 꾸며준다.

어휘 explicitly 부 명료하게 substance 명 재료, 물질

11 *The technology classes* were offered [**that have generated the greatest interest**] / by the top universities.

[가장 큰 관심을 불러일으킨] 기술 수업들이 제공되었다 / 최고의 대학들에 의해 → 가장 큰 관심을 불러일으킨 기술 수업들이 최고의 대학들에 의해 제공되었다.

어휘 generate 동 불러일으키다, 발생시키다

고난도
12 *The best place* was found [**where the researchers can study the new toxic substance without harming the local residents**].

[지역 주민들에게 해를 끼치지 않고 연구자들이 새로운 독성 물질을 연구할 수 있는] 최적의 장소가 발견되었다.

어휘 toxic 형 독성의, 유독한

13 I would like to thank you / for your recent orders / and also make *a suggestion* [which ((**I think**)) will be agreeable to you]. <모의응용>

저는 당신에게 감사하고 싶습니다 / 당신의 최근 주문에 대해 / 그리고 또한 [((제가 생각하기에)) 당신에게 알맞을] 제안을 하고 싶습니다
→ 저는 당신에게 당신의 최근 주문에 대해 감사하고 싶고 또한 제가 생각하기에 당신에게 알맞을 제안을 하고 싶습니다.

어휘 suggestion 명 제안 agreeable 형 알맞은, 적당한

14 The medical researchers made / *a breakthrough* [that ((**they believe**)) will be beneficial for countless diabetes patients].

그 의료진은 만들었다 / [((그들이 믿기에)) 수많은 당뇨병 환자들에게 이로울] 혁신을
→ 그 의료진은 그들이 믿기에 수많은 당뇨병 환자들에게 이로울 혁신을 만들었다.

어휘 beneficial 형 이로운 diabetes 명 당뇨병

15 The chef has altered her recipe / and added *a special ingredient* [that ((**she feels**)) you will enjoy] / to your meal.

주방장이 그녀의 요리법을 바꿨다 / 그리고 [((그녀가 느끼기에)) 당신이 좋아할] 특별한 재료를 추가했다 / 당신의 음식에
→ 주방장이 그녀의 요리법을 바꿨고 그녀가 느끼기에 당신이 좋아할 특별한 재료를 당신의 음식에 추가했다.

● altered와 added가 등위접속사 and로 연결되어 있으며, has와 함께 쓰인 과거분사에 해당한다.

어휘 alter 동 바꾸다

고난도
16 The politician is holding / *a press conference* [that ((**I'm afraid**)) will not provide the information [people all have been seeking]].

그 정치인은 열 것이다 / [((유감이지만)) [국민들 모두가 추구하고 있는] 그 정보를 제공하지 않을] 기자회견을
→ 그 정치인은 유감이지만 국민들 모두가 추구하고 있는 그 정보를 제공하지 않을 기자회견을 열 것이다.

● information과 people 사이에는 목적격 관계대명사가 생략되어 있다.

어휘 press conference 명 기자회견

Chapter Test

본책 p.88

01 In summer, / we find / public parks *the most relaxing place* (**to gather with friends**).

여름에 / 우리는 생각한다 / 공원을 (친구들과 모일) 가장 편한 장소라고 → 여름에, 우리는 공원을 친구들과 모일 가장 편한 장소라고 생각한다.

● 「find+목적어(public parks)+목적격 보어(the ~ friends)」의 구조이다.

02 *The reason* [**you should communicate problems promptly**] / is that it leads to better results.

[네가 문제를 신속하게 전달해야 하는] 이유는 / 그것이 더 나은 결과로 이어지게 한다는 것이다

● that ~ results는 문장에서 주격 보어 역할을 하는 명사절이다.

어휘 communicate 동 전달하다, 소통하다 promptly 부 신속하게, 빠르게

03 *People* [**who have limited experience with a particular subject**] / are often a valuable resource, / as they provide an unbiased perspective.

[특정 주제에 관해 제한된 경험을 가진] 사람들은 / 종종 귀중한 자원이다 / 그들이 편견 없는 관점을 제공하기 때문에
→ 그들이 편견 없는 관점을 제공하기 때문에, 특정 주제에 관해 제한된 경험을 가진 사람들은 종종 귀중한 자원이다.

어휘 perspective 명 관점

04 *Coastal cities* (**facing the threat of flooding**) often use sandbags / to control *the water* (**coming into the area**).

(홍수의 위협에 직면하는) 해안 도시들은 종종 모래주머니를 사용한다 / (그 지역으로 들어오는) 물을 통제하기 위해
→ 홍수의 위협에 직면하는 해안 도시들은 그 지역으로 들어오는 물을 통제하기 위해 종종 모래주머니를 사용한다.

● to부정사구 to control ~ area는 목적을 나타내는 부사적 용법으로 쓰였다.

어휘 coastal 형 해안의

05 The book had *a plot structure* (**confusing for the general public**), // so it couldn't hold their attention.

그 책은 (일반 대중들에게 혼란스러운) 줄거리 구조를 가졌다 // 그래서 그것은 그들의 관심을 붙들 수 없었다
→ 그 책은 일반 대중들에게 혼란스러운 줄거리 구조를 가져서, 그것은 그들의 관심을 붙들 수 없었다.

어휘 plot 명 줄거리

06 Salt is / *the ingredient* [**that is the easiest to overuse**] but [**that is also the most important for improving food taste**].

소금은 / [남용하기에 가장 쉬운] 그러나 [또한 음식 맛을 개선하기 위해 가장 중요한] 재료이다
→ 소금은 남용하기에 가장 쉽지만 또한 음식 맛을 개선하기 위해 가장 중요한 재료이다.

어휘 overuse 동 남용하다

07 *Some people make their own versions of programs*, / **which may indicate technologies (from certain companies) are not trusted.**

몇몇 사람들은 그들 자신의 버전의 프로그램을 만든다 / 그런데 그것은 (특정 회사들의) 기술이 신용되지 않는다는 것을 나타낼 수도 있다
→ 몇몇 사람들은 그들 자신의 버전의 프로그램을 만드는데, 그것은 특정 회사들의 기술이 신용되지 않는다는 것을 나타낼 수도 있다.

● indicate와 technologies 사이에는 명사절 접속사 that이 생략되어 있다.

08 *The car* [**that the customer brought into the shop**] was an older model, // and it was hard to find parts (for it).

[그 고객이 매장으로 가져온] 그 차는 이전 모델이었다 // 그리고 (그것을 위한) 부품을 구하기가 어려웠다
→ 그 고객이 매장으로 가져온 그 차는 이전 모델이었고, 그것을 위한 부품을 구하기가 어려웠다.

● 진주어 to find parts for it 대신 가주어 it이 주어 자리에 쓰였다.

고난도
09 Police may offer commutations / for *criminals* (**providing information about *a person* [by whom a larger crime was committed]**).

경찰은 감형을 제안할 수도 있다 / ([더 큰 범죄를 저지른] 사람에 대한 정보를 제공하는) 범죄자들에게
→ 경찰은 더 큰 범죄를 저지른 사람에 대한 정보를 제공하는 범죄자들에게 감형을 제안할 수도 있다.

어휘 commit 동 저지르다, 범하다

10 The quality (of the story, sound effects, and acting) can enhance a film's power, // but even those cannot save *a film* [**whose images are mediocre or poorly edited**]. <모의응용>

(줄거리, 음향 효과, 그리고 연기의) 우수성은 영화의 힘을 강화시킬 수 있다 // 하지만 그것들조차 [이미지가 평범하거나 형편없이 편집된] 영화를 구제할 수는 없다
→ 줄거리, 음향 효과, 그리고 연기의 우수성은 영화의 힘을 강화시킬 수 있지만, 그것들조차 이미지가 평범하거나 형편없이 편집된 영화를 구제할 수는 없다.

어휘 sound effect 명 음향 효과 enhance 동 강화시키다 mediocre 형 평범한

CHAPTER 08 부사구

다양한 의미를 나타내는 to부정사 해석하기

본책 p.90

01 The initial approach (of Method acting) / was recalling a past experience / **to apply** it to the scene. <모의응용>

(메소드 연기의) 초기 접근법은 / 과거의 경험을 회상하는 것이었다 / 그것을 무대에 적용하기 위해

→ 메소드 연기의 초기 접근법은 그것을 무대에 적용하기 위해 과거의 경험을 회상하는 것이었다.

- = The initial approach of Method acting was recalling a past experience **in order to**[**so as to**] **apply** it to the scene.
- a past experience 대신 대명사 it이 쓰였다.

어휘 initial 형 초기의 recall 동 회상하다

02 The company produced / a commercial (featuring customer reviews) / **to convince** people to buy the new product.

그 회사는 제작했다 / (고객 후기를 포함한) 광고를 / 사람들이 새로운 제품을 구매하도록 설득하기 위해

→ 그 회사는 사람들이 새로운 제품을 구매하도록 설득하기 위해 고객 후기를 포함한 광고를 제작했다.

- = The company produced a commercial featuring customer reviews **in order to**[**so as to**] **convince** people to buy the new product.
- 현재분사구 featuring customer reviews는 commercial을 꾸며준다.
- 「convince+목적어(people)+목적격 보어(to buy ~ product)」의 구조이다.

어휘 commercial 명 광고 feature 동 포함하다, ~을 특종으로 삼다

03 The traveler acted as carefully as possible / **so as not to break** social customs or offend the local residents.

그 여행자는 가능한 한 조심스럽게 행동했다 / 사회적 관습을 어기거나 현지 거주민들을 불쾌하게 하지 않기 위해

→ 그 여행자는 사회적 관습을 어기거나 현지 거주민들을 불쾌하게 하지 않기 위해 가능한 한 조심스럽게 행동했다.

- break와 offend가 등위접속사 or로 연결되어 있으며, 목적을 나타내는 to부정사의 동사원형에 해당한다.

어휘 break 동 (법률 등을) 어기다

04 Challenging our own convictions and attacking others' beliefs should be accepted / **in order to revitalize** public conversation. <모의응용>

우리 자신의 신념에 이의를 제기하는 것과 다른 사람들의 믿음을 공격하는 것은 받아들여져야 한다 / 대중적 논의를 활성화시키기 위해

→ 우리 자신의 신념에 이의를 제기하는 것과 다른 사람들의 믿음을 공격하는 것은 대중적 논의를 활성화시키기 위해 받아들여져야 한다.

- 동명사 Challenging과 attacking이 등위접속사 and로 연결되어 병렬 구문을 이룬다.

어휘 challenge 동 이의를 제기하다, 도전하다 conviction 명 신념 revitalize 동 활성화시키다

05 We are glad / **to announce** that we will offer the Summer Aviation Flight Camp / with student pilot certificates. <모의>

저희는 기쁩니다 / 저희가 여름 항공 비행 캠프를 제공할 것을 발표하게 되어 / 학생 조종사 수료증과 함께

→ 저희는 학생 조종사 수료증과 함께 여름 항공 비행 캠프를 제공할 것을 발표하게 되어 기쁩니다.

- that ~ certificates는 to부정사 to announce의 목적어 역할을 하는 명사절이다.

어휘 aviation 명 항공(술) certificate 명 수료증

06 The boy must be clever / **to use** a piece of wood to stabilize the object / while he painted it.

그 남자아이는 똑똑함이 틀림없다 / 그 물건을 고정시키기 위해 나무 조각을 사용한 것을 보니 / 그가 그것을 페인트칠하는 동안
→ 그 남자아이는 그가 그 물건을 페인트칠하는 동안 그것을 고정시키기 위해 나무 조각을 사용한 것을 보니 똑똑함이 틀림없다.

- to부정사구 to stabilize the object는 목적을 나타내는 부사적 용법으로 쓰였다.
- the object 대신 대명사 it이 쓰였다.

07 Ms. Davis was annoyed / **to learn** that the road [she takes to work] would be closed / for construction / throughout the month.

Davis씨는 짜증이 났다 / [그녀가 직장에 갈 때 이용하는] 길이 폐쇄될 것이라는 것을 알게 되어 / 공사 때문에 / 그 달 내내
→ Davis씨는 그녀가 직장에 갈 때 이용하는 길이 공사 때문에 그 달 내내 폐쇄될 것이라는 것을 알게 되어 짜증이 났다.

- that ~ month는 to부정사 to learn의 목적어 역할을 하는 명사절이다.
- road와 she 사이에는 목적격 관계대명사가 생략되어 있다.

고난도

08 He is foolish / **to stick to** his old vision / in the face of new data, / when modifying it is even better. <모의응용>

그는 어리석다 / 그의 오래된 관점을 고수하는 것을 보니 / 새로운 데이터 앞에서 / 그것을 바꾸는 것이 훨씬 더 좋음에도 불구하고
→ 그의 오래된 관점을 바꾸는 것이 훨씬 더 좋음에도 불구하고, 그가 새로운 데이터 앞에서 그것을 고수하는 것을 보니 어리석다.

- 동명사구 modifying it은 절에서 주어 역할을 하고 있다.
- his old vision 대신 대명사 it이 쓰였다.

어휘 stick to 고수하다, 굳게 지키다 vision 명 관점 modify 동 바꾸다, 수정하다

09 You might pick a choice [that looks familiar], / only **to find** that it wasn't the best answer. <모의응용>

너는 [익숙해 보이는] 선택지를 고를 수도 있다 / 그러나 결국 그것이 최선의 답이 아니었다는 것을 알게 된다
→ 너는 익숙해 보이는 선택지를 고를 수도 있으나, 결국 그것이 최선의 답이 아니었다는 것을 알게 된다.

- that looks familiar는 choice를 꾸며주는 주격 관계대명사절이다.

10 Aaron grew up **to graduate** with top honors / from his university / and is now at a graduate school / learning engineering. <모의응용>

Aaron은 자라서 최우등으로 졸업했다 / 그의 대학교에서 / 그리고 지금 대학원에 있다 / 공학을 배우면서
→ Aaron은 자라서 그의 대학교에서 최우등으로 졸업했고 지금 공학을 배우면서 대학원에 있다.

어휘 graduate school 명 대학원 engineering 명 공학, 공학 기술

11 **To see** everything as unique / without generalization, / we would lack the language (to describe what we saw). <모의응용>

모든 것을 고유한 것으로 본다면 / 일반화 없이 / 우리는 (우리가 본 것을 설명할) 언어가 부족할 것이다
→ 모든 것을 일반화 없이 고유한 것으로 본다면, 우리는 우리가 본 것을 설명할 언어가 부족할 것이다.

- ← If we saw everything as unique without generalization, we would lack the language to describe what we saw.

12 **To watch** the players showing such team coordination, / you would think that they were a professional team.

그 선수들이 그러한 팀 협동을 보여주는 것을 본다면 / 너는 그들이 프로 팀이라고 생각할 것이다

- ← If you watched the players showing such team coordination, you would think that they were a professional team.
- 「watch+목적어(the players)+목적격 보어(showing ~ coordination)」의 구조이다.
- that ~ team은 동사 would think의 목적어 역할을 하는 명사절이다.

어휘 coordination 명 협동, 조화

13 Objective judgment is difficult **to make**, / particularly if we have personal opinions (about the case). <모의응용>

객관적인 판단은 하기에 어렵다 / 특히 우리가 만약 (그 문제에 대한) 개인적인 견해를 가지고 있다면
→ 특히 우리가 만약 그 문제에 대한 개인적인 견해를 가지고 있다면, 객관적인 판단은 하기에 어렵다.

어휘 objective 형 객관적인 judgment 명 판단 particularly 부 특히

14 The specific method of assembling the table was unnecessary **to demonstrate** / because the instructions were written clearly.

테이블을 조립하는 구체적인 방법은 보여주기에 불필요했다 / 설명서가 명료하게 쓰였기 때문에
→ 설명서가 명료하게 쓰였기 때문에 테이블을 조립하는 구체적인 방법은 보여주기에 불필요했다.

● assembling the table은 method를 부연 설명하는 동격의 동명사구이다.

어휘 assemble 동 조립하다, 모으다 demonstrate 동 보여주다, 입증하다

UNIT 46 to부정사 구문 해석하기

본책 p.92

01 The context (for ecological interactions) / changes **too** *frequently* / **to be regulated.** <모의>
(생태계의 상호작용에 대한) 상황은 / 너무 자주 바뀐다 / 규정되기에 → 생태계의 상호작용에 대한 상황은 규정되기에 너무 자주 바뀐다.

● ≒ The context for ecological interactions changes **so** *frequently* **that it can't be regulated**.

어휘 context 명 상황, 맥락 ecological 형 생태계의, 생태학의 regulate 동 규정하다

02 He knows his body *well* **enough** / **to figure out** how much exercise is appropriate for him. <모의응용>
그는 그의 몸을 충분히 잘 안다 / 얼마만큼의 운동이 그에게 적절한지 알아낼 만큼
→ 그는 얼마만큼의 운동이 그에게 적절한지 알아낼 만큼 그의 몸을 충분히 잘 안다.

● ≒ He knows his body **so** *well* **that he can figure out** how much exercise is appropriate for him.
● how ~ him은 to부정사구 to figure out의 목적어 역할을 하는 명사절이다.

03 The writer is **so** *delicate* / **as to express** elusive and vague concepts / in words. <수능응용>
그 작가는 매우 섬세하다 / 파악하기 어렵고 모호한 개념들을 표현할 만큼 / 단어들로
→ 그 작가는 파악하기 어렵고 모호한 개념들을 단어들로 표현할 만큼 매우 섬세하다.

어휘 delicate 형 섬세한 elusive 형 파악하기 어려운 vague 형 모호한, 애매한

04 The restaurant was **too** *crowded* / **to fit** any more diners, // so it stopped admitting guests.
그 식당은 너무 붐볐다 / 더 이상의 손님을 자리에 넣기에 // 그래서 그것은 손님들을 받기를 멈췄다
→ 그 식당은 더 이상의 손님을 자리에 넣기에 너무 붐벼서, 손님들을 받기를 멈췄다.

● ≒ The restaurant was **so** *crowded* **that it couldn't fit** any more diners, so it stopped admitting guests.
● 동명사구 admitting guests는 동사 stopped의 목적어로 쓰였다.

어휘 fit 동 자리에 넣다, 끼우다

05 The man spoke to the cashiers **so** *rudely* / **as to receive** shocked looks from the other customers.

그 남자는 계산원에게 매우 무례하게 말했다 / 다른 손님들로부터 충격을 받은 표정을 받을 만큼
→ 그 남자는 다른 손님들로부터 충격을 받은 표정을 받을 만큼 계산원에게 매우 무례하게 말했다.

06 The students (in the library) talked *quietly* **enough** / **to avoid** bothering other people [who were reading there].

(도서관에 있는) 학생들은 충분히 조용하게 이야기를 했다 / [거기서 책을 읽고 있는] 다른 사람들을 성가시게 하는 것을 피할 만큼
→ 도서관에 있는 학생들은 거기서 책을 읽고 있는 다른 사람들을 성가시게 하는 것을 피할 만큼 충분히 조용하게 이야기를 했다.

- ≒ The students in the library talked **so** *quietly* **that they could avoid** bothering other people who were reading there.
- 동명사구 bothering ~ there는 to부정사 to avoid의 목적어로 쓰였다.
- who ~ there는 people을 꾸며주는 주격 관계대명사절이다.

어휘 bother 동 성가시게 하다 avoid 동 피하다

07 All the players (in the championship matches) were **so** *competitive* / **as to prolong** the games.

(챔피언 결정전의) 모든 선수들은 매우 경쟁심이 강했다 / 경기를 연장시킬 만큼 → 챔피언 결정전의 모든 선수들은 경기를 연장시킬 만큼 매우 경쟁심이 강했다.

어휘 competitive 형 경쟁심이 강한 prolong 동 연장시키다

08 Strong negative feelings are **too** *hard* / for us **to control or avoid**, // but those feelings are also a part of being human. <모의응용>

강한 부정적 느낌들은 너무 어렵다 / 우리가 통제하거나 피하기에 // 하지만 그러한 감정들 또한 인간임의 한 일부이다
→ 강한 부정적 느낌들은 우리가 통제하거나 피하기에 너무 어렵지만, 그러한 감정들 또한 인간임의 한 일부이다.

- ≒ Strong negative feelings are **so** *hard* **that we can't control or avoid them**, but those feelings are also a part of being human.

고난도
09 The clauses (in the contract) were *straightforward* **enough** / **to be understood** easily, / even by those [who do not know the law].

(그 계약의) 조항들은 충분히 명료했다 / 쉽게 이해될 만큼 / [법을 모르는] 사람들에 의해서도
→ 그 계약의 조항들은 법을 모르는 사람들에 의해서도 쉽게 이해될 만큼 충분히 명료했다.

- ≒ The clauses in the contract were **so** *straightforward* **that it could be understood** easily, even by those who do not know the law.
- who ~ law는 those를 꾸며주는 주격 관계대명사절이다.

어휘 clause 명 조항 contract 명 계약

10 Some theories treat artists / as similar to scientists. // **So to speak**, / both are involved in describing the external world. <모의>

어떤 이론들은 예술가들을 취급한다 / 과학자들과 비슷하게 // 말하자면 / 둘 다 외부 세계를 묘사하는 것에 관련이 있다
→ 어떤 이론들은 예술가들을 과학자들과 비슷하게 취급한다. 말하자면, 둘 다 외부 세계를 묘사하는 것에 관련이 있다.

어휘 external 형 외부의, 바깥의

11 **Strange to say**, / the criminal [who committed a felony] felt somewhat relieved / that the police had arrested him.

이상한 얘기지만 / [중죄를 저지른] 그 범죄자는 약간 안도했다 / 경찰이 그를 체포해서
→ 이상한 얘기지만, 중죄를 저지른 그 범죄자는 경찰이 그를 체포해서 약간 안도했다.

- who ~ felony는 criminal을 꾸며주는 주격 관계대명사절이다.

어휘 felony 명 중죄 somewhat 부 약간, 어느 정도

12 **To begin with**, / we don't have enough people for the construction, / which is the reason [we should hire additional contractors].

우선 / 우리는 공사를 위한 충분한 사람을 가지고 있지 않다 / 그리고 그것은 [우리가 추가 계약자를 고용해야 하는] 이유이다
→ 우선, 우리는 공사를 위한 충분한 사람을 가지고 있지 않고, 그것은 우리가 추가 계약자를 고용해야 하는 이유이다.

⊙ 관계대명사 which 앞에 콤마(,)가 쓰이면 콤마 앞의 선행사에 대한 부가적인 정보를 덧붙이며, 이 문장의 which는 앞에 나온 절을 선행사로 가졌다.

⊙ reason과 we 사이에는 관계부사가 생략되어 있다.

어휘 hire 동 고용하다 additional 형 추가의 contractor 명 계약자

13 **Not to mention** the length of it, / there will be huge changes with our presentation / because of the new directions (from the boss).

그것의 길이는 말할 것도 없이 / 우리 발표에 큰 변화들이 있을 것이다 / (상사로부터의) 새로운 지시 때문에

→ 상사로부터의 새로운 지시 때문에, 그것의 길이는 말할 것도 없이, 우리 발표에 큰 변화들이 있을 것이다.

어휘 direction 명 지시, 방향

14 The legislators are ignorant of the issue [they are currently dealing with]. // **To make matters worse**, / they are also indifferent.

입법자들은 [그들이 현재 다루고 있는] 문제에 대해 무지하다. // 설상가상으로 / 그들은 또한 무관심하다

⊙ issue와 they 사이에는 목적격 관계대명사가 생략되어 있다.

어휘 ignorant 형 무지한 deal with ~을 다루다, 처리하다 indifferent 형 무관심한

고난도

15 The price (of leaving environmental issues unsettled) / is too high. // **To sum up**, / every country will suffer / from having failed to act on the problem promptly.

(환경 문제들을 해결되지 않은 채로 두는 것의) 대가는 / 너무 크다 // 요약하자면 / 모든 나라는 고통받을 것이다 / 그 문제에 대해 즉각적으로 행동하지 않았던 것으로 → 환경 문제들을 해결되지 않은 채로 두는 것의 대가는 너무 크다. 요약하자면, 모든 나라는 그 문제에 대해 즉각적으로 행동하지 않았던 것으로 고통 받을 것이다.

⊙ 「leave+목적어(environmental issues)+목적격 보어(unsettled)」의 구조이다.

어휘 unsettled 형 해결되지 않은 suffer 동 고통받다, 시달리다 promptly 부 즉각적으로

UNIT 47 다양한 의미를 나타내는 분사구문 해석하기

본책 p.94

01 **Listening** to the stories (about people (punished for breaking promises)), / I decided that I would not break any promises. <수능>

((약속을 깬 것에 대해 처벌받는) 사람들에 대한) 이야기를 들으면서 / 나는 어떤 약속도 깨지 않겠다고 결심했다

⊙ = **As** I listened to the stories about people punished for breaking promises, I decided that I would not break any promises.

⊙ 과거분사구 punished ~ promises는 people을 꾸며준다.

⊙ that ~ promises는 동사 decided의 목적어 역할을 하는 명사절이다.

02 **Letting** go of one end (of the shelf), / the movers knocked over / valuable items.

(그 선반의) 한쪽 끝을 놓으면서 / 이삿짐 운송업자들은 넘어뜨렸다 / 값비싼 물건들을

→ 그 선반의 한쪽 끝을 놓으면서, 이삿짐 운송업자들은 값비싼 물건들을 넘어뜨렸다.

⊙ = **As** the movers let go of one end of the shelf, they knocked over valuable items.

어휘 let go of ~을 놓다 knock over 동 넘어뜨리다

03 **Removing** the light bulb [that has gone out], / I inserted the replacement / into the socket.

[불이 나간] 전구를 떼어내고 나서 / 나는 교체품을 집어넣었다 / 전구 소켓에 → 불이 나간 전구를 떼어내고 나서, 나는 전구 소켓에 교체품을 집어넣었다.

⊙ = I removed the light bulb that has gone out, **and** I inserted the replacement into the socket.

⊙ that ~ out은 bulb를 꾸며주는 주격 관계대명사절이다.

어휘 light bulb 명 전구 replacement 명 교체품, 대체품

04 **Arriving** at the airport, / I ran to the ticket counter / and got in line to check in for my flight.

공항에 도착하자마자 / 나는 표 창구로 달려갔다 / 그리고 나의 비행을 위한 탑승 수속을 하기 위해 줄을 섰다
→ 공항에 도착하자마자, 나는 표 창구로 달려갔고 나의 비행을 위한 탑승 수속을 하기 위해 줄을 섰다.

- = **As soon as** I arrived at the airport, I ran to the ticket counter and got in line to check in for my flight.
- to부정사구 to check in ~ flight는 목적을 나타내는 부사적 용법으로 쓰였다.

어휘 get in line 줄을 서다

05 **Hanging** the coat on the back of his chair, / the doctor sat down / to discuss the situation with the patient.

코트를 그의 의자 등받이에 걸고 나서 / 의사는 자리에 앉았다 / 환자와 상황에 대해 의논하기 위해
→ 코트를 그의 의자 등받이에 걸고 나서, 의사는 환자와 상황에 대해 의논하기 위해 자리에 앉았다.

- = The doctor hung the coat on the back of his chair, **and** he sat down to discuss the situation with the patient.
- to부정사구 to discuss ~ patient는 목적을 나타내는 부사적 용법으로 쓰였다.

06 **Challenging** the complex rules (of the present day), / we might be able to have various ground-breaking ideas and create a new era.

만약 (현재의) 복잡한 규칙에 도전한다면 / 우리는 다양한 획기적인 생각들을 가지고 새로운 시대를 창조할 수도 있다

- = **If** we challenge the complex rules of the present day, we might be able to have various ground-breaking ideas and create a new era.
- have와 create가 등위접속사 and로 연결되어 있으며, might be able to와 함께 쓰인 동사원형에 해당한다.

어휘 ground-breaking 형 획기적인

고난도
07 **Publishing** one of the most acclaimed novels in history, / the writer unexpectedly retired / and left fans waiting for her return.

역사상 가장 호평을 받은 소설 중 하나를 출판한 후에 / 그 작가는 뜻밖에도 은퇴했다 / 그리고 팬들이 그녀의 복귀를 기다리는 채로 뒀다
→ 역사상 가장 호평을 받은 소설 중 하나를 출판한 후에, 그 작가는 뜻밖에도 은퇴했고 팬들이 그녀의 복귀를 기다리는 채로 뒀다.

- = **After** the writer published one of the most acclaimed novels in history, she unexpectedly retired and left fans waiting for her return.
- 「leave+목적어(fans)+목적격 보어(waiting ~ return)」의 구조이다.

어휘 acclaimed 형 호평을 받은 unexpectedly 부 뜻밖에도, 예상외로

UNIT 48 분사구문의 완료형과 수동형 해석하기

본책 p.95

01 **Having arrived** in regions (with poorer soils), / rye later proved its strength / by producing better crops. <모의>

(더 척박한 토양을 가진) 지역에 도착하고 나서 / 호밀은 나중에 그것의 힘을 증명했다 / 더 좋은 작물을 생산함으로써
→ 더 척박한 토양을 가진 지역에 도착하고 나서, 호밀은 나중에 더 좋은 작물을 생산함으로써 그것의 힘을 증명했다.

- = Rye **had arrived** in regions with poorer soils, and it later **proved** its strength by producing better crops.

어휘 soil 명 토양, 흙 rye 명 호밀 crop 명 작물

02 **Having realized** that he had been mean during the argument, / he apologized to his friend.

언쟁 중에 그가 심술궂었다는 것을 깨달은 후에 / 그는 그의 친구에게 사과했다

- = After he **had realized** that he had been mean during the argument, he **apologized** to his friend.
- that ~ argument는 현재분사 Having realized의 목적어 역할을 하는 명사절이다.

03 **Not having studied** the guidelines (from the professor) in advance, / the students couldn't go straight to work on the project.

(교수님으로부터의) 지시사항을 사전에 학습하지 않았기 때문에 / 학생들은 곧장 프로젝트를 시작할 수 없었다

- = Because/Since/As the students **had not studied** the guidelines from the professor in advance, they **couldn't go** straight to work on the project.

어휘 guideline 명 지시사항 in advance 사전에, 미리

04 **Having dropped** the ball in the outfield, / the baseball player collided with the other player [that had been racing for it].

외야에서 공을 떨어뜨린 후에 / 그 야구선수는 [그것을 향해 달리고 있었던] 다른 선수와 충돌했다

- = After the baseball player **had dropped** the ball in the outfield, he **collided** with the other player that had been racing for it.
- that ~ it은 the other player를 꾸며주는 주격 관계대명사절이다.

어휘 collide 동 충돌하다

05 **(Having been) Helped** by an unfamiliar person, / they started to provide help / to unrelated individuals. <모의응용>

낯선 사람에 의해 도움을 받았었던 후에 / 그들은 도움을 제공하기 시작했다 / 관련 없는 개인들에게
→ 낯선 사람에 의해 도움을 받았었던 후에, 그들은 관련 없는 개인들에게 도움을 제공하기 시작했다.

- = After they **had been helped** by an unfamiliar person, they started to provide help to unrelated individuals.
- to부정사구 to provide ~ individuals는 동사 started의 목적어로 쓰였다.

어휘 unfamiliar 형 낯선, 익숙하지 않은 unrelated 형 관련 없는

06 **Required** to file taxes within a few days, / she regretted putting off the work for so long.

며칠 안에 세금을 정리하도록 요구되어서 / 그녀는 그 일을 너무 오랫동안 미룬 것을 후회했다

- = Because/Since/As she **was required** to file taxes within a few days, she regretted putting off the work for so long.
- 「require+목적어(her)+목적격 보어(to file ~ days)」의 구조가 수동태로 바뀐 분사구문이다.
- 동명사구 putting off ~ long은 동사 regretted의 목적어로 쓰였다.

어휘 file 동 정리하다 put off 미루다, 연기하다

07 **Having been informed** that the treatment had been successful, / the patient felt an incredible wave (of relief).

치료가 성공적이었다는 것을 알게 된 후에 / 그 환자는 엄청난 (안도의) 물결을 느꼈다

- = After the patient **had been informed** that the treatment had been successful, he felt an incredible wave of relief.
- 「inform+간접 목적어(the patient)+직접 목적어(that ~ successful)」의 구조가 수동태로 바뀐 분사구문이다.

어휘 treatment 명 치료 incredible 형 엄청난 relief 명 안도

고난도

08 **Chased** by others, / he couldn't help but keep running / even when he entered an unknown landscape (holding hidden dangers). <모의응용>

다른 사람들에게 쫓겨서 / 그는 계속 달리지 않을 수 없었다 / 그가 (숨겨진 위험들을 가지고 있는) 미지의 지역으로 들어갔을 때도
→ 다른 사람들에게 쫓겨서, 그가 숨겨진 위험들을 가지고 있는 미지의 지역으로 들어갔을 때도 그는 계속 달리지 않을 수 없었다.

- = Because/Since/As he **was chased** by others, he couldn't help but keep running even when he entered an unknown landscape holding hidden dangers.
- 현재분사구 holding hidden dangers는 landscape를 꾸며준다.

어휘 landscape 명 지역, 풍경

분사로 시작하지 않는 분사구문 해석하기

본책 p.96

01 *Liquid* **being drawn** out of some animals naturally, / the animals continually drink water / to replace it. <모의응용>

액체가 몇몇 동물들에게서 자연스럽게 빠지기 때문에 / 그 동물들은 계속해서 물을 마신다 / 그것을 대체하기 위해
→ 액체가 몇몇 동물들에게서 자연스럽게 빠지기 때문에, 그 동물들은 그것을 대체하기 위해 계속해서 물을 마신다.

- to부정사구 to replace it은 목적을 나타내는 부사적 용법으로 쓰였다.

어휘 draw out of ~에서 빼내다, 꺼내다 continually 부 계속해서

02 *The bus driver* **pressing** the brake pedal so hard, / many riders fell down / due to the sudden stop.

버스 기사가 브레이크 페달을 너무 세게 밟아서 / 많은 승객들이 넘어졌다 / 급정거 때문에
→ 버스 기사가 브레이크 페달을 너무 세게 밟아서, 많은 승객들이 급정거 때문에 넘어졌다.

03 *The day* (*of the trial*) quickly **approaching**, / the lawyers worked hard / to prepare their arguments and build a case.

(재판의) 날이 빠르게 다가와서 / 변호사들은 열심히 일했다 / 그들의 변론을 준비하고 소송을 내기 위해
→ 재판의 날이 빠르게 다가와서, 변호사들은 그들의 변론을 준비하고 소송을 내기 위해 열심히 일했다.

- to부정사구 to prepare ~ case는 목적을 나타내는 부사적 용법으로 쓰였다.

어휘 trial 명 재판 argument 명 변론, 주장

04 *The situation* **becoming** more and more desperate, / the lost campers began to ration their food / to ensure that it would last longer.

상황이 점점 더 절박해져서 / 길을 잃은 야영객들은 그들의 식량을 제한적으로 배급하기 시작했다 / 그것이 더 오래 남을 것을 보장하기 위해
→ 상황이 점점 더 절박해져서, 길을 잃은 야영객들은 그들의 식량이 더 오래 남을 것을 보장하기 위해 그것을 제한적으로 배급하기 시작했다.

- to부정사구 to ration their food는 동사 began의 목적어로 쓰였다.
- to부정사구 to ensure ~ longer는 목적을 나타내는 부사적 용법으로 쓰였다.
- that ~ longer는 to부정사 to ensure의 목적어 역할을 하는 명사절이다.

어휘 desperate 형 절박한 ensure 동 보장하다

고난도

05 *The environment and emotions* **determining** the particular color [the octopuses take], / they change their colors very often, / which helps them communicate as well as hide.

환경과 감정이 [문어들이 취하는] 특정한 색을 결정하기 때문에 / 그들은 그들의 색을 매우 자주 바꾼다 / 그런데 그것은 그들이 숨는 것뿐만 아니라 의사 소통하는 것도 돕는다 → 환경과 감정이 문어들이 취하는 특정한 색을 결정하기 때문에, 그들은 그들의 색을 매우 자주 바꾸는데, 그것은 그들이 숨는 것뿐만 아니라 의사 소통하는 것도 돕는다.

- color와 the 사이에는 목적격 관계대명사가 생략되어 있다.
- octopuses 대신 대명사 they가 쓰였다.
- 관계대명사 which 앞에 콤마(,)가 쓰이면 콤마 앞의 선행사에 대한 부가적인 정보를 덧붙이며, 이 문장의 which는 앞에 나온 절을 선행사로 가졌다.
- 「help+목적어(them)+목적격 보어(communicate ~ hide)」의 구조이다.

어휘 determine 동 결정하다

06 *Although* **having written** many beautiful pieces of music, / he still dressed badly / and hardly ever cleaned his room. <수능>

비록 많은 아름다운 음악들을 썼었지만 / 그는 여전히 형편없게 옷을 입었다 / 그리고 그의 방을 거의 청소하지 않았다
→ 비록 많은 아름다운 음악들을 썼었지만, 그는 여전히 형편없게 옷을 입었고 그의 방을 거의 청소하지 않았다.

07 *After* **learning** a faster way (to get to the office), / I no longer need to leave my house / early in the morning.

(사무실로 가는) 더 빠른 길을 안 후에 / 나는 더 이상 나의 집을 나설 필요가 없다 / 아침 일찍
→ 사무실로 가는 더 빠른 길을 안 후에, 나는 더 이상 나의 집을 아침 일찍 나설 필요가 없다.

● to부정사구 to get ~ office는 way를 꾸며주는 형용사적 용법으로 쓰였다.
● to부정사구 to leave ~ morning은 동사 need의 목적어로 쓰였다.

08 *If* **kept** in a properly sealed container, / nuts can maintain freshness / for up to three months.

만약 제대로 밀봉된 용기에 보관된다면 / 견과는 신선함을 유지할 수 있다 / 세 달 동안까지
→ 만약 제대로 밀봉된 용기에 보관된다면, 견과는 세 달 동안까지 신선함을 유지할 수 있다.

어휘 properly 부 제대로, 적절하게 sealed 형 밀봉된, 포장된 maintain 동 유지하다 freshness 명 신선함

09 *Though* **appearing** to be focusing intently, / the student was actually avoiding his studies and drawing a picture in the notebook.

비록 골똘히 집중하고 있는 것처럼 보였지만 / 그 학생은 사실 그의 공부를 회피하고 공책에 그림을 그리고 있었다

● avoiding과 drawing이 등위접속사 and로 연결되어 있으며, be동사 was와 함께 쓰인 현재분사에 해당한다.

어휘 intently 부 골똘히, 집중하여

10 *When* **driving** down the street, / it is important / to always leave enough space / between your car and the one (in front of you).

길을 따라 운전할 때 / 중요하다 / 충분한 공간을 항상 남겨 두는 것은 / 너의 차와 (너의 앞의) 것 사이에
→ 길을 따라 운전할 때, 너의 차와 너의 앞의 것 사이에 충분한 공간을 항상 남겨 두는 것은 중요하다.

● 진주어 to always leave ~ you 대신 가주어 it이 주어 자리에 쓰였다.

11 He was sitting in the rented truck / **with his head slumped** down. <모의>

그는 빌린 트럭 안에 앉아있었다 / 그의 머리가 아래로 숙여진 채로 → 그는 그의 머리가 아래로 숙여진 채로 빌린 트럭 안에 앉아있었다.

어휘 rent 동 빌리다 slump 동 숙이다, 구부정하게 되다 명 부진, 불황

12 **With time running out**, / my team worked furiously / to find a solution (to the problem [that was plaguing our project]).

시간이 다 되어가면서 / 우리 팀은 힘차게 일했다 / ([우리의 프로젝트를 괴롭히고 있는] 문제에 대한) 해결책을 찾기 위해
→ 시간이 다 되어가면서, 우리 팀은 우리의 프로젝트를 괴롭히고 있는 문제에 대한 해결책을 찾기 위해 힘차게 일했다.

● to부정사구 to find ~ project는 목적을 나타내는 부사적 용법으로 쓰였다.
● that ~ project는 problem을 꾸며주는 주격 관계대명사절이다.

어휘 run out 다 되다, 부족하다 furiously 부 힘차게, 맹렬히 plague 동 괴롭히다 명 전염병

13 Soccer fans (around the country) began cheering, / **with the game being over and the local team being declared** the champions.

(전국의) 축구팬들이 환호하기 시작했다 / 경기가 끝나고 그 지역 팀이 우승자로 선언되면서
→ 경기가 끝나고 그 지역 팀이 우승자로 선언되면서, 전국의 축구팬들이 환호하기 시작했다.

● 「declare+목적어(the local team)+목적격 보어(the champions)」의 구조가 수동태로 바뀐 분사구문이다.

어휘 declare 동 선언하다

14 According to a British study, / a person [who sleeps on their back **with their arms stuck** to their sides like a "soldier"] / is usually quite reserved. <모의응용>

한 영국의 연구에 따르면 / ["군인"처럼 팔이 옆구리에 붙여진 채로 등을 대고 자는] 사람은 / 대개 꽤 내성적이다

● who ~ "soldier"는 person을 꾸며주는 주격 관계대명사절이다.

어휘 stick 동 붙이다, 붙다 reserved 형 내성적인, 말을 잘 하지 않는

고난도
15 **With stock prices plummeting**, / millions of people lost money / and had no choice but to wait for the market to rebound.

주가가 폭락하면서 / 수백만의 사람들이 돈을 잃었다 / 그리고 시장이 반등하기를 기다릴 수밖에 없었다
→ 주가가 폭락하면서, 수백만의 사람들이 돈을 잃었고 시장이 반등하기를 기다릴 수밖에 없었다.

● 「have no choice but+to-v」는 '~할 수밖에 없다'라고 해석한다.

어휘 stock price 명 주가 plummet 동 폭락하다 rebound 동 반등하다, 다시 튀어 오르다

Chapter Test

본책 p.98

01 **Standing** in line for more than three hours, / the fans eagerly awaited the re-release (of their favorite movie).

세 시간 넘게 줄을 서면서 / 팬들은 (그들이 가장 좋아하는 영화의) 재개봉을 간절히 기다렸다

● = **As** the fans stood in line for more than three hours, they eagerly awaited the re-release of their favorite movie.

어휘 await 동 기다리다 re-release 명 재개봉, 재발매

02 Construction companies enforce strict rules / while they work on a project, / **so as to protect** the safety (of the employees).

건설 회사들은 엄격한 규칙들을 시행한다 / 그들이 프로젝트를 하는 동안 / (직원들의) 안전을 보호하기 위해
→ 건설 회사들은 프로젝트를 하는 동안 직원들의 안전을 보호하기 위해 엄격한 규칙들을 시행한다.

어휘 enforce 동 시행하다 safety 명 안전

03 **Being adapted** to certain climates, / animals have difficulty living in other environments (different from their original habitat).

특정 기후에 적응되어서 / 동물들은 (그들의 원래 서식지와 다른) 환경에서 사는 데 어려움을 겪는다

● = Because/Since/As animals **are adapted** to certain climates, they have difficulty living in other environments different from their original habitat.

● 「have difficulty+v-ing」는 '~하는 데 어려움을 겪다'라고 해석한다.

어휘 adapt 동 적응시키다

04 During the blizzard, / the snow was falling **too** *heavily* / for us **to enable** businesses, schools, and roads to reopen.

폭설 동안 / 눈이 너무 많이 내리고 있었다 / 우리가 기업, 학교, 그리고 도로를 다시 열게 할 수 있도록 하기에
→ 폭설 동안, 우리가 기업, 학교, 그리고 도로를 다시 열게 할 수 있도록 하기에 눈이 너무 많이 내리고 있었다.

● ≒ During the blizzard, the snow was falling **so** *heavily* **that we couldn't enable** businesses, schools, and roads to reopen.

● to부정사구 to enable ~ reopen의 의미상 주어로 us가 쓰였다.

● 「enable+목적어(businesses ~ roads)+목적격 보어(to reopen)」의 구조이다.

어휘 blizzard 명 폭설 enable 동 할 수 있게 하다

05 **Having stayed** in the mother's pouch for eight months, / the baby kangaroo became fully independent.

어미의 주머니에서 8개월 동안 머물렀던 후에 / 아기 캥거루는 완전히 독립하게 되었다

● = After the baby kangaroo **had stayed** in the mother's pouch for eight months, the baby kangaroo **became** fully independent.

어휘 pouch 명 주머니 independent 형 독립한, 독자적인

06 **Accused** of a crime [she hadn't committed], / the woman discussed the options (for her defense) / with the attorney.

[그녀가 저지르지 않은] 범죄로 고발되어서 / 그 여자는 (그녀의 변호를 위한) 방안들에 대해 논의했다 / 변호사와

→ 그녀가 저지르지 않은 범죄로 고발되어서, 그 여자는 그녀의 변호를 위한 방안들에 대해 변호사와 논의했다.

- = Because/Since/As the woman **was accused** of a crime she hadn't committed, she discussed the options for her defense with the attorney.
- crime과 she 사이에는 목적격 관계대명사가 생략되어 있다.

어휘 commit 동 저지르다 defense 명 변호, 방어 attorney 명 변호사

07 *The storm* **approaching** rapidly from the southeast, / the captain ordered his crew / to prepare for the impact (of waves).

남동쪽에서 폭풍이 빠르게 다가와서 / 선장은 그의 선원들에게 명령했다 / (파도의) 충격에 대비하라고

→ 남동쪽에서 폭풍이 빠르게 다가와서, 선장은 그의 선원들에게 파도의 충격에 대비하라고 명령했다.

- 「order+목적어(his crew)+목적격 보어(to prepare ~ waves)」의 구조이다.

어휘 rapidly 부 빠르게 impact 명 충격, 영향

08 The soldier was sad / **to be relocated** to another country / and **prevented** from leaving, / never **to see** his military colleagues again.

그 병사는 슬펐다 / 다른 나라로 재배치되어서 / 그리고 떠나는 것이 막아져서 / 그리고 결국 군 동료들을 다시 보지 못했다

→ 그 병사는 다른 나라로 재배치되고 떠나는 것이 막아져서 슬펐고, 결국 군 동료들을 다시 보지 못했다.

- relocated와 prevented가 등위접속사 and로 연결되어 있으며, 감정의 원인을 나타내는 to부정사의 동사원형에 해당한다.
- to부정사가 의미상 주어(The soldier)와 수동 관계이므로 수동형이 쓰였다.

어휘 relocate 동 재배치하다 prevent 동 막다 military 형 군의, 군대의 colleague 명 동료

고난도

09 *Although* **having remained** a mystery for decades, / the movement (of rocks) across the California desert was finally explained / by the researchers.

비록 수십 년 동안 미스터리로 남아있었지만 / 캘리포니아 사막을 가로지르는 (바위들의) 움직임은 마침내 설명되었다 / 연구자들에 의해

→ 비록 수십 년 동안 미스터리로 남아있었지만, 캘리포니아 사막을 가로지르는 바위들의 움직임은 마침내 연구자들에 의해 설명되었다.

고난도

10 **With the number of customers decreasing**, / the marketing team continued to search for the best ways (to attract new patrons and keep the existing ones).

고객들의 수가 줄어들면서 / 마케팅 팀은 (새 고객을 유인하고 기존 고객을 유지할) 최선의 방법들을 계속 모색했다

- to부정사구 to search ~ ones는 동사 continued의 목적어로 쓰였다.
- to부정사구 to attract ~ ones는 ways를 꾸며주는 형용사적 용법으로 쓰였다.
- patrons 대신 대명사 ones가 쓰였다.

어휘 patron 명 고객, 후원자

CHAPTER 09 부사절

UNIT 50 의미가 다양한 접속사 해석하기

본책 p.100

01 **Since** the Industrial Revolution began, / the proportion of carbon (in the atmosphere) has increased. <모의응용>

산업혁명이 시작된 이후로 / (대기에 있는) 탄소의 비율이 증가해왔다

어휘 proportion 명 비율 carbon 명 탄소

02 **Since** water is always moving, / the Earth cannot hold onto it. <모의>

물은 언제나 움직이고 있기 때문에 / 지구는 그것을 붙들 수 없다

03 **As** the topic was fascinating, / I listened more intently to the speaker's presentation.

주제가 흥미로웠기 때문에 / 나는 연설자의 발표를 더 열중해서 들었다

어휘 fascinating 형 흥미로운 intently 부 열중해서

04 I couldn't understand / why so many people laughed / **when** nothing funny happened.

나는 이해할 수 없었다 / 그렇게 많은 사람들이 왜 웃었는지를 / 재미있는 무언가가 일어나지 않았음에도 불구하고

→ 나는 재미있는 무언가가 일어나지 않았음에도 불구하고 그렇게 많은 사람들이 왜 웃었는지를 이해할 수 없었다.

● why ~ happened는 동사 couldn't understand의 목적어 역할을 하는 명사절이다.

05 The front left tire popped / **while** the truck was driving on the highway, // and it caused the truck to curve into another lane of traffic.

왼쪽 앞 타이어가 터졌다 / 화물차가 고속도로에서 달리고 있던 동안 // 그리고 그것은 화물차가 다른 차선으로 꺾게 했다

→ 화물차가 고속도로에서 달리고 있던 동안 왼쪽 앞 타이어가 터졌고, 그것은 화물차가 다른 차선으로 꺾게 했다.

● 「cause+목적어(the truck)+목적격 보어(to curve ~ traffic)」의 구조이다.

어휘 pop 동 터지다

06 As you get older, / managing your health gets more and more important / **because** the body becomes less capable of recovery.

네가 나이가 들면서 / 너의 건강을 관리하는 것은 점점 더 중요해진다 / 몸이 회복할 능력이 덜해지기 때문에

→ 네가 나이가 들면서, 몸이 회복할 능력이 덜해지기 때문에 너의 건강을 관리하는 것은 점점 더 중요해진다.

● 동명사구 managing your health는 문장에서 주어 역할을 하고 있다.

어휘 manage 동 관리하다 recovery 명 회복

07 Many people lose weight / by using a temporary diet, / **while** the only effective method is to change one's habits and lifestyle.

많은 사람들이 체중을 줄인다 / 일시적인 식이요법을 이용함으로써 / 오직 효과적인 방법은 자신의 습관과 생활방식을 바꾸는 것임에도 불구하고

→ 오직 효과적인 방법은 자신의 습관과 생활방식을 바꾸는 것임에도 불구하고, 많은 사람들이 일시적인 식이요법을 이용함으로써 체중을 줄인다.

어휘 temporary 형 일시적인 effective 형 효과적인 method 명 방법

08 The company has been continuously restoring the servers / **since** it lost most of the data / in a system crash / last month.

그 회사는 계속해서 서버들을 복구해오고 있다 / 그것이 대부분의 정보를 잃은 이후로 / 시스템 충돌에서 / 지난달
→ 그 회사는 지난달 시스템 충돌에서 대부분의 정보를 잃은 이후로 계속해서 서버들을 복구해오고 있다.

● The company 대신 대명사 it이 쓰였다.

어휘 continuously 부 계속해서 restore 동 복구하다

09 The potential buyers raised their hands / to bid on the item / **when** the auctioneer called out a new price.

잠재적 구매자들은 그들의 손을 들었다 / 그 물건에 입찰하기 위해 / 경매인이 새로운 가격을 불렀을 때
→ 잠재적 구매자들은 경매인이 새로운 가격을 불렀을 때 그 물건에 입찰하기 위해 그들의 손을 들었다.

● to부정사구 to bid ~ item은 목적을 나타내는 부사적 용법으로 쓰였다.

어휘 potential 형 잠재적인 auctioneer 명 경매인

10 Many wanted to change their situation / **as** the innovative businessman turned the crisis into his advantage. <모의응용>

많은 사람들은 그들의 상황을 바꾸기를 원했다 / 그 혁신적인 사업가가 위기를 그의 이점으로 바꾼 것처럼
→ 많은 사람들은 그 혁신적인 사업가가 위기를 그의 이점으로 바꾼 것처럼 그들의 상황을 바꾸기를 원했다.

● to부정사구 to change their situation은 동사 wanted의 목적어로 쓰였다.

어휘 innovative 형 혁신적인 crisis 명 위기 advantage 명 이점

11 Researchers found / that male Wistar rats tend to stay closer to the nest, / **while** their female counterparts are more active.

연구자들은 알아냈다 / 수컷 위스타 쥐들은 둥지에 더 가까이 머무는 경향이 있다는 것을 / 그들의 암컷 상대들은 더 활동적인 반면에
→ 연구자들은 수컷 위스타 쥐들의 암컷 상대들은 더 활동적인 반면에, 그들은 둥지에 더 가까이 머무는 경향이 있다는 것을 알아냈다.

● that ~ active는 동사 found의 목적어 역할을 하는 명사절이다.

어휘 counterpart 명 상대

12 According to the announcement [the plane's captain just made], / we should expect some turbulence / **as** we are landing.

[방금 비행기의 기장이 한] 안내에 따르면 / 우리는 약간의 난기류를 예상해야 한다 / 우리가 착륙하고 있을 때
→ 방금 비행기의 기장이 한 안내에 따르면, 우리는 착륙하고 있을 때 약간의 난기류를 예상해야 한다.

● announcement와 the 사이에는 목적격 관계대명사가 생략되어 있다.

어휘 according to 전 ~에 따르면 announcement 명 안내 turbulence 명 난기류, 격동

13 He introduced the offer / as an opportunity (to easily achieve a success), / **when** I knew it was just an expedient.

그는 그 제안을 소개했다 / (쉽게 성공을 성취할) 기회로서 / 나는 그것이 그저 편법이라는 것을 아는데
→ 그는 그 제안을 쉽게 성공을 성취할 기회로서 소개했는데, 나는 그것이 그저 편법이라는 것을 안다.

● to부정사구 to easily achieve a success는 opportunity를 꾸며주는 형용사적 용법으로 쓰였다.
● knew와 it 사이에는 명사절 접속사 that이 생략되어 있다.

어휘 opportunity 명 기회 achieve 동 성취하다

14 They had to close the bridge / to make repairs on it, / **since** workers discovered some faults / in the pillars (supporting it).

그들은 다리를 닫아야 했다 / 그것을 보수하기 위해 / 일꾼들이 몇몇 결함들을 발견했기 때문에 / (그것을 지탱하는) 기둥들에서
→ 일꾼들이 다리를 지탱하는 기둥들에서 몇몇 결함들을 발견했기 때문에, 그들은 그것을 보수하기 위해 그것을 닫아야 했다.

● to부정사구 to make ~ it은 목적을 나타내는 부사적 용법으로 쓰였다.
● the bridge 대신 대명사 it이 쓰였다.
● 현재분사구 supporting it은 pillars를 꾸며준다.

어휘 fault 명 결함, 잘못 pillar 명 기둥

고난도
15 Athletes will be immediately disqualified and banned / from competition, / **when** they are caught using performance-enhancing drugs in the Olympics.

운동선수들은 즉시 실격되고 금지될 것이다 / 경기로부터 / 만약 그들이 올림픽에서 경기력을 향상시키는 약물을 사용하는 것이 적발된다면
→ 만약 운동선수들이 올림픽에서 경기력을 향상시키는 약물을 사용하는 것이 적발된다면, 그들은 경기로부터 즉시 실격되고 금지될 것이다.

◐ 「catch+목적어(them)+목적격 보어(using ~ Olympics)」의 구조가 수동태로 바뀐 부사절이다.

어휘 immediately 부 즉시 disqualify 동 실격시키다 ban 동 금지하다 performance-enhancing drug 경기력을 향상시키는 약물

고난도
16 Short **as** the duration was, / the city, / which is normally a sweltering desert, / experienced a powerful thunderstorm [that troubled most of the citizens].

비록 지속 시간은 짧았지만 / 그 도시는 / 보통 무더운 사막인데 / [시민들 대부분을 난처하게 한] 강렬한 뇌우를 경험했다
→ 비록 지속 시간은 짧았지만, 그 도시는 보통 무더운 사막인데, 시민들 대부분을 난처하게 한 강렬한 뇌우를 경험했다.

◐ 관계대명사 which 앞에 콤마(,)가 쓰이면 콤마 앞의 선행사에 대한 부가적인 정보를 덧붙인다.
◐ that ~ citizens는 thunderstorms를 꾸며주는 주격 관계대명사절이다.

어휘 duration 명 지속 시간 trouble 동 난처하게 하다

UNIT 51 시간/원인/조건을 나타내는 접속사 해석하기

본책 p.102

01 The aircraft makers tied each other up / in patent lawsuits / and slowed down innovation / **until** the US government stepped in. <모의>

항공기 제조사들은 서로를 묶었다 / 특허 소송에 / 그리고 혁신을 늦췄다 / 미국 정부가 개입할 때까지
→ 항공기 제조사들은 미국 정부가 개입할 때까지 특허 소송에 서로를 묶었고 혁신을 늦췄다.

◐ 동사 tied와 slowed가 등위접속사 and로 연결되어 병렬 구문을 이룬다.

어휘 patent 형 특허의 lawsuit 명 소송 innovation 명 혁신 step in 개입하다

02 **The moment** the firefighters find out the cause (of the fire), / they'll be sure to let the residents know.

소방관들이 (화재의) 원인을 찾아내는 순간 / 그들은 확실히 거주자들에게 알게 할 것이다

◐ 「let+목적어(the residents)+목적격 보어(know)」의 구조이다.

03 **Every time** we eat food, / we bombard our brains with a feast of chemicals, / triggering an explosive hormonal chain reaction. <모의>

우리가 음식을 먹을 때마다 / 우리는 화학 물질의 향연을 우리의 두뇌에 퍼붓는다 / 폭발적인 호르몬 연쇄 반응을 야기하면서
→ 우리가 음식을 먹을 때마다, 우리는 폭발적인 호르몬 연쇄 반응을 야기하면서 화학 물질의 향연을 우리의 두뇌에 퍼붓는다.

어휘 bombard 동 퍼붓다 trigger 동 야기하다 explosive 형 폭발적인 hormonal 형 호르몬의 chain reaction 명 연쇄 반응

04 **No sooner** had the speech begun / **than** the audience started / criticizing the speaker's controversial remarks.

연설이 시작되자마자 / 관객들은 시작했다 / 그 연설자의 논쟁의 여지가 있는 발언을 비난하기
→ 연설이 시작되자마자 관객들은 그 연설자의 논쟁의 여지가 있는 발언을 비난하기 시작했다.

◐ 동명사구 criticizing ~ remarks는 동사 started의 목적어로 쓰였다.

어휘 controversial 형 논쟁의 여지가 있는 remark 명 발언

고난도
05 **By the time** the Erie Canal was finished, / the railroad had been established as the fittest technology (for transportation), / so the canal became obsolete. <모의응용>

이리 운하가 완성될 무렵에는 / 철도가 (운송을 위한) 가장 적합한 기술로 자리 잡혔다 / 그래서 그 운하는 쓸모가 없게 되었다
→ 이리 운하가 완성될 무렵에는, 철도가 운송을 위한 가장 적합한 기술로 자리 잡혀서 그 운하는 쓸모가 없게 되었다.

어휘 canal 명 운하 establish 동 자리 잡게 하다, 수립하다 fit 형 적합한 obsolete 형 쓸모가 없는, 구식의

06 Creativity is strange / **in that** it finds a way / in any kind of situation. <모의>

창의력은 기묘하다 / 그것이 방법을 찾는다는 점에서 / 어떤 종류의 상황에서도 → 창의력은 어떤 종류의 상황에서도 방법을 찾는다는 점에서 기묘하다.

07 **Now that** my nephew is four, / he no longer needs to ride in a child's car seat.

나의 조카는 네 살이므로 / 그는 더 이상 어린이용 카시트에 탈 필요가 없다

● to부정사구 to ride ~ seat은 동사 needs의 목적어로 쓰였다.

08 The dogs immediately started barking / **because** the delivery man was approaching the door.

개들은 즉시 짖기 시작했다 / 배달원이 문으로 다가오고 있었기 때문에 → 개들은 배달원이 문으로 다가오고 있었기 때문에 즉시 짖기 시작했다.

● 동명사 barking은 동사 started의 목적어로 쓰였다.

09 The research team was happy / **that** they had been approved for another round of funding [which allowed continuing the studies].

그 연구팀은 만족했다 / 그들이 [연구를 계속하는 것을 가능하게 한] 또 다른 자금 지원을 승인받아서
→ 그 연구팀은 그들이 연구를 계속하는 것을 가능하게 한 또 다른 자금 지원을 승인받아서 만족했다.

● which ~ studies는 funding을 꾸며주는 주격 관계대명사절이다.
● 동명사구 continuing the studies는 동사 allowed의 목적어로 쓰였다.

어휘 approve 동 승인하다

10 **Seeing that** a number of roads (into the area) are closed, / traffic congestion must be extremely bad / on the one remaining path.

(그 지역으로 들어가는) 많은 도로들이 폐쇄된 것으로 보아 / 교통 혼잡이 극도로 심함이 틀림없다 / 한 개의 남은 길에서
→ 그 지역으로 들어가는 많은 도로들이 폐쇄된 것으로 보아, 한 개의 남은 길에서 교통 혼잡이 극도로 심함이 틀림없다.

어휘 traffic congestion 교통 혼잡 extremely 부 극도로 remaining 형 남은

11 **Unless** you spend a reasonable amount of time / with your friend, / the friendship might go away. <수능>

만약 네가 상당한 시간을 보내지 않는다면 / 너의 친구와 / 우정은 사라질 수도 있다
→ 만약 네가 너의 친구와 상당한 시간을 보내지 않는다면, 우정은 사라질 수도 있다.

어휘 reasonable 형 상당한

12 We might execute the contingency plan / **in case** something goes wrong with the operation (to rescue the trapped workers).

우리는 비상시 대책을 수행할 수도 있다 / (갇힌 일꾼들을 구출하는) 작업이 잘못되는 경우에
→ 우리는 갇힌 일꾼들을 구출하는 작업이 잘못되는 경우에 비상시 대책을 수행할 수도 있다.

● to부정사구 to rescue ~ workers는 operation을 꾸며주는 형용사적 용법으로 쓰였다.

어휘 operation 명 작업 rescue 동 구출하다

13 The veterinarian said / that the dog would recover from the leg surgery in a few days, / **supposing that** it doesn't run during that time.

그 수의사는 말했다 / 개가 며칠 안에 다리 수술에서 회복될 것이라고 / 그것이 그 시간 동안 뛰지 않는다고 가정하면
→ 그 수의사는 그 개가 그 시간 동안 뛰지 않는다고 가정하면, 그것이 며칠 안에 다리 수술에서 회복될 것이라고 말했다.

● that ~ time은 문장에서 목적어 역할을 하는 명사절이다.

어휘 veterinarian 명 수의사 surgery 명 수술

14 **Provided that** there are no injuries, / it will be an easy victory for the team, / which has been dominant all season.

부상이 없다는 조건하에 / 팀에게는 쉬운 승리가 될 것이다 / 그리고 그것은 모든 시즌에서 우세했다
→ 부상이 없다는 조건하에, 팀에게는 쉬운 승리가 될 것이고, 그것은 모든 시즌에서 우세했다.

● 관계대명사 which 앞에 콤마(,)가 쓰이면 콤마 앞의 선행사에 대한 부가적인 정보를 덧붙인다.

어휘 injury 명 부상 dominant 형 우세한

고난도
15 There's a strong chance / that current consumer spending habits maintain, / **as long as** there aren't any problems with shipping and imports.

큰 가능성이 있다 / 현재의 소비자 지출 습관이 유지된다는 / 운송과 수입에 어떤 문제도 없는 한
→ 운송과 수입에 어떤 문제도 없는 한, 현재의 소비자 지출 습관이 유지된다는 큰 가능성이 있다.

● that ~ maintain은 chance를 부연 설명하는 동격의 that절이다.

어휘 current 형 현재의 consumer 명 소비자 shipping 명 운송 import 명 수입

UNIT 52 양보/목적/결과를 나타내는 접속사 해석하기

본책 p.104

01 **Although** the Sun has much more mass than the Earth, / humans (living on Earth) feel its gravity more. <모의응용>

비록 태양이 지구보다 훨씬 더 많은 질량을 가지고 있지만 / (지구에 살고 있는) 인간들은 그것의 중력을 더 많이 느낀다

● 현재분사구 living on Earth는 humans를 꾸며준다.

어휘 mass 명 질량 gravity 명 중력

02 **Whether** a beef steak gets a little undercooked **or** overcooked, / it will still be edible.

소고기 스테이크가 조금 덜 익든 너무 익든 / 그것은 여전히 먹을 수 있을 것이다

어휘 undercooked 형 덜 익은 overcooked 형 너무 익은 edible 형 먹을 수 있는

03 **Even if** the company's stock price rises a bit, / everyone would expect it to fall again / due to the recent scandals.

비록 그 회사의 주가가 약간 오를지라도 / 모두가 그것이 다시 떨어질 것이라고 예상할 것이다 / 최근의 추문들 때문에
→ 비록 그 회사의 주가가 약간 오를지라도, 최근의 추문들 때문에 모두가 그것이 다시 떨어질 것이라고 예상할 것이다.

● 「expect+목적어(it)+목적격 보어(to fall again)」의 구조이다.

04 **Even though** Hippocrates lived about 2,500 years ago, / his idea that the family health history should be inquired about with the patients / sounds very familiar even today. <모의응용>

비록 히포크라테스는 약 2,500년 전에 살았지만 / 가족 병력이 환자들에게 물어져야 한다는 그의 생각은 / 현재에도 매우 익숙하게 들린다

● that ~ patients는 idea를 부연 설명하는 동격의 that절이다.

어휘 inquire 동 묻다 familiar 형 익숙한

고난도
05 **Though** Ethan knew nothing about the city [he was about to visit], / he enjoyed the sense of uncertainty [that the new destination provided].

비록 Ethan은 [그가 막 방문하려고 하는] 도시에 대해 아무것도 몰랐지만 / 그는 [그 새로운 목적지가 제공하는] 불확실성의 느낌을 즐겼다

● city와 he 사이에는 목적격 관계대명사가 생략되어 있다.
● that ~ provided는 uncertainty를 꾸며주는 목적격 관계대명사절이다.

어휘 uncertainty 명 불확실성 destination 명 목적지

06 Divers use a snorkel / **so that** they can breathe with it / in shallow water. <모의>

잠수부들은 잠수호흡관을 사용한다 / 그들이 그것으로 호흡할 수 있도록 / 얕은 물에서

→ 잠수부들은 얕은 물에서 그것으로 호흡할 수 있도록 잠수호흡관을 사용한다.

어휘 breathe 동 호흡하다 shallow 형 얕은

07 Fixed rules [that may be burdensome to follow] / are still necessary / **lest** we live in chaos. <모의응용>

[따르기에 귀찮을 수도 있는] 고정된 규칙들은 / 여전히 필요하다 / 우리가 혼돈 속에 살지 않기 위해

→ 따르기에 귀찮을 수도 있는 고정된 규칙들은 우리가 혼돈 속에 살지 않기 위해 여전히 필요하다.

- that ~ follow는 rules를 꾸며주는 주격 관계대명사절이다.
- to부정사 to follow는 burdensome을 꾸며주는 부사적 용법으로 쓰였다.

어휘 burdensome 형 귀찮은 necessary 형 필요한 chaos 명 혼돈

08 Jonas Salk insisted on distributing the polio vaccine for free / **so that** all people would be immune to the disease.

조너스 소크는 소아마비 백신을 무료로 배포해야 한다고 주장했다 / 모든 사람들이 그 질병에 면역이 되도록

→ 조너스 소크는 모든 사람들이 그 질병에 면역이 되도록 소아마비 백신을 무료로 배포해야 한다고 주장했다.

어휘 insist 동 주장하다 distribute 동 배포하다 polio 명 소아마비 immune 형 면역이 된

09 We stayed perfectly still / while sitting in the garden / **in order that** we could avoid frightening the butterflies.

우리는 완전히 가만히 있었다 / 정원에 앉아 있는 동안 / 우리가 나비들을 놀라게 하는 것을 피할 수 있도록

→ 우리는 정원에 앉아 있는 동안 나비들을 놀라게 하는 것을 피할 수 있도록 완전히 가만히 있었다.

- 동명사구 frightening the butterflies는 동사 could avoid의 목적어로 쓰였다.

어휘 frighten 동 놀라게 하다

10 People began stacking sandbags / **lest** the incoming storm lead to flooding / in the city (on the coast).

사람들은 모래주머니를 쌓기 시작했다 / 다가오는 폭풍이 홍수로 이어지지 않도록 / (해안에 있는) 도시에서

→ 사람들은 해안에 있는 도시에서 다가오는 폭풍이 홍수로 이어지지 않도록 모래주머니를 쌓기 시작했다.

- 동명사구 stacking sandbags는 동사 began의 목적어로 쓰였다.

어휘 stack 동 쌓다 incoming 형 다가오는

고난도

11 A second layer (of walls) was built / for some medieval castles, / **so** opposing armies could not invade through the wall.

(벽들의) 두 번째 겹이 지어졌다 / 몇몇 중세 성들을 위해 / 반대군이 벽을 통과하여 침입하지 못하도록

→ 반대군이 벽을 통과하여 침입하지 못하도록, 몇몇 중세 성들을 위해 벽들의 두 번째 겹이 지어졌다.

어휘 medieval 형 중세의 opposing 형 반대의, 대항하는 invade 동 침입하다

12 Many industrial fisheries are now **so** intensive / **that** only a few animals survive beyond the age of maturity. <수능>

많은 산업용 어업이 이제 너무 집중적이어서 / 몇 안 되는 동물들만 성숙기를 넘어서 살아남는다

어휘 industrial 형 산업용의 intensive 형 집중적인 maturity 명 성숙함

13 The crash was **so** powerful a force / **that** the ground shook and trees collapsed.

그 충돌은 너무 강력한 힘이어서 / 지면이 흔들리고 나무들이 쓰러졌다

어휘 collapse 동 쓰러지다

14 The weather (in winter) was **so** cold in the area / **that** many newcomers could hardly tolerate it.

그 지역에서 (겨울의) 날씨는 너무 추워서 / 많은 새로 오는 사람들이 그것을 거의 참지 못했다

● the weather 대신 대명사 it이 쓰였다.

어휘 tolerate 통 참다, 견디다

15 The extinct species was **such** an unusual animal / **that** the researchers had a difficult time estimating its size.

그 멸종된 종은 너무 특이한 동물이어서 / 연구자들은 그것의 크기를 추정하는 데 어려움을 겪었다

● 「have a difficult time+v-ing」는 '~하는 데 어려움을 겪다'라고 해석한다.

어휘 extinct 형 멸종된 estimate 통 추정하다

16 The match was **so** close / **that** the crowd fell completely silent, / since they were worried that even a small sound would affect the game's outcome.

경기가 너무 막상막하여서 / 관중들은 완전히 조용해졌다 / 그들이 작은 소리라도 경기의 결과에 영향을 미칠 것을 걱정했기 때문에
→ 경기가 너무 막상막하여서 관중들은 작은 소리라도 경기의 결과에 영향을 미칠 것을 걱정했기 때문에 완전히 조용해졌다.

어휘 close 형 막상막하인 completely 부 완전히 silent 형 조용한 outcome 명 결과

고난도
17 When many airlines offer seemingly cheap tickets, / they are often accompanied by **such** unreasonable commissions / **that** a flight ends up more expensive.

많은 항공사들이 겉보기에는 저렴한 항공권을 제공하는데 / 그들은 종종 너무 불합리한 수수료를 수반해서 / 비행이 결국 더 비싸지게 된다

● tickets 대신 대명사 they가 쓰였다.

어휘 seemingly 부 겉보기에 accompany 통 수반하다 unreasonable 형 불합리한

UNIT 53 부사절을 이끄는 복합관계사 해석하기

본책 p.106

01 **Whatever** our project is, / we should wait until the right time to start it. <모의>

우리의 프로젝트가 무엇이더라도 / 우리는 그것을 시작할 적절한 시간까지 기다려야 한다

● = **No matter what** our project is, we should wait until the right time to start it.

02 **Whomever** they give the award to, / all nominees deserve winning it.

그들이 누구에게 상을 주더라도 / 모든 후보자들은 그것을 받을 자격이 있다

● = **No matter whom** they give the award to, all nominees deserve winning it.

● 동명사구 winning it은 동사 deserve의 목적어로 쓰였다.

어휘 nominee 명 후보자 deserve 통 자격이 있다

03 Mr. Evans won't be satisfied with his new suit, / **whichever color** he chooses for it.

Evans씨는 그의 새 양복에 만족하지 않을 것이다 / 그가 그것을 위해 어느 색깔을 선택하더라도
→ Evans씨는 그의 새 양복을 위해 어느 색깔을 선택하더라도, 그것에 만족하지 않을 것이다.

● = Mr. Evans won't be satisfied with his new suit, **no matter which color** he chooses for it.

● his new suit 대신 대명사 it이 쓰였다.

04 **Whoever** is running for office, / the people will decide who their next leader will be / via a vote.

누가 공직에 출마하더라도 / 국민은 그들의 다음 지도자가 누구일지를 결정할 것이다 / 투표를 통해
→ 누가 공직에 출마하더라도, 국민은 그들의 다음 지도자가 누구일지를 투표를 통해 결정할 것이다.

⭘ = **No matter who** is running for office, the people will decide who their next leader will be via a vote.
⭘ who ~ be는 동사 will decide의 목적어 역할을 하는 명사절이다.

05 **Whatever** the cause (of our discomfort) is, / most of us have to convince / ourselves to seek feedback from others. <모의>

(우리의 불안의) 원인이 무엇이더라도 / 우리 대부분은 설득해야 한다 / 우리 자신이 다른 사람들로부터 의견을 구하도록
→ 우리의 불안의 원인이 무엇이더라도, 우리 대부분은 우리 자신이 다른 사람들로부터 의견을 구하도록 설득해야 한다.

⭘ = **No matter what** the cause of our discomfort is, most of us have to convince ourselves to seek feedback from others.
⭘ 「convince+목적어(ourselves)+목적격 보어(to seek ~ others)」의 구조이다.

어휘 discomfort 명 불안 convince 동 설득하다 feedback 명 의견

06 **Whoever** is interested in applying to our internship program, / we will offer a chance (to attend lectures (from professional leaders)).

누가 우리의 인턴십 프로그램에 관심이 있더라도 / 우리는 ((전문적인 대표들로부터의) 강의에 참석할) 기회를 제공할 것이다

⭘ = **No matter who** is interested in applying to our internship program, we will offer a chance to attend lectures from professional leaders.
⭘ 동명사구 applying ~ program은 전치사 in의 목적어로 쓰였다.
⭘ to부정사구 to attend ~ leaders는 chance를 꾸며주는 형용사적 용법으로 쓰였다.

07 **Whatever data** is presented to us, / the tendency (to give more weight to information [that supports our beliefs]) / may distract our comprehending the whole data. <모의응용>

무슨 자료가 우리에게 제시되더라도 / ([우리의 신념을 지지하는] 정보에 더 많은 무게를 두는) 경향은 / 우리가 전체 자료를 이해하는 데 혼란을 줄 수도 있다

⭘ = **No matter what data** is presented to us, the tendency to give more weight to information that supports our beliefs may distract our comprehending the whole data.
⭘ to부정사구 to give ~ beliefs는 tendency를 꾸며주는 형용사적 용법으로 쓰였다.
⭘ that ~ beliefs는 information을 꾸며주는 주격 관계대명사절이다.
⭘ 동명사구 comprehending ~ data의 의미상 주어로 our가 쓰였다.

어휘 present 동 제시하다 tendency 명 경향 distract 동 혼란을 주다 comprehend 동 이해하다

고난도
08 Finding true freedom has more to do with / staying on course and following your sense of who you truly are, / **whichever way** the wind leads you to. <모의응용>

진정한 자유를 찾는 것은 더 관련이 있다 / 가던 길을 유지하고 네가 진정으로 누구인지에 대한 너의 감각을 따르는 것과 / 바람이 어느 방향으로 너를 이끌더라도
→ 진정한 자유를 찾는 것은 바람이 어느 방향으로 너를 이끌더라도 가던 길을 유지하고 네가 진정으로 누구인지에 대한 너의 감각을 따르는 것과 더 관련이 있다.

⭘ = Finding true freedom has more to do with staying on course and following your sense of who you truly are, **no matter which way** the wind leads you to.
⭘ 동명사구 Finding true freedom은 문장에서 주어 역할을 하고 있다.
⭘ staying과 following이 등위접속사 and로 연결되어 있으며, 전치사 with의 목적어 역할을 하는 동명사에 해당한다.
⭘ who ~ are은 전치사 of의 목적어 역할을 하는 명사절이다.

어휘 course 명 길

09 **Whenever** you worry that something might happen, / stop thinking on problems [that do not exist]. <모의응용>

네가 무언가가 일어날 수도 있다고 걱정할 때마다 / [존재하지 않는] 문제들에 대해 생각하는 것을 멈춰라

⭘ = **Every time that** you worry that something might happen, stop thinking on problems that do not exist.
⭘ that ~ exist는 problems를 꾸며주는 주격 관계대명사절이다.

어휘 exist 동 존재하다

10 **However** a fish is prepared, / it is palatable / and provides the best source (of protein).

생선이 준비되는 어떤 방법으로든 / 그것은 맛있다 / 그리고 최고의 (단백질) 공급원을 제공한다
→ 생선이 준비되는 어떤 방법으로든, 그것은 맛있고 최고의 단백질 공급원을 제공한다.

⭘ = **In whatever way that** a fish is prepared, it is palatable and provides the best source of protein.

11 The managers warned us / that there must be powerful tools (to overcome the company's stop in growth), / **whenever** the company's profit decreased.

경영진은 우리에게 경고했다 / (회사의 성장이 멈춘 것을 극복할) 강력한 도구들이 있어야 한다고 / 회사의 수익이 줄어들 때마다
→ 회사의 수익이 줄어들 때마다, 경영진은 우리에게 회사의 성장이 멈춘 것을 극복할 강력한 도구들이 있어야 한다고 경고했다.

- = The managers warned us that there must be powerful tools to overcome the company's stop in growth, **every time that** the company's profit decreased.
- 「warn+간접 목적어(us)+직접 목적어(that ~ growth)」의 구조이다.
- to부정사구 to overcome ~ growth는 tools를 꾸며주는 형용사적 용법으로 쓰였다.

어휘 overcome 동 극복하다 profit 명 수익

12 **Wherever** the idol group went, / they were recognized and surrounded by fans, / which caused the group's stress.

그 아이돌 그룹이 간 곳은 어디든 / 그들은 팬들에 의해 알아봐지고 에워싸졌다 / 그리고 그것은 그 그룹의 스트레스를 야기했다
→ 그 아이돌 그룹이 간 곳은 어디든, 그들은 팬들에 의해 알아봐지고 에워싸졌고, 그것은 그 그룹의 스트레스를 야기했다.

- = **To any place that** the idol group went, they were recognized and surrounded by fans, which caused the group's stress.
- 관계대명사 which 앞에 콤마(,)가 쓰이면 콤마 앞의 선행사에 대한 부가적인 정보를 덧붙이며, 이 문장의 which는 앞에 나온 절을 선행사로 가졌다.

어휘 recognize 동 알아보다 surround 동 에워싸다

13 The public continues to throw money at their car products relentlessly, / **no matter how** often recall issues erupt at the company.

대중들은 계속해서 그들의 자동차 제품에 끊임없이 돈을 쏟아 붓고 있다 / 아무리 자주 그 회사에 회수 사건들이 터지더라도
→ 아무리 자주 그 회사에 회수 사건들이 터지더라도, 대중들은 계속해서 그들의 자동차 제품에 끊임없이 돈을 쏟아 붓고 있다.

- = The public continues to throw money at their car products relentlessly, **however** often recall issues erupt at the company.
- to부정사 to throw ~ relentlessly는 동사 continues의 목적어로 쓰였다.

어휘 relentlessly 부 계속해서 erupt 동 터지다

14 There are countless procedures (to follow) / **whenever** we get through security, / so being prepared helps us accelerate the process.

(따를) 수많은 절차들이 있다 / 우리가 보안을 통과할 때마다 / 그래서 준비된 것은 우리가 절차를 가속하는 것을 돕는다
→ 우리가 보안을 통과할 때마다 따를 수많은 절차들이 있어서, 준비된 것은 우리가 절차를 가속하는 것을 돕는다.

- = There are countless procedures to follow **every time that** we get through security, so being prepared helps us accelerate the process.
- to부정사 to follow는 procedures를 꾸며주는 형용사적 용법으로 쓰였다.
- 동명사구 being prepared는 문장에서 주어로 쓰였다.
- 「help+목적어(us)+목적격 보어(accelerate the process)」의 구조이다.

어휘 countless 형 수많은 procedure 명 절차 get through 통과하다 accelerate 동 가속하다

고난도
15 **Wherever** he stays, / Ted always establishes / routines [that he can stick to] and [that he can maintain].

그가 어디에서 머무르더라도 / Ted는 항상 수립한다 / [그가 고수할 수 있는] 그리고 [그가 유지할 수 있는] 일과들을
→ 그가 어디에서 머무르더라도, Ted는 항상 그가 고수할 수 있고 유지할 수 있는 일과들을 수립한다.

- = **No matter where** he stays, Ted always establishes routines that he can stick to and that he can maintain.
- that ~ stick to와 that ~ maintain은 routines를 꾸며주는 목적격 관계대명사절이다.

고난도
16 **However** poorly the situation was resolved, / the managers considered it a relatively satisfying end result, / though they weren't certain of what the result would bring.

아무리 상황이 서투르게 해결되었더라도 / 관리자들은 그것을 비교적 만족스러운 최종 결과라고 생각했다 / 비록 그들이 그 결과가 무엇을 가져올지에 대해 확실하지 않았지만 → 아무리 상황이 서투르게 해결되었더라도, 관리자들은 비록 그 결과가 무엇을 가져올지에 대해 확실하지 않았지만, 그것을 비교적 만족스러운 최종 결과라고 생각했다.

- = **No matter how** poorly the situation was resolved, the managers considered it a relatively satisfying end result, though they weren't certain of what the result would bring.
- 「consider+목적어(it)+목적격 보어(a relatively ~ result)」의 구조이다.
- what ~ bring은 전치사 of의 목적어 역할을 하는 명사절이다.

어휘 resolve 동 해결하다 relatively 부 비교적 certain 형 확실한

Chapter Test

본책 p.108

01 Flames exploded outward / **when** the firefighters opened the door (to the burning building).

불길이 바깥으로 폭발했다 / 소방대원들이 (불타고 있는 건물로의) 문을 열었을 때 → 소방대원들이 불타고 있는 건물로의 문을 열었을 때 불길이 바깥으로 폭발했다.

어휘 explode 동 폭발하다

02 **Although** he didn't know what effect his speech would have, / he spoke with confidence and certainty.

비록 그는 그의 연설이 무슨 영향을 미칠지 몰랐지만 / 그는 자신감과 확신을 가지고 말했다

✪ what effect ~ have는 동사 didn't know의 목적어 역할을 하는 명사절이다.

어휘 confidence 명 자신감 certainty 명 확신

03 **No sooner** had the sound (of thunder) growled through the clouds / **than** rain began to pour down over the city.

구름 사이로 (천둥의) 소리가 우르르 울리자마자 / 비가 도시 위로 쏟아져 내리기 시작했다

✪ to부정사 to pour ~ city는 동사 began의 목적어로 쓰였다.

04 **However** frequently the parents offer words (of inspiration) to their children, / trusting them would improve their self-esteem more.

아무리 자주 부모들이 그들의 아이들에게 (영감의) 말을 해주더라도 / 아이들을 신뢰하는 것이 그들의 자존감을 더 향상시킬 것이다

✪ = **No matter how** frequently the parents offer words of inspiration to their children, trusting them would improve their self-esteem more.

✪ 동명사구 trusting them은 문장에서 주어 역할을 하고 있다.

어휘 frequently 부 자주 inspiration 명 영감 self-esteem 명 자존감

05 The two movies were similar / **in that** they followed the same general plot structure and featured similar themes.

그 두 영화는 유사했다 / 그들이 동일한 전반적인 줄거리 구조를 따르고 비슷한 주제의 특징을 그린다는 점에서
→ 그 두 영화는 동일한 전반적인 줄거리 구조를 따르고 비슷한 주제의 특징을 그린다는 점에서 유사했다.

✪ 동사 followed와 featured가 등위접속사 and로 연결되어 병렬 구문을 이룬다.

어휘 similar 형 유사한 general 형 전반적인

06 Uncomfortable **as** it may be, / the truly important task [a person must do] / is to face their fears and overcome them.

비록 그것이 불편할 수도 있지만 / [사람이 해야 하는] 진정으로 중요한 과업은 / 그들의 두려움을 직시하고 그것들을 극복하는 것이다

✪ task와 a person 사이에는 목적격 관계대명사가 생략되어 있다.

✪ face와 overcome이 등위접속사 and로 연결되어 있으며, 주격 보어 역할을 하는 to부정사의 동사원형에 해당한다.

07 They hired an exterminator / **the moment** they saw a cockroach, / **lest** the infestation grow and become a larger problem.

그들은 해충 구제업자를 고용했다 / 그들이 바퀴벌레를 본 순간 / 출몰이 늘어나고 더 큰 문제가 되지 않도록
→ 출몰이 늘어나고 더 큰 문제가 되지 않도록, 그들은 바퀴벌레를 본 순간 해충 구제업자를 고용했다.

✪ 동사 grow와 become이 등위접속사 and로 연결되어 병렬 구문을 이룬다.

어휘 cockroach 명 바퀴벌레 infestation 명 출몰

08 The results (of the experiments) would be reliable, / **provided that** the researchers adhere to the protocols [that they established].

(실험의) 결과는 신뢰할 수 있을 것이다 / 연구자들이 [그들이 세운] 계획을 지킨다는 조건하에
→ 연구자들이 그들이 세운 계획을 지킨다는 조건하에, 실험의 결과는 신뢰할 수 있을 것이다.

- that they established는 protocols를 꾸며주는 목적격 관계대명사절이다.

어휘 reliable 형 신뢰할 수 있는 adhere to ~을 고수하다 protocol 명 계획

고난도
09 The new cars were **so** fast / **that** new safety mechanisms needed to be developed, / **as** they increased damage (from collisions).

그 새로운 차들은 너무 빨라서 / 새로운 안전 장치들이 개발될 필요가 있었다 / 그들이 (충돌로 인한) 피해를 증가시켰기 때문에
→ 그 새로운 차들은 너무 빨라서 충돌로 인한 피해를 증가시켰기 때문에, 새로운 안전 장치들이 개발될 필요가 있었다.

- to부정사 to be developed는 동사 needed의 목적어로 쓰였다.
- to부정사가 의미상 주어(new safety mechanisms)와 수동 관계이므로 수동형이 쓰였다.
- the new cars 대신 대명사 they가 쓰였다.

어휘 mechanism 명 장치, 방법 collision 명 충돌

고난도
10 **Whichever** the companies select between emotional and logical appeals / to use in their advertisements, / it will be very effective on consumers.

기업들이 광고에서 감정적 호소와 논리적 호소 사이에서 어느 것을 고르더라도 / 그들의 광고에서 사용하기 위해 / 그것은 소비자들에게 매우 효과적일 것이다
→ 기업들이 그들의 광고에서 사용하기 위해 감정적 호소와 논리적 호소 사이에서 어느 것을 고르더라도, 그것은 소비자들에게 매우 효과적일 것이다.

- = **No matter which** the companies select between emotional and logical appeals to use in their advertisements, it will be very effective on consumers.
- to부정사구 to use ~ advertisements는 목적을 나타내는 부사적 용법으로 쓰였다.

어휘 emotional 형 감정적인 logical 형 논리적인 appeal 명 호소

CHAPTER 10 가정법

UNIT 54 가정법 과거 해석하기

본책 p.110

01 **If** children **were required** to excel / only in certain areas, / they **might cope** with their parents' expectations better. <모의>

만약 아이들이 뛰어나도록 요구받는다면 / 특정 분야에서만 / 그들은 그들의 부모의 기대에 더 잘 대응할 수도 있을 텐데
→ 만약 아이들이 특정 분야에서만 뛰어나도록 요구받는다면, 그들은 그들의 부모의 기대에 더 잘 대응할 수도 있을 텐데.

「require+목적어(children)+목적격 보어(to excel ~ areas)」의 구조가 수동태로 바뀐 절이다.

어휘 excel 동 뛰어나다, 탁월하다 cope 동 대응[대처]하다 expectation 명 기대

02 **If** the team **had** more exceptional players, / it **could** potentially **win** the championship / this year.

만약 그 팀이 더 많은 뛰어난 선수들을 보유한다면 / 그것은 어쩌면 선수권을 따낼 수 있을 텐데 / 올해
→ 만약 그 팀이 더 많은 뛰어난 선수들을 보유한다면, 그것은 어쩌면 올해 선수권을 따낼 수 있을 텐데.

어휘 exceptional 형 뛰어난 potentially 부 어쩌면, 잠재적으로

03 **If** the knife **were** sharp, / the chef **would not have** a hard time / cutting through the meat and vegetables.

만약 그 칼이 날카롭다면 / 그 요리사는 어려움을 겪지 않을 텐데 / 고기와 채소를 자르는 데
→ 만약 그 칼이 날카롭다면, 그 요리사는 고기와 채소를 자르는 데 어려움을 겪지 않을 텐데.

「have a hard time+v-ing」는 '~하는 데 어려움을 겪다'라고 해석한다.

04 The studio **might make** more money / **if** its movie **were filmed** on a set / rather than at remote locations.

그 영화사는 더 많은 돈을 벌 수도 있을 텐데 / 만약 그것의 영화가 세트장에서 촬영된다면 / 멀리 떨어진 야외 촬영지들에서 보다
→ 만약 그 영화사의 영화가 멀리 떨어진 야외 촬영지들에서 보다 세트장에서 촬영된다면, 그 영화사는 더 많은 돈을 벌 수도 있을 텐데.

어휘 remote 형 멀리 떨어진 location 명 야외 촬영지

05 **If** multi-celled organisms **were found** to have evolved / before single-celled organisms, / the theory of evolution **would be rejected**. <모의>

만약 다세포 생물이 진화했다고 밝혀진다면 / 단세포 생물 이전에 / 진화론은 거부될 텐데
→ 만약 다세포 생물이 단세포 생물 이전에 진화했다고 밝혀진다면, 진화론은 거부될 텐데.

「find+목적어(multi-celled organisms)+목적격 보어(to have evolved ~ organisms)」의 구조가 수동태로 바뀐 절이다.

어휘 multi-celled 형 다세포의 organism 명 생물, 유기체 evolve 동 진화하다 single-celled 형 단세포의

고난도

06 **If** the Earth **rotated** twice as quickly, / centrifugal force **would pull** water toward the equator, / raising sea levels (in the area) dramatically.

만약 지구가 두 배 빨리 회전한다면 / 원심력이 적도 쪽으로 물을 끌어당겨서 / (그 지역의) 해수면을 극적으로 끌어올릴 텐데

raising ~ dramatically는 결과를 나타내는 분사구문으로 해석될 수 있다.

어휘 rotate 동 회전하다 equator 명 적도 dramatically 부 극적으로

07 **If** birds **grew** their young inside their bodies / instead of laying eggs, / they **might be** very vulnerable to predators / because they would be too heavy to fly. <모의응용>

만약 새들이 그들의 몸 안에서 그들의 새끼를 자라게 한다면 / 알을 낳는 것 대신 / 그들은 포식자들에게 매우 취약할 수도 있을 텐데 / 그들이 날기에 너무 무거울 것이기 때문에 → 만약 새들이 알을 낳는 것 대신 그들의 몸 안에서 새끼를 자라게 한다면, 그들은 날기에 너무 무거울 것이기 때문에 포식자들에게 매우 취약할 수도 있을 텐데.

어휘 young 명 (동물의) 새끼 vulnerable 형 취약한, 연약한 predator 명 포식자

UNIT 55 가정법 과거완료 해석하기

본책 p.111

01 **If** the student **had dropped** the bottle (containing chemicals), / it **could have led** to a serious accident. <모의응용>

만약 그 학생이 (화학 물질을 담고 있는) 병을 떨어뜨렸더라면 / 그것은 심각한 사고로 이어질 수 있었을 텐데

● 현재분사구 containing chemicals는 bottle을 꾸며준다.

어휘 contain 동 담고 있다 chemical 명 화학 물질

02 **If** I **had invited** all of my family to the dinner, / there **might have been** arguments / amongst some of them.

만약 내가 나의 가족 모두를 저녁 식사에 초대했더라면 / 말다툼이 있을 수도 있었을 텐데 / 그들 중 몇몇 사이에서
→ 만약 내가 나의 가족 모두를 저녁 식사에 초대했더라면, 그들 중 몇몇 사이에서 말다툼이 있을 수도 있었을 텐데.

어휘 argument 명 말다툼, 논쟁

03 **If** the explorers **had moved** a few kilometers east, / they **could have made** important historical discoveries.

만약 그 탐험가들이 동쪽으로 몇 킬로미터 이동했더라면 / 그들은 중요한 역사적 발견을 할 수 있었을 텐데

어휘 explorer 명 탐험가

04 The climber **would have fallen** a tremendous distance / and **been** badly **injured** / **if** he **had missed** that last handhold.

그 등반가는 엄청난 거리를 떨어졌을 텐데 / 그리고 심하게 부상당했을 텐데 / 만약 그가 그 마지막 손잡이를 놓쳤더라면
→ 만약 그 등반가가 그 마지막 손잡이를 놓쳤더라면, 그는 엄청난 거리를 떨어지고 심하게 부상당했을 텐데.

● fallen과 been이 등위접속사 and로 연결되어 있으며, would have와 함께 쓰인 과거분사에 해당한다.

어휘 tremendous 형 엄청난 handhold 명 손잡이, 손으로 잡을 수 있는 곳

05 **If** the orchestra **had practiced** harder, / they **might have seemed** more synchronized / during their performance.

만약 그 오케스트라가 더 열심히 연습했더라면 / 그들은 더 통합된 것처럼 보일 수도 있었을 텐데 / 그들의 공연 동안
→ 만약 그 오케스트라가 더 열심히 연습했더라면, 그들은 그들의 공연 동안 더 통합된 것처럼 보일 수도 있었을 텐데.

어휘 synchronized 형 통합(화)된

06 **If** the designers **had positioned** the legs (of the bench) farther apart, / it **could have remained** stable / while supporting more people.

만약 설계자들이 (그 벤치의) 다리들을 더 멀리 떨어뜨려 놓았더라면 / 그것은 안정적인 상태로 있을 수 있었을 텐데 / 더 많은 사람들을 지탱하면서
→ 만약 설계자들이 그 벤치의 다리들을 더 멀리 떨어뜨려 놓았더라면, 그것은 더 많은 사람들을 지탱하면서 안정적인 상태로 있을 수 있었을 텐데.

어휘 position 동 놓다, 배치하다

고난도
07 The US **would have dealt with** fewer health issues / **if** the government **had passed** laws (guaranteeing the right (to health care)).

미국은 더 적은 보건 문제를 상대했을 텐데 / 만약 정부가 ((의료 서비스에 대한) 권리를 보장하는) 법을 통과시켰더라면
→ 만약 정부가 의료 서비스에 대한 권리를 보장하는 법을 통과시켰더라면, 미국은 더 적은 보건 문제를 상대했을 텐데.

✪ 현재분사구 guaranteeing ~ care는 laws를 꾸며준다.

어휘 guarantee 동 보장하다

UNIT 56 if+주어+should/were to 가정법 해석하기

본책 p.112

01 **If** manufacturers **should fail** to produce good food, / the state **would punish** them / for threatening the interests (of its citizens). <모의응용>

만약 제조업체들이 좋은 식품을 생산하는 것을 하지 않는다면 / 국가는 그들을 처벌할 텐데 / (그것의 시민들의) 이익을 위협한 것에 대해
→ 만약 제조업체들이 좋은 식품을 생산하는 것을 하지 않는다면, 국가는 그것의 시민들의 이익을 위협한 것에 대해 그들을 처벌할 텐데.

✪ to부정사구 to produce good food는 동사 should fail의 목적어로 쓰였다.

어휘 manufacturer 명 제조업체 punish 동 처벌하다 threaten 동 위협하다 interest 명 이익

02 **If** the snow (on the roads) **were to melt**, / we **could drive** again / without any fear (of crashing).

만약 (도로 위의) 눈이 녹는다면 / 우리는 다시 운전할 수 있을 텐데 / (충돌에 대한) 어떤 두려움도 없이
→ 만약 도로 위의 눈이 녹는다면, 우리는 충돌에 대한 어떤 두려움도 없이 다시 운전할 수 있을 텐데.

어휘 crash 동 충돌하다

03 **If** such a golden opportunity **should arise** again, / I **may be** inclined to accept the offer.

만약 그런 절호의 기회가 다시 생긴다면 / 나는 그 제안을 받아들이고 싶어질 수도 있을 텐데

어휘 inclined 형 하고 싶은, ~할 것 같은

04 Franklin **would succeed** much more frequently / in job interviews / **if** he **were to put** a little more effort into preparing.

Franklin은 훨씬 더 자주 성공할 텐데 / 취업 면접에서 / 만약 그가 준비하는 데 약간의 노력을 더 들인다면
→ 만약 Franklin이 준비하는 데 약간의 노력을 더 들인다면, 그는 취업 면접에서 훨씬 더 자주 성공할 텐데.

어휘 frequently 부 자주

05 **If** the museum **should open** its doors / on public holidays, / it **would attract** a greater number of visitors.

만약 그 박물관이 문을 연다면 / 공휴일에도 / 그것은 더 큰 숫자의 방문객을 끌어들일 텐데
→ 만약 그 박물관이 공휴일에도 문을 연다면, 그것은 더 큰 숫자의 방문객을 끌어들일 텐데.

어휘 attract 동 끌어들이다, 유치하다

06 The contractor **could receive** a big incentive / **if** he **should complete** the construction / by the end of the month.

그 도급업자는 큰 포상을 받을 수 있을 텐데 / 만약 그가 공사를 완료한다면 / 이번 달 말까지
→ 만약 그 도급업자가 이번 달 말까지 공사를 완료한다면, 그는 큰 포상을 받을 수 있을 텐데.

어휘 contractor 명 도급업자 incentive 명 포상 construction 명 공사

07 **If** I **were to step** in quicksand, / the pressure (from my foot) **would cause** / it to act like a liquid, // and I **would sink** right in. <모의응용>

만약 내가 유사를 밟는다면 / (나의 발에서 나오는) 압력이 야기할 텐데 / 그것이 액체처럼 작용하도록 // 그리고 나는 바로 빠질 텐데

→ 만약 내가 유사를 밟는다면, 나의 발에서 나오는 압력이 그것이 액체처럼 작용하도록 야기하고, 나는 바로 빠질 텐데.

⊙ 「cause+목적어(it)+목적격 보어(to act ~ liquid)」의 구조이다.

어휘 pressure 명 압력 liquid 명 액체

고난도

08 **If** you **were to pull out of** a deal / after a minor amendment (in the terms of the agreement), / you **might be considered** an irresponsible person.

만약 네가 거래에서 손을 뗀다면 / (계약 조건에서의) 사소한 수정 이후에 / 너는 무책임한 사람이라고 생각될 수도 있을 텐데

→ 만약 네가 계약 조건에서의 사소한 수정 이후에 거래에서 손을 뗀다면, 너는 무책임한 사람이라고 생각될 수도 있을 텐데.

⊙ 「consider+목적어(you)+목적격 보어(an irresponsible person)」의 구조가 수동태로 바뀐 문장이다.

어휘 pull out of ~에서 손을 떼다, 철수하다 amendment 명 수정 terms 명 조건 agreement 명 계약 irresponsible 형 무책임한

UNIT 57 if가 생략된 가정법 해석하기

본책 p.113

01 **Had** I **taken** package tours, / I **wouldn't have had** the eye-opening experiences / [that changed my perspective (on life)]. <모의응용>

만약 내가 패키지 여행을 했더라면 / 나는 놀랄 만한 경험을 가지지 못했을 텐데 / [(삶에 대한) 나의 관점을 바꿨던]

→ 만약 내가 패키지 여행을 했더라면, 나는 삶에 대한 나의 관점을 바꿨던 놀랄 만한 경험을 가지지 못했을 텐데.

⊙ = If I had taken package tours, I wouldn't have had the eye-opening experiences ~.

어휘 eye-opening 형 놀랄 만한, 괄목할 만한 perspective 명 관점

02 **Were** the dog **trained** well, / it **would be** able to respond to specific commands / and perform various tricks.

만약 그 개가 잘 훈련되어 있다면 / 그것은 특정한 명령에 반응할 수 있을 텐데 / 그리고 다양한 묘기를 할 수 있을 텐데

→ 만약 그 개가 잘 훈련되어 있다면, 그것은 특정한 명령에 반응하고 다양한 묘기를 할 수 있을 텐데.

⊙ respond와 perform이 등위접속사 and로 연결되어 있으며, would be able to와 함께 쓰인 동사원형에 해당한다.

어휘 specific 형 특정한 command 명 명령 various 형 다양한

03 **Had** the assignment **been** more clearly **explained**, / the students **could have understood** / what was required of them.

만약 그 과제가 더 명확하게 설명되었더라면 / 학생들은 이해할 수 있었을 텐데 / 무엇이 그들에게 요구되었는지를

→ 만약 그 과제가 더 명확하게 설명되었더라면, 학생들은 무엇이 그들에게 요구되었는지를 이해할 수 있었을 텐데.

⊙ what ~ them은 동사 could have understood의 목적어 역할을 하는 명사절이다.

04 **Should** the products **sell out**, / we **would close** the store early / so as not to waste the time (of either the customers or ourselves).

만약 상품이 다 팔리면 / 우리는 가게를 일찍 닫을 텐데 / (고객이나 우리들 자신의) 시간을 낭비하지 않기 위해

→ 만약 상품이 다 팔리면, 우리는 고객이나 우리들 자신의 시간을 낭비하지 않기 위해 가게를 일찍 닫을 텐데.

⊙ to부정사구 not to waste ~ ourselves는 목적을 나타내는 부사적 용법으로 쓰였으며, not to 대신 so as not to가 왔다.

05 **Were** the watermelon ripe enough, / it **would sound** somewhat hollow / when you knocked on it.

만약 그 수박이 충분히 익어 있다면 / 그것은 다소 비어 있게 들릴 텐데 / 네가 그것을 두드렸을 때
→ 만약 그 수박이 충분히 익어 있다면, 네가 그것을 두드렸을 때 다소 비어 있게 들릴 텐데.

어휘 ripe 형 익은 hollow 형 비어 있는

06 **Had** a meteor **not hit** the Earth / millions of years ago, / an entire ice age **might have been avoided** or **delayed**.

만약 유성이 지구에 충돌하지 않았더라면 / 수백만 년 전에 / 빙하기 전체가 피해지거나 미뤄질 수도 있었을 텐데
→ 만약 수백만 년 전에 유성이 지구에 충돌하지 않았더라면, 빙하기 전체가 피해지거나 미뤄질 수도 있었을 텐데.

- avoided와 delayed가 등위접속사 or로 연결되어 있으며, might have been과 함께 쓰인 과거분사에 해당한다.

어휘 meteor 명 유성

07 **Should** the lizard **be trapped** under the rock, / it **could detach** its tail / to escape, / as the species commonly does.

만약 그 도마뱀이 바위 밑에 끼인다면 / 그것은 그것의 꼬리를 떼어낼 수 있을 텐데 / 탈출하기 위해 / 그 종이 흔히 그러는 것처럼
→ 만약 그 도마뱀이 바위 밑에 끼인다면, 그것은 그 종이 흔히 그러는 것처럼 탈출하기 위해 그것의 꼬리를 떼어낼 수 있을 텐데.

- to부정사 to escape는 목적을 나타내는 부사적 용법으로 쓰였다.
- detaches its tail to escape 대신 대동사 does가 쓰였다.

어휘 detach 동 떼어내다 species 명 종

고난도
08 **Had** the researchers **noticed** the error / in the initial stages (of the study), / the subsequent data **might not have been corrupted**.

만약 연구자들이 그 오류를 알아차렸더라면 / (연구의) 초기 단계에서 / 그 이후의 데이터는 오류가 나지 않을 수도 있었을 텐데
→ 만약 연구자들이 연구의 초기 단계에서 그 오류를 알아차렸더라면, 그 이후의 데이터는 오류가 나지 않을 수도 있었을 텐데.

어휘 subsequent 형 이후의 corrupt 동 오류를 일으키다

UNIT 58 S+wish 가정법 해석하기

본책 p.114

01 Many people insist / that knowledge is power, // but we sometimes **wish** / we **didn't know** about something. <모의응용>

많은 사람들이 주장한다 / 아는 것이 힘이라고 // 그러나 우리는 때때로 바란다 / 우리가 무언가에 대해 모르길
→ 많은 사람들이 아는 것이 힘이라고 주장하지만, 우리는 때때로 무언가에 대해 모르길 바란다.

- that ~ power는 동사 insist의 목적어 역할을 하는 명사절이다.

02 I **wish** / I **had remembered** to pack a phone charger, // but I didn't think of it / until I arrived at the hotel.

좋을 텐데 / 내가 휴대폰 충전기를 챙길 것을 기억했더라면 // 그러나 나는 그것을 생각해내지 못했다 / 내가 호텔에 도착할 때까지
→ 내가 휴대폰 충전기를 챙길 것을 기억했더라면 좋을 테지만, 나는 호텔에 도착할 때까지 그것을 생각해내지 못했다.

- to부정사구 to pack ~ charger는 동사 had remembered의 목적어로 쓰였다.

어휘 charger 명 충전기

03 The organizers **wish** / they **could afford** to rent a larger venue / [that would allow their exhibitors plenty of room (to maneuver)].

주최자들은 바란다 / 그들이 더 큰 장소를 대여할 형편이 되길 / [그들의 전시회 출품자들에게 (움직일) 충분한 공간을 허용할]
→ 주최자들은 그들의 전시회 출품자들에게 움직일 충분한 공간을 허용할 더 큰 장소를 대여할 형편이 되길 바란다.

- that ~ maneuver는 venue를 꾸며주는 주격 관계대명사절이다.
- 「allow+간접 목적어(their exhibitors)+직접 목적어(plenty ~ maneuver)」의 구조이다.
- to부정사 to maneuver는 room을 꾸며주는 형용사적 용법으로 쓰였다.

어휘 organizer 명 주최자 exhibitor 명 전시회 출품자 maneuver 동 움직이다, 조작하다

04 Ms. Green **wished** / she **argued** more forcefully / for her vision (of the project) / at the meeting (with her boss).

Green씨는 바랐다 / 그녀가 더 강력하게 주장하길 / (그 프로젝트에 대한) 그녀의 비전에 대해 / (그녀의 상사와의) 회의에서

→ Green씨는 그녀의 상사와의 회의에서 그 프로젝트에 대한 그녀의 비전에 대해 더 강력하게 주장하길 바랐다.

어휘 forcefully 부 강력하게

05 The pilot **wished** / he **had checked** to ensure / that the helicopter rotors were working properly / before he departed that morning.

그 조종사는 바랐다 / 그가 확실하게 하기 위해 확인했길 / 헬리콥터 회전 날개가 제대로 작동하고 있었는지를 / 그가 그날 아침 출발하기 전에

→ 그 조종사는 그날 아침 출발하기 전에 헬리콥터 회전 날개가 제대로 작동하고 있었는지를 확실하게 하기 위해 확인했길 바랐다.

- to부정사구 to ensure ~ properly는 목적을 나타내는 부사적 용법으로 쓰였다.
- that ~ properly는 to부정사 to ensure의 목적어 역할을 하는 명사절이다.

어휘 ensure 동 확실하게 하다 properly 부 제대로 depart 동 출발하다

06 Julie **wishes** / she **were** better at understanding technology, // but she even finds / herself unable to fix simple computer problems.

Julie는 바란다 / 그녀가 기술을 이해하는 것을 더 잘 하길 // 그러나 그녀는 심지어 발견한다 / 그녀 자신이 간단한 컴퓨터 문제도 해결할 수 없는 것을

→ Julie는 기술을 이해하는 것을 더 잘 하길 바라지만, 그녀는 심지어 그녀 자신이 간단한 컴퓨터 문제도 해결할 수 없는 것을 발견한다.

- 「find+목적어(herself)+목적격 보어(unable ~ problems)」의 구조이다.

07 Vincent **wished** / he **had listened** to his manager's advice (not to move to the Accounting Department). <모의응용>

Vincent는 바랐다 / 그가 (회계 부서로 옮기지 말라는) 그의 관리자의 조언을 들었길 → Vincent는 회계 부서로 옮기지 말라는 그의 관리자의 조언을 들었길 바랐다.

- to부정사구 not to move ~ Department는 advice를 꾸며주는 형용사적 용법으로 쓰였다.

어휘 Accounting Department 명 회계 부서

고난도

08 The stunt performer **wishes** / he **had turned** the bike in the opposite direction / in the air, / because he timed the landing (of the jump) incorrectly.

그 스턴트 연기자는 바란다 / 그가 자전거를 반대 방향으로 돌렸길 / 공중에서 / 그가 (점프의) 착지 타이밍을 잘못 맞췄기 때문에

→ 그 스턴트 연기자는 공중에서 점프의 착지 타이밍을 잘못 맞췄기 때문에, 그가 자전거를 반대 방향으로 돌렸길 바란다.

어휘 opposite 형 반대의 time 동 타이밍을 맞추다 landing 명 착지

UNIT 59 as if[though] 가정법 해석하기

본책 p.115

01 When watching the news last night, / it **felt** / **as if** the whole world **were** in crisis.

어젯밤에 뉴스를 볼 때 / 느껴졌다 / 마치 전 세계가 위기 속에 있는 것처럼 → 어젯밤에 뉴스를 볼 때, 마치 전 세계가 위기 속에 있는 것처럼 느껴졌다.

02 Rumors **spread** rapidly / through a population / **as if** they **possessed** lives of their own.

소문들은 급속히 퍼진다 / 사람들 사이로 / 마치 그것들이 그것들 자신의 생명을 가진 것처럼

→ 소문들은 마치 그것들 자신의 생명을 가진 것처럼 사람들 사이로 급속히 퍼진다.

어휘 population 명 사람들 possess 동 가지다, 소유하다

03 The actor **stood up** smiling / **as though** the host **had announced** his name, // but someone else won the award.

그 배우는 미소 지으면서 일어섰다 / 마치 진행자가 그의 이름을 불렀던 것처럼 // 그러나 다른 누군가가 그 상을 받았다
→ 그 배우는 마치 진행자가 그의 이름을 불렀던 것처럼 미소 지으면서 일어섰지만, 다른 누군가가 그 상을 받았다.

어휘 announce 동 발표하다

04 Even though the child hasn't gotten any injuries, / he **sits around** all day / **as if** he **had broken** his legs.

비록 그 아이는 어떠한 부상도 입지 않았지만 / 그는 하루 종일 앉아 빈둥거린다 / 마치 그의 다리가 부러졌던 것처럼
→ 비록 그 아이는 어떠한 부상도 입지 않았지만, 그는 마치 그의 다리가 부러졌던 것처럼 하루 종일 앉아 빈둥거린다.

05 The car **started** to sputter and slow down / **as though** it **had run out of** fuel / or its engine **had been destroyed**.

그 차는 털털거리는 소리를 내고 속도를 늦추기 시작했다 / 마치 그것이 연료를 다 써버렸던 것처럼 / 또는 그것의 엔진이 망가졌던 것처럼
→ 그 차는 마치 연료를 다 써버렸거나 그것의 엔진이 망가졌던 것처럼 털털거리는 소리를 내고 속도를 늦추기 시작했다.

● sputter와 slow down이 등위접속사 and로 연결되어 있으며, started의 목적어 역할을 하는 to부정사의 동사원형에 해당한다.

어휘 sputter 동 털털거리는 소리를 내다 run out of 다 써버리다 fuel 명 연료 destroy 동 망가트리다

06 The runner **was sprinting** / **as if** he **weren't** in the first few minutes (of running a marathon), / with the intensity (used for shorter races).

그 달리기 선수는 전력 질주하고 있었다 / 마치 그가 (마라톤을 뛰는 것의) 초반 몇 분에 있지 않은 것처럼 / (더 단거리의 경주에 사용되는) 강도로
→ 그 달리기 선수는 마치 그가 마라톤을 뛰는 것의 초반 몇 분에 있지 않은 것처럼 더 단거리의 경주에 사용되는 강도로 전력 질주하고 있었다.

● 과거분사구 used ~ races는 intensity를 꾸며준다.

어휘 sprint 동 전력 질주하다 intensity 명 강도, 세기

07 To show sympathy, / many people **tend** to speak about situations / **as if** they **had experienced** them personally.

공감을 나타내기 위해 / 많은 사람들이 상황에 대해 말하는 경향이 있다 / 마치 그들이 그것들을 직접 경험했던 것처럼
→ 공감을 나타내기 위해, 많은 사람들이 마치 그 상황들을 직접 경험했던 것처럼 말하는 경향이 있다.

● to부정사구 To show sympathy는 목적을 나타내는 부사적 용법으로 쓰였다.
● situations 대신 대명사 them이 쓰였다.

어휘 sympathy 명 공감 personally 부 직접, 개인적으로

고난도
08 Words like "lavender" and "soap" / **activate** the areas of the brain [that respond to smells] / **as though** we physically **smelled** them. <모의응용>

"라벤더"와 "비누"같은 단어들은 / [냄새에 반응하는] 뇌의 영역을 활성화시킨다 / 마치 우리가 실제로 그것들을 냄새 맡는 것처럼
→ "라벤더"와 "비누"같은 단어들은 마치 우리가 실제로 그것들을 냄새 맡는 것처럼 냄새에 반응하는 뇌의 영역을 활성화시킨다.

● that ~ smells는 areas of the brain을 꾸며주는 주격 관계대명사절이다.

어휘 activate 동 활성화시키다 physically 부 실제로, 물리적으로

고난도
09 The prosecutor **described** the night (of the robbery) / **as though** the suspect **had** definitely **committed** / the crime [he was accused of].

그 검사는 (그 강도 사건의) 밤을 묘사했다 / 마치 그 용의자가 확실히 저질렀던 것처럼 / [그가 혐의를 받는] 범죄를
→ 그 검사는 마치 그 용의자가 혐의를 받는 범죄를 확실히 저질렀던 것처럼 그 강도 사건의 밤을 묘사했다.

● crime과 he 사이에는 목적격 관계대명사가 생략되어 있다.

어휘 prosecutor 동 검사 describe 동 묘사하다 robbery 명 강도 사건 suspect 명 용의자 definitely 부 확실히 commit 동 저지르다
accuse 동 혐의를 제기하다, 기소하다

다양한 가정법 표현 해석하기

본책 p.116

01 **Without[But for]** the formation (of social bonds), / early human beings **could not have adapted** / to their environments. <모의응용>

만약 (사회적 유대감의) 형성이 없었더라면 / 초기 인류는 적응할 수 없었을 텐데 / 그들의 환경에
→ 만약 사회적 유대감의 형성이 없었더라면, 초기 인류는 그들의 환경에 적응할 수 없었을 텐데.

● = If it had not been for[Had it not been for] the formation of social bonds, early human beings could not have adapted ~.

어휘 formation 명 형성 bond 명 유대(감) adapt 동 적응하다 environment 명 환경

02 **But for** restrictions (governing our behavior), / we **might take** advantage of each other.

만약 (우리의 행동을 통제하는) 제약이 없다면 / 우리는 서로를 이용할 수도 있을 텐데

● 현재분사구 governing our behavior는 restrictions를 꾸며준다.

어휘 restriction 명 제약 govern 동 통제하다 take advantage of ~을 이용하다

03 **Without** his job (to keep him occupied), / Ashton **would be** bored / during summer break.

만약 (그를 바쁘게 할) 그의 일이 없다면 / Ashton은 지루할 텐데 / 여름 방학 동안
→ 만약 그를 바쁘게 할 그의 일이 없다면, Ashton은 여름 방학 동안 지루할 텐데.

● to부정사구 to keep him occupied는 job을 꾸며주는 형용사적 용법으로 쓰였다.
● 「keep+목적어(him)+목적격 보어(occupied)」의 구조이다.

어휘 occupied 형 바쁜

고난도
04 **If it had not been for** the quick reactions (of the residents), / the house **would have caught** fire / when the oil spilled near the stove.

만약 (거주자들의) 빠른 대응이 없었더라면 / 그 집은 불이 났을 텐데 / 기름이 난로 가까이에 쏟아졌을 때
→ 만약 거주자들의 빠른 대응이 없었더라면, 그 집은 기름이 난로 가까이에 쏟아졌을 때 불이 났을 텐데.

어휘 reaction 명 대응 resident 명 거주자

05 The paddy itself has to have a hard clay floor; // **otherwise** the water **would** simply **seep** / into the ground. <모의응용>

논 자체는 단단한 진흙층을 가지고 있어야 한다 // 그렇지 않으면 물이 그저 스며들 것이다 / 땅 속으로
→ 논 자체는 단단한 진흙층을 가지고 있어야 한다. 그렇지 않으면 물이 그저 땅 속으로 스며들 것이다.

어휘 paddy 명 논 clay floor 진흙층 seep 동 스며들다

06 Fortunately, / Steve brought an umbrella. // **Otherwise** he **would have gotten** drenched / in the rain.

다행히도 / Steve는 우산을 가져왔다 // 그렇지 않았더라면 그는 흠뻑 젖었을 것이다 / 비에
→ 다행히도, Steve는 우산을 가져왔다. 그렇지 않았더라면 그는 비에 흠뻑 젖었을 것이다.

어휘 drenched 형 흠뻑 젖은

07 We should pay attention to / what the teacher says in class, // **otherwise** we **might be filled** with regret / while sitting for an exam.

우리는 주의를 기울여야 한다 / 선생님이 수업 시간에 말씀하시는 것에 // 그렇지 않으면 우리는 후회로 가득 찰 수도 있다 / 시험을 보는 동안에
→ 우리는 선생님이 수업 시간에 말씀하시는 것에 주의를 기울여야 한다. 그렇지 않으면 우리는 시험을 보는 동안에 후회로 가득 찰 수도 있다.

● what ~ class는 전치사 to의 목적어 역할을 하는 명사절이다.

고난도

08 The passengers dutifully followed / the flight attendant's instructions; // **otherwise** they **could have been removed** / from the flight.

그 승객들은 충실히 따랐다 / 그 승무원의 지시를 // 그렇지 않았더라면 그들은 쫓겨날 수 있었을 것이다 / 항공기에서
→ 그 승객들은 그 승무원의 지시를 충실히 따랐다. 그렇지 않았더라면 그들은 항공기에서 쫓겨날 수 있었을 것이다.

어휘 dutifully 부 충실히 flight attendant 명 (비행기) 승무원 instruction 명 지시 remove 동 쫓아내다

09 **Suppose that** you **got into** your top choice of university, / what **would** you **want** to major in?

만약 네가 가장 원했던 대학교에 입학한다면 / 너는 무엇을 전공하기를 원할 거니

✪ to부정사구 to major in은 동사 want의 목적어로 쓰였다.

어휘 major 동 전공하다

10 **Supposing that** the book **were** full of misprints, / the publisher **would have** to issue a recall.

만약 그 책이 오탈자로 가득 차 있다면 / 그 출판사는 회수를 발표해야 할 텐데

어휘 misprint 명 오탈자 publisher 명 출판사 issue 동 발표하다, 발행하다

11 **Suppose** you **were** unable to access your bank account, / you **would need** some cash / to survive.

만약 네가 너의 은행 계좌를 이용할 수 없다면 / 너는 약간의 현금이 필요할 텐데 / 살아남기 위해
→ 만약 네가 너의 은행 계좌를 이용할 수 없다면, 너는 살아남기 위해 약간의 현금이 필요할 텐데.

✪ to부정사 to survive는 목적을 나타내는 부사적 용법으로 쓰였다.

어휘 access 동 이용하다, 접근하다

고난도

12 **Supposing** the company **had hired** new employees [who just graduated], / it **might have spent** a considerable amount of time / on training them.

만약 그 회사가 [막 졸업한] 신입 직원들을 고용했더라면 / 그것은 상당한 양의 시간을 들일 수도 있었을 텐데 / 그들을 교육시키는 데
→ 만약 그 회사가 막 졸업한 신입 직원들을 고용했더라면, 그것은 그들을 교육시키는 데 상당한 양의 시간을 들일 수도 있었을 텐데.

✪ who just graduated는 employees를 꾸며주는 주격 관계대명사절이다.

어휘 employee 명 직원 considerable 형 상당한

13 Given the current status (of global warming), / **it's time** / **that** we **took** stronger action.

(지구 온난화의) 현재 상황을 고려하면 / 때이다 / 우리가 더 강력한 조치를 취해야 할
→ 지구 온난화의 현재 상황을 고려하면, 우리가 더 강력한 조치를 취해야 할 때이다.

어휘 current 형 현재의 status 명 상황 take action 조치를 취하다

14 **It's about time** / **that** Mr. Grant **should begin** planning for his retirement / by setting money aside for the future.

때이다 / Grant씨가 그의 은퇴를 위해 계획하기 시작해야 할 / 미래를 위해 돈을 챙겨 둠으로써
→ Grant씨가 미래를 위해 돈을 챙겨 둠으로써 그의 은퇴를 위해 계획하기 시작해야 할 때이다.

✪ 동명사구 planning ~ retirement는 동사 should begin의 목적어로 쓰였다.

어휘 retirement 명 은퇴 set aside (따로) 챙겨 두다

15 With the increasing use (of social media), / many people prefer online communication, // but **it's high time** / **that** they **learned** / how to interact with one another in real life.

증가하는 (소셜 미디어의) 이용에 따라 / 많은 사람들이 온라인 소통을 선호한다 // 그러나 때이다 / 그들이 배워야 할 / 어떻게 실생활에서 서로와 교류할지를
→ 증가하는 소셜 미디어의 이용에 따라 많은 사람들이 온라인 소통을 선호하지만, 그들이 어떻게 실생활에서 서로와 교류할지를 배워야 할 때이다.

● how to interact ~ life는 동사 learned의 목적어 역할을 하는 명사구이다.

어휘 increase 동 증가하다 communication 명 소통 interact 동 교류하다

Chapter Test

본책 p.118

01 **If** critics **had given** positive reviews to our play, / attendance **could have gone up** significantly.

만약 비평가들이 우리의 연극에 긍정적인 평가를 줬더라면 / 관객 수가 상당히 올라갈 수 있었을 텐데

어휘 critic 명 비평가 attendance 명 관객 수 significantly 부 상당히

02 **Should** the bugs (in the software) **be fixed** soon, / the company **might be** able to launch it in November / as scheduled.

만약 (그 소프트웨어의) 버그가 곧 수정된다면 / 그 회사는 11월에 그것을 출시할 수도 있을 텐데 / 예정된 대로
→ 만약 그 소프트웨어의 버그가 곧 수정된다면, 그 회사는 예정된 대로 11월에 그것을 출시할 수도 있을 텐데.

어휘 launch 동 출시하다

03 **Without** your timely decision, / the situation [we were dealing with] / **would have gotten** worse quickly.

만약 너의 시기적절한 결정이 없었더라면 / [우리가 대처하고 있던] 상황이 / 급격하게 더 나빠졌을 텐데
→ 만약 너의 시기적절한 결정이 없었더라면, 우리가 대처하고 있던 상황이 급격하게 더 나빠졌을 텐데.

● situation과 we 사이에는 목적격 관계대명사가 생략되어 있다.

04 **If** doctors **had noticed** / the small irregularity (on the patient's x-rays), / she **might not be** in critical condition now.

만약 의사들이 알아차렸더라면 / (그 환자의 엑스레이 상의) 작은 이상을 / 그녀는 지금 위독한 상태에 있지 않을 수도 있을 텐데
→ 만약 의사들이 그 환자의 엑스레이 상의 작은 이상을 알아차렸더라면, 그녀는 지금 위독한 상태에 있지 않을 수도 있을 텐데.

어휘 irregularity 명 이상, 불규칙 critical 형 위독한

05 **It's time** / **that** the children **carried out** more chores / around the house, / as they're already 13 years old.

때이다 / 그 아이들이 더 많은 일을 해야 할 / 집에서 / 그들이 벌써 13살이기 때문에
→ 그 아이들이 벌써 13살이기 때문에, 집에서 더 많은 일을 해야 할 때이다.

어휘 chore 명 일

06 The hair stylist **wished** / she **had taken** appointments for the day. // She hadn't expected / the shop to be so busy and unmanageable.

그 헤어 스타일리스트는 바랐다 / 그녀가 그 날 예약을 접수했길 // 그녀는 기대하지 않았었다 / 매장이 그렇게 바쁘고 버거울 거라고
→ 그 헤어 스타일리스트는 그녀가 그 날 예약을 접수했길 바랐다. 그녀는 매장이 그렇게 바쁘고 버거울 거라고 기대하지 않았었다.

● 「expect+목적어(the shop)+목적격 보어 (to be ~ unmanageable)」의 구조이다.

어휘 appointment 명 예약 unmanageable 형 버거운, 다루기 힘든

07 In the West, / **if** a farmer **wanted** to become more efficient or to improve his yield, / he **introduced** more sophisticated equipment. <모의>

서양에서는 / 농부가 더 효율적이 되기를 원하거나 그의 수확량을 늘리기를 원하면 / 그는 더 정교한 장비를 도입했다
→ 서양에서는 농부가 더 효율적이 되기를 원하거나 그의 수확량을 늘리기를 원하면, 더 정교한 장비를 도입했다.

- to become과 to improve가 등위접속사 or로 연결되어 있으며, wanted의 목적어로 쓰인 to부정사에 해당한다.
- 가정법이 아닌 과거의 사실에 대한 내용이다.

어휘 efficient 형 효율적인 improve 동 늘리다, 개선하다 introduce 동 도입하다 sophisticated 형 정교한 equipment 명 장비

08 They built a number of support structures / into the floors and walls; // **otherwise** the building **would collapse** / under its own weight.

그들은 많은 지지 구조물을 지었다 / 바닥과 벽에 // 그렇지 않으면 그 건물은 무너질 것이다 / 그것 자체의 무게로
→ 그들은 바닥과 벽에 많은 지지 구조물을 지었다. 그렇지 않으면 그 건물은 그것 자체의 무게로 무너질 것이다.

어휘 structure 명 구조물 collapse 동 무너지다

고난도

09 **Supposing that** people **were to ride** their bicycles more often / rather than drive, / carbon emissions **could be** greatly **reduced** / throughout the world.

만약 사람들이 그들의 자전거를 더 자주 탄다면 / 운전하는 것보다 / 이산화탄소 배출이 크게 감소될 수 있을 텐데 / 전 세계적으로
→ 만약 사람들이 운전하는 것보다 그들의 자전거를 더 자주 탄다면, 전 세계적으로 이산화탄소 배출이 크게 감소될 수 있을 텐데.

어휘 carbon 명 이산화탄소 emission 명 배출 reduce 동 감소시키다

고난도

10 The artist's piece **looked** / **as if** it **had been** her first time working with wood, // but there were subtle advanced techniques / beneath the surface.

그 예술가의 작품은 보였다 / 마치 그녀가 나무로 작업하는 것이 처음이었던 것처럼 // 그러나 정교한 고급 기술들이 있었다 / 표면 아래에는
→ 그 예술가의 작품은 마치 그녀가 나무로 작업하는 것이 처음이었던 것처럼 보였지만, 표면 아래에는 정교한 고급 기술들이 있었다.

어휘 subtle 형 정교한, 교묘한 beneath 전 ~아래에 surface 명 표면, 외관

CHAPTER 11 비교구문

UNIT 61 원급 비교 해석하기

본책 p.120

01 Though all of our brains have the same basic structures, / our neural networks are **as unique** / **as** our fingerprints. <수능>

비록 우리의 뇌 모두가 같은 기본 구조를 가지고 있지만 / 우리의 신경망은 독특하다 / 우리의 지문만큼

→ 비록 우리의 뇌 모두가 같은 기본 구조를 가지고 있지만, 우리의 신경망은 우리의 지문만큼 독특하다.

어휘 neural network 명 신경망 unique 형 독특한 fingerprint 명 지문

02 Jerry does not think **as creatively** / **as** Susan does, // but he's excellent / in critical thinking.

Jerry는 창의적으로 생각하지 않는다 / Susan이 그러는 것만큼 // 그러나 그는 뛰어나다 / 비판적 사고에

→ Jerry는 Susan만큼 창의적으로 생각하지 않지만, 그는 비판적 사고에 뛰어나다.

- thinks 대신 대동사 does가 쓰였다.

어휘 creatively 부 창의적으로 critical thinking 비판적 사고

03 The employee is exactly **as dedicated** to his job / **as** his references indicated / he would be.

그 직원은 딱 그의 일에 헌신적이다 / 그의 추천서가 명시했던 것만큼 / 그가 그럴 것이라고

→ 그 직원은 그의 추천서가 그럴 것이라고 명시했던 것만큼 딱 그의 일에 헌신적이다.

- indicated와 he 사이에는 명사절 접속사 that이 생략되어 있다.

어휘 dedicated 형 헌신적인 reference 명 추천서 indicate 동 명시하다

04 The watch (on display) is **as expensive** / **as** a small-sized house, / even with the discounts [the store is offering].

(진열된) 그 시계는 비싸다 / 소형 주택만큼 / 심지어 [그 가게가 제공하고 있는] 할인에도 불구하고

→ 심지어 그 가게가 제공하고 있는 할인에도 불구하고, 진열된 그 시계는 소형 주택만큼 비싸다.

- discounts와 the 사이에는 목적격 관계대명사가 생략되어 있다.

05 The burglar crept toward the bank vault **as quietly** / **as** a cat (sneaking up on a mouse), / preparing to break in.

그 강도는 조용히 은행 금고실을 향해 기어갔다 / (쥐에게 몰래 다가가는) 고양이만큼 / 침입하려고 준비하면서

→ 침입하려고 준비하면서, 그 강도는 쥐에게 몰래 다가가는 고양이만큼 조용히 은행 금고실을 향해 기어갔다.

- 현재분사구 sneaking ~ mouse는 cat을 꾸며준다.
- preparing ~ in은 동시 동작을 나타내는 분사구문으로 해석될 수 있다.
- to부정사구 to break in은 현재분사 preparing의 목적어로 쓰였다.

어휘 burglar 명 강도 vault 명 금고 sneak 동 몰래 다가가다 break in 침입하다

06 To her disappointment, / Laura found herself sleeping **as poorly** / in her new bed / **as** she had / in her old one.

실망스럽게도 / Laura는 그녀 자신이 불편하게 자고 있는 것을 발견했다 / 그녀의 새 침대에서 / 그녀가 그랬었던 것만큼 / 그녀의 예전 것에서
→ 실망스럽게도, Laura는 그녀 자신이 예전 침대에서 그랬었던 것만큼 새 침대에서 불편하게 자고 있는 것을 발견했다.

- 「find+목적어(herself)+목적격 보어(sleeping ~ one)」의 구조이다.
- had 뒤에 slept가 생략되어 있다.
- bed 대신 대명사 one이 쓰였다.

어휘 to one's disappointment 실망스럽게도

07 In the fall, / the sun rises **as high** in the sky / **as** it does in the spring, // but it gets further overhead / during the summer.

가을에 / 해는 하늘에 높이 떠오른다 / 그것이 봄에 그러는 것만큼 // 그러나 그것은 하늘 높이 더 멀어진다 / 여름 동안에
→ 가을에 해는 봄에 그러는 것만큼 하늘에 높이 떠오르지만, 그것은 여름 동안에 하늘 높이 더 멀어진다.

- rises 대신 대동사 does가 쓰였다.

어휘 overhead 부 하늘 높이, 머리 위로

고난도
08 Electric cars are **not so beneficial** to the environment / **as** they appear to be, / since that electricity is still largely generated / with fossil fuels.

전기 차들은 환경에 이롭지 않다 / 그것들이 그래 보이는 것만큼 / 그 전기가 여전히 대부분 생산되기 때문에 / 화석 연료로
→ 전기 차들은 그 전기가 여전히 대부분 화석 연료로 생산되기 때문에 보이는 것만큼 환경에 이롭지 않다.

어휘 beneficial 형 이로운 generate 동 생산하다 fossil fuel 명 화석 연료

UNIT 62 원급이 쓰인 표현 해석하기

본책 p.121

01 Producing one kilogram of meat / requires about **five times as much** water / **as** producing one kilogram of vegetables. <모의응용>

1킬로그램의 고기를 생산하는 것은 / 약 다섯 배 많은 물을 필요로 한다 / 1킬로그램의 채소를 생산하는 것보다
→ 1킬로그램의 고기를 생산하는 것은 1킬로그램의 채소를 생산하는 것보다 약 다섯 배 많은 물을 필요로 한다.

- 동명사구 Producing ~ meat은 문장에서 주어 역할을 하고 있다.

02 The dog was **as fascinated as could be** / by the snow outside, // and it was also very pleased.

그 개는 굉장히 매료되었다 / 바깥의 눈에 의해 // 그리고 그것은 또한 매우 기뻤다 → 그 개는 바깥의 눈에 의해 굉장히 매료되었고, 또한 매우 기뻤다.

어휘 fascinated 형 매료된

03 Carl's new route (to work) in the morning / is **twice as fast** / **as** the one [he was using before].

아침에 Carl이 (직장으로 가는) 새로운 경로는 / 두 배 빠르다 / [그가 전에 이용하고 있던] 것보다
→ 아침에 Carl이 직장으로 가는 새로운 경로는 그가 전에 이용하고 있던 것보다 두 배 빠르다.

- route 대신 대명사 one이 쓰였다.
- one과 he 사이에는 목적격 관계대명사가 생략되어 있다.

04 Due to the emergence of Internet journalism, / **as many as 1,800** newspapers have shut down / in the US / since 2004.

인터넷 저널리즘의 출현 때문에 / 1,800개나 되는 신문사가 문을 닫았다 / 미국에서 / 2004년 이래로
→ 인터넷 저널리즘의 출현 때문에, 2004년 이래로 미국에서 1,800개나 되는 신문사가 문을 닫았다.

어휘 emergence 명 출현, 발생

05 The professor made the lectures **as interesting as possible** / to keep the attention (of her students).

그 교수는 강의를 가능한 한 흥미롭게 만들었다 / (그녀의 학생들의) 관심을 유지하기 위해
→ 그 교수는 그녀의 학생들의 관심을 유지하기 위해 강의를 가능한 한 흥미롭게 만들었다.

⭘ 「make+목적어(the lectures)+목적격 보어(as interesting as possible)」의 구조이다.

어휘 professor 명 교수 lecture 명 강의 attention 명 관심

06 Upon seeing Josephine / for the first time in a few years, / I was relieved / that she was **as cheerful as ever.**

Josephine을 보자마자 / 몇 년 만에 처음으로 / 나는 안심했다 / 그녀가 여전히 쾌활해서
→ 몇 년 만에 처음으로 Josephine을 보자마자, 나는 그녀가 여전히 쾌활해서 안심했다.

어휘 relieved 형 안심하는 cheerful 형 쾌활한

07 **As little as ten** percent of the world's population / carries the genes [that contribute to being left-handed].

10퍼센트밖에 안 되는 세계의 인구가 / [왼손잡이의 원인이 되는] 유전자를 지닌다

⭘ that ~ left-handed는 genes를 꾸며주는 주격 관계대명사절이다.

어휘 population 명 인구 gene 명 유전자 contribute 동 원인이 되다

08 The salesperson spoke **as persuasively as he could** / in order to convince / the potential customers to purchase his company's products, // but they remained hesitant.

그 판매원은 그가 할 수 있는 한 설득력 있게 말했다 / 설득하기 위해 / 잠재 고객들이 그의 회사의 제품을 구매하도록 // 그러나 그들은 망설인 채로 있었다
→ 그 판매원은 잠재 고객들이 그의 회사의 제품을 구매하도록 설득하기 위해 그가 할 수 있는 한 설득력 있게 말했지만, 그들은 망설인 채로 있었다.

⭘ to부정사구 to convince ~ products는 목적을 나타내는 부사적 용법으로 쓰였으며, to 대신 in order to가 왔다.
⭘ 「convince+목적어(the potential customers)+목적격 보어(to purchase ~ products)」의 구조이다.

어휘 persuasively 부 설득력 있게 convince 동 설득하다 potential customer 잠재 고객 purchase 동 구매하다 hesitant 형 망설이는

UNIT 63 비교급 비교 해석하기

본책 p.122

01 Computers can perform simple calculations / **faster** and **more accurately** / **than** any human can. <모의응용>

컴퓨터는 간단한 계산을 할 수 있다 / 더 빠르고 더 정확하게 / 어떤 인간이 할 수 있는 것보다
→ 컴퓨터는 어떤 인간이 할 수 있는 것보다 더 빠르고 더 정확하게 간단한 계산을 할 수 있다.

어휘 calculation 명 계산 accurately 부 정확하게

02 The pizza [we got delivered] / was **less delicious** / **than** the one [we ate at the restaurant].

[우리가 배달시켰던] 피자는 / 덜 맛있었다 / [우리가 식당에서 먹었던] 것보다 → 우리가 배달시켰던 피자는 우리가 식당에서 먹었던 것보다 덜 맛있었다.

⭘ pizza와 we 사이에는 목적격 관계대명사가 생략되어 있으며, 「get+목적어(the pizza)+목적격 보어(delivered)」의 구조에서 바뀐 관계사절이다.
⭘ pizza 대신 대명사 one이 쓰였으며, one과 we 사이에는 목적격 관계대명사가 생략되어 있다.

03 Essential oils (from plants) / are **purer** and **more healthful** / **than** chemical antibacterial agents. <모의>

(식물에서 나온) 정유는 / 더 순수하고 더 건강에 좋다 / 화학적 항세균제보다 → 식물에서 나온 정유는 화학적 항세균제보다 더 순수하고 더 건강에 좋다.

어휘 essential oil 명 정유, 방향유 chemical 형 화학적인

04 The children took the baseball game very seriously, // so they played a lot **more competitively** / **than** their opponents.

그 아이들은 그 야구 경기를 매우 진지하게 받아들였다 // 그래서 그들은 훨씬 더 경쟁적으로 임했다 / 그들의 상대편보다
→ 그 아이들은 그 야구 경기를 매우 진지하게 받아들였으므로, 그들의 상대편보다 훨씬 더 경쟁적으로 임했다.

어휘 seriously 부 진지하게 competitively 부 경쟁적으로 opponent 명 상대편

05 Dinner (with your friends) / is generally **more fun** / **than** corporate dinners, / because there's less pressure (associated with the situation).

(너의 친구들과의) 저녁 식사는 / 일반적으로 더 재미있다 / 회사의 회식들보다 / (그 상황에 관련된) 부담이 더 적기 때문에
→ 그 상황에 관련된 부담이 더 적기 때문에, 너의 친구들과의 저녁 식사는 일반적으로 회사의 회식들보다 더 재미있다.

● 과거분사구 associated ~ situation은 pressure를 꾸며준다.

어휘 generally 부 일반적으로 corporate dinner 회식 pressure 명 부담, 압박 associate 동 관련시키다

06 The opera singer was able to use his voice / **more beautifully** / **than** his world-famous father could.

그 오페라 가수는 그의 목소리를 사용할 수 있었다 / 더 아름답게 / 세계적으로 유명한 그의 아버지가 할 수 있던 것보다
→ 그 오페라 가수는 세계적으로 유명한 그의 아버지가 할 수 있던 것보다 더 아름답게 그의 목소리를 사용할 수 있었다.

07 A snack (with the label "99% natural") / seems much **more appealing** / **than** it would / if labeled "1% unnatural." <모의>

("99퍼센트 자연적인" 라벨이 있는) 간식은 / 훨씬 더 매력적으로 보인다 / 그것이 그럴 것보다 / 만약 "1퍼센트 부자연적인"이라고 라벨이 붙여진다면
→ "99퍼센트 자연적인" 라벨이 있는 간식은 "1퍼센트 부자연적인"이라고 라벨이 붙여지는 것보다 훨씬 더 매력적으로 보인다.

● if와 labeled 사이에는 「주어+be동사」가 생략되어 있다.

어휘 appealing 형 매력적인 label 동 라벨을 붙이다

고난도

08 The ability (to analyze certain information in depth and understand all parts of it) / is far **less prevalent** / **than** most people would like to believe.

(특정 정보를 심층적으로 분석하고 그것의 모든 부분을 이해하는) 능력은 / 훨씬 덜 일반적이다 / 대부분의 사람들이 믿고 싶어하는 것보다
→ 특정 정보를 심층적으로 분석하고 그것의 모든 부분을 이해하는 능력은 대부분의 사람들이 믿고 싶어하는 것보다 훨씬 덜 일반적이다.

● analyze와 understand가 등위접속사 and로 연결되어 있으며, ability를 꾸며주는 to부정사의 동사원형에 해당한다.
● to부정사 to believe는 동사 would like의 목적어로 쓰였다.

어휘 analyze 동 분석하다 prevalent 형 일반적인, 널리 퍼져 있는

UNIT 64 비교급이 쓰인 표현 해석하기

본책 p.123

01 Most plastics break down into **smaller and smaller** pieces / when exposed to ultraviolet light, / forming microplastics. <모의>

대부분의 플라스틱은 점점 더 작은 조각들로 분해된다 / 자외선에 노출될 때 / 미세 플라스틱을 형성하면서
→ 대부분의 플라스틱은 자외선에 노출될 때 미세 플라스틱을 형성하면서 점점 더 작은 조각들로 분해된다.

● forming microplastics는 동시 동작을 나타내는 분사구문으로 해석될 수 있다.

어휘 expose 동 노출시키다 ultraviolet light 명 자외선 microplastic 명 미세 플라스틱

02 It is often said / that **the greater** the hardships [we face in life] are, / **the more** we can learn.

종종 말해진다 / [우리가 삶에서 직면하는] 고난이 크면 클수록 / 우리는 더 많이 배울 수 있다고
→ 우리가 삶에서 직면하는 고난이 크면 클수록 우리는 더 많이 배울 수 있다고 종종 말해진다.

○ 진주어 that ~ learn 대신 가주어 it이 주어 자리에 쓰였다.
○ hardships와 we 사이에는 목적격 관계대명사가 생략되어 있다.

어휘 hardship 명 고난

03 The water levels (in the lake) / were getting **higher and higher** / due to the melting glaciers.

(그 호수의) 수위가 / 점점 더 높아지고 있었다 / 녹고 있는 빙하 때문에 → 녹고 있는 빙하 때문에 그 호수의 수위가 점점 더 높아지고 있었다.

어휘 glacier 명 빙하

04 For me, / meeting a new person / is **not less intimidating** / **than** speaking in front of a large crowd.

나에게는 / 새로운 사람을 만나는 것이 / 덜 두려운 것은 아니다 / 많은 사람들 앞에서 말하는 것보다
→ 나에게는, 새로운 사람을 만나는 것이 많은 사람들 앞에서 말하는 것보다 덜 두려운 것은 아니다.

○ 동명사구 meeting ~ person은 문장에서 주어 역할을 하고 있다.

어휘 intimidating 형 두려운, 겁을 주는

05 The test itself was **not more difficult** / **than** the entry-level exam, / despite the warnings [the students had received].

그 시험 자체가 더 어려운 것은 아니었다 / 기초 단계 시험보다 / [그 학생들이 받았었던] 경고에도 불구하고
→ 그 학생들이 받았었던 경고에도 불구하고, 그 시험 자체가 기초 단계 시험보다 더 어려운 것은 아니었다.

○ warnings와 the 사이에는 목적격 관계대명사가 생략되어 있다.

어휘 entry-level 형 기초 단계의, 초보자용의 despite 전 ~에도 불구하고

06 The mountain is estimated / to be **five times more dangerous** to climb / **than** other mountains (of a similar size).

그 산은 추산된다 / 오르기에 다섯 배 더 위험하다고 / (비슷한 크기의) 다른 산들보다
→ 그 산은 비슷한 크기의 다른 산들보다 오르기에 다섯 배 더 위험하다고 추산된다.

○ 「estimate+목적어(the mountain)+목적격 보어(to be ~ size)」의 구조가 수동태로 바뀐 문장이다.
○ to부정사 to climb은 dangerous를 꾸며주는 부사적 용법으로 쓰였다.

어휘 estimate 동 추산하다

07 The stranger was behaving **no more suspiciously** / **than** anyone else, // yet there was something (unsettling about him).

그 낯선 사람은 수상쩍게 행동하고 있지 않았다 / 다른 누구와 마찬가지로 // 그러나 (그에게는 불안하게 만드는) 무언가가 있었다
→ 그 낯선 사람은 다른 누구와 마찬가지로 수상쩍게 행동하고 있지 않았지만, 그에게는 불안하게 만드는 무언가가 있었다.

어휘 behave 동 행동하다 suspiciously 부 수상쩍게 unsettling 형 불안하게 만드는

고난도
08 Taking the delicate clock apart, / I could see / that the mechanisms involved were **no less intricate** / **than** other advanced machines.

그 정교한 시계를 분해한 후에 / 나는 볼 수 있었다 / 포함된 기계 장치가 복잡했다는 것을 / 다른 첨단 기계들만큼이나
→ 그 정교한 시계를 분해한 후에, 나는 포함된 기계 장치가 다른 첨단 기계들만큼이나 복잡했다는 것을 볼 수 있었다.

○ Taking ~ apart는 시간을 나타내는 분사구문으로 해석될 수 있다.
○ that ~ machines는 동사 could see의 목적어 역할을 하는 명사절이다.
○ 과거분사 involved는 mechanisms를 꾸며준다.

어휘 delicate 형 정교한 mechanism 명 기계 장치 involve 동 포함하다, 수반하다 intricate 형 복잡한 advanced 형 첨단의, 진보된

최상급 비교 해석하기

본책 p.124

01 Negotiators may focus only on **the largest**, **most salient** issues, / leaving more minor ones unresolved. <모의>

협상자들은 가장 크고 가장 두드러진 문제들에만 집중할 수도 있다 / 더 사소한 것들을 해결되지 않은 상태로 두면서
→ 협상자들은 더 사소한 것들을 해결되지 않은 상태로 두면서 가장 크고 가장 두드러진 문제들에만 집중할 수도 있다.

◐ leaving ~ unresolved는 동시 동작을 나타내는 분사구문으로 해석될 수 있다.

어휘 negotiator 명 협상가 salient 형 두드러진 unresolved 형 해결되지 않은

02 Many would argue / that the oboe is by far **the hardest** musical instrument / to learn.

다수가 주장할 것이다 / 오보에가 단연코 가장 어려운 악기라고 / 배우기에 → 다수가 오보에가 단연코 배우기에 가장 어려운 악기라고 주장할 것이다.

◐ that ~ learn은 문장에서 목적어 역할을 하는 명사절이다.

어휘 musical instrument 명 악기

03 The restaurant always uses **the** very **best** ingredients, / which are sourced daily / from local farms.

그 식당은 항상 정말 가장 좋은 재료를 사용한다 / 그리고 그것들은 매일 공급된다 / 지역 농장들로부터
→ 그 식당은 항상 정말 가장 좋은 재료를 사용하고, 그것들은 지역 농장들로부터 매일 공급된다.

어휘 ingredient 명 재료 source 동 공급하다

04 Property crime is perhaps **the most common** type of crime / [that happens to individuals and organizations].

재산 범죄는 아마도 가장 흔한 종류의 범죄일 것이다 / [개인과 기관에게 일어나는]
→ 재산 범죄는 아마도 개인과 기관에게 일어나는 가장 흔한 종류의 범죄일 것이다.

◐ that ~ organizations는 crime을 꾸며주는 주격 관계대명사절이다.

어휘 property 명 재산 individual 명 개인 organization 명 기관

05 The gymnast leapt around **the most nimbly**, / securing the gold medal / through her perfectly executed routine.

그 체조 선수는 가장 민첩하게 뛰어서 / 금메달을 확보했다 / 그녀의 완벽하게 실행된 동작으로
→ 그 체조 선수는 가장 민첩하게 뛰어서 그녀의 완벽하게 실행된 동작으로 금메달을 확보했다.

◐ securing ~ routine은 결과를 나타내는 분사구문으로 해석될 수 있다.

어휘 gymnast 명 체조 선수 leap 동 뛰다 nimbly 부 민첩하게 secure 동 확보하다 execute 동 실행하다 routine 명 동작

06 Social media has been regarded / as **the most effective** way (to raise public awareness (of a newly launched brand)).

소셜 미디어는 여겨져왔다 / ((새롭게 출시된 브랜드의) 대중적 인지도를 높이는) 가장 효과적인 방법으로
→ 소셜 미디어는 새롭게 출시된 브랜드의 대중적 인지도를 높이는 가장 효과적인 방법으로 여겨져왔다.

◐ to부정사구 to raise ~ brand는 way를 꾸며주는 형용사적 용법으로 쓰였다.

어휘 effective 형 효과적인 raise 동 높이다, 올리다 awareness 명 인지도

07 **The longest** baseball game (in history) / was a 1981 minor-league game / [that lasted for 32 consecutive innings].

(역사상) 가장 긴 야구 경기는 / 1981년 마이너 리그 경기였다 / [연속 32이닝 동안 지속되었던]
→ 역사상 가장 긴 야구 경기는 연속 32이닝 동안 지속되었던 1981년 마이너 리그 경기였다.

◐ that ~ innings는 game을 꾸며주는 주격 관계대명사절이다.

어휘 consecutive 형 연속적인

08 The keyboard design strategy was / to position **the most frequently** pressed keys / as far apart as possible / to minimize the possibility that they would stick together. <모의>

키보드 설계 전략은 ~이었다 / 가장 자주 눌려지는 키를 배치하는 것 / 가능한 한 멀리 떨어지게 / 그것들이 서로 달라붙을 가능성을 최소화하기 위해

→ 키보드 설계 전략은 가장 자주 눌려지는 키들이 서로 달라붙을 가능성을 최소화하기 위해 그것들을 가능한 한 멀리 떨어지게 배치하는 것이었다.

- to부정사구 to position ~ possible은 문장에서 주격 보어 역할을 하고 있다.
- to부정사구 to minimize ~ together는 목적을 나타내는 부사적 용법으로 쓰였다.
- that ~ together는 possibility를 부연 설명하는 동격의 that절이다.

어휘 strategy 명 전략 frequently 부 자주 press 동 누르다 minimize 동 최소화하다 stick 동 달라붙다

UNIT 66 최상급이 쓰인 표현 해석하기

본책 p.125

01 The e-book reading rates (of **the second youngest** group) / increased from 25% in 2019 to 42% in 2020. <모의응용>

(두 번째로 가장 어린 그룹의) 전자책 독서율은 / 2019년 25퍼센트에서 2020년 42퍼센트로 증가했다

어휘 increase 동 증가하다

02 The cassowary, **one of the biggest species of birds** (on Earth), / stands nearly two meters tall.

(지구 상의) 가장 큰 종의 새들 중 하나인 화식조는 / 키가 거의 2미터이다

어휘 species 명 종 stand 동 (키, 높이 등이) ~이다

03 Sending people to the Moon / is possibly **the most significant** and **impressive accomplishment** / [**that humans have ever achieved**].

달에 사람들을 보낸 것은 / 아마도 가장 중요하고 인상적인 업적일 것이다 / [지금까지 인간들이 달성한 업적 중에서]

→ 달에 사람들을 보낸 것은 아마도 지금까지 인간들이 달성한 업적 중에서 가장 중요하고 인상적인 업적일 것이다.

- 동명사구 Sending ~ Moon은 문장에서 주어 역할을 하고 있다.

어휘 possibly 부 아마도 significant 형 중요한 impressive 형 인상적인 achieve 동 달성하다

04 According to recently published statistics, / the gender pay gap (in Germany) / is **the fifth widest** / in Europe.

최근에 발표된 통계에 따르면 / (독일의) 성별 임금 격차는 / 다섯 번째로 가장 크다 / 유럽에서

→ 최근에 발표된 통계에 따르면, 독일의 성별 임금 격차는 유럽에서 다섯 번째로 가장 크다.

어휘 publish 동 발표하다 statistics 명 통계 gender 명 성별

05 In just a few decades, / Seoul has become **one of the most technologically advanced cities** / in the world, / with its powerful electronics manufacturers.

불과 몇 십 년 만에 / 서울은 가장 기술적으로 진보된 도시들 중 하나가 되었다 / 세계에서 / 그것의 영향력 있는 전자제품 제조업체들과 함께

→ 불과 몇 십 년 만에, 서울은 그것의 영향력 있는 전자제품 제조업체들과 함께 세계에서 가장 기술적으로 진보된 도시들 중 하나가 되었다.

어휘 technologically 부 기술적으로 manufacturer 명 제조업체

06 After spending a lifetime / racing **the fastest cars** [**that had ever been built**], / driving ordinary cars on the freeway / seemed slow to him.

평생을 보낸 후 / [지금까지 만들어진 차들 중에서] 가장 빠른 차들을 모는 데 / 고속도로에서 일반 자동차들을 운전하는 것은 / 그에게 느린 것처럼 보였다

→ 지금까지 만들어진 차들 중에서 가장 빠른 차들을 모는 데 평생을 보낸 후, 고속도로에서 일반 자동차들을 운전하는 것은 그에게 느린 것처럼 보였다.

- 동명사구 driving ~ freeway는 문장에서 주어 역할을 하고 있다.

어휘 ordinary 형 일반의

07 Edvard Munch's *The Scream* / is **one of the highest priced paintings** / [**that has ever been sold at auction**].

에드바르트 뭉크의 '절규'는 / 가장 가격이 높게 책정된 그림들 중 하나이다 / [지금까지 경매에서 판매된 그림들 중에서]
→ 에드바르트 뭉크의 '절규'는 지금까지 경매에서 판매된 그림들 중에서 가장 가격이 높게 책정된 그림들 중 하나이다.

어휘 auction 명 경매

고난도
08 The nation's welfare budget (for the elderly) / represents only 16 percent of its total welfare expenditure, / reaching **the third lowest** / among the OECD states. <모의응용>

그 국가의 (노년층을 위한) 복지 예산은 / 그것의 전체 복지 지출의 겨우 16퍼센트에 해당한다 / 세 번째로 가장 낮은 수치에 도달하면서 / OECD 국가들 중에
→ 그 국가의 노년층을 위한 복지 예산은 OECD 국가들 중에 세 번째로 가장 낮은 수치에 도달하며 그것의 전체 복지 지출의 겨우 16퍼센트에 해당한다.

● reaching ~ states는 동시 동작을 나타내는 분사구문으로 해석될 수 있다.

어휘 welfare 명 복지 budget 명 예산 the elderly 노년층 represent 동 해당하다 expenditure 명 지출

Chapter Test

본책 p.126

01 The concert was **no more entertaining** / **than** the band's worst previous performance.

그 콘서트는 재미있지 않았다 / 그 밴드의 최악의 이전 공연과 마찬가지로 → 그 콘서트는 그 밴드의 최악의 이전 공연과 마찬가지로 재미있지 않았다.

어휘 entertaining 형 재미있는 previous 형 이전의

02 Venus, / which shines **the brightest** in the solar system, / is **closer** to Earth / **than all the other** planets.

금성은 / 태양계에서 가장 밝게 빛나며 / 지구에 더 가깝다 / 다른 모든 행성보다 → 금성은 태양계에서 가장 밝게 빛나며 다른 모든 행성보다 지구에 더 가깝다.

어휘 solar system 명 태양계 planet 명 행성

03 Most medical procedures aren't painful **as much** / **as** they are frightening, // and the hesitation [we feel] / is created by our own fears.

대부분의 의료 수술들은 많이 고통스럽지 않다 / 그것들이 무서운 만큼 // 그리고 [우리가 느끼는] 망설임은 / 우리 자신의 두려움에 의해 만들어진다
→ 대부분의 의료 수술들은 무서운 만큼 많이 고통스럽지 않고, 우리가 느끼는 망설임은 우리 자신의 두려움에 의해 만들어진다.

● hesitation과 we 사이에는 목적격 관계대명사가 생략되어 있다.

어휘 frightening 형 무서운 hesitation 명 망설임

04 The speaker emphasized certain words **more heavily** / **than** others / in order to highlight their importance (to the topic).

그 연설가는 특정 단어들을 더 세게 힘주어 말했다 / 다른 것들보다 / (주제에 있어서) 그것들의 중요성을 강조하기 위해
→ 그 연설가는 주제에 있어서 특정 단어들의 중요성을 강조하기 위해 그것들을 다른 것들보다 더 세게 힘주어 말했다.

● to부정사구 to highlight ~ topic은 목적을 나타내는 부사적 용법으로 쓰였으며, to 대신 in order to가 왔다.

어휘 emphasize 동 힘주어 말하다, 강조하다 highlight 동 강조하다

05 With a depth of approximately 200 meters, / the Yangtze River (in Asia) is **twice as deep** / **as** the Amazon River (in South America).

대략 200미터의 깊이인 / (아시아의) 양쯔강은 두 배 깊다 / (남아메리카의) 아마존강보다
→ 대략 200미터의 깊이인 아시아의 양쯔강은 남아메리카의 아마존강보다 두 배 깊다.

어휘 approximately 부 대략

06 In the summer, / the populations (of parks) reflect the weather; // **the hotter** it gets, / **the more unwilling** people are to go outside.

여름에 / (공원들의) 사람 수는 날씨를 반영한다 // 더우면 더워질수록 / 사람들이 밖에 나가기를 더 꺼려한다
→ 더우면 더워질수록 사람들이 밖에 나가기를 더 꺼려하기 때문에, 여름에 공원들의 사람 수는 날씨를 반영한다.

● 「be unwilling+to-v」는 '~하기를 꺼려하다'라고 해석한다.

어휘 reflect 동 반영하다

07 The bakery (located at the corner of Fifth Avenue and Hill Street) / is known for producing **one of the most exquisite desserts** / in the area.

(5번 가와 Hill 가의 모퉁이에 위치한) 빵집은 / 가장 훌륭한 디저트들 중 하나를 생산하는 것으로 알려져 있다 / 그 지역에서
→ 5번 가와 Hill 가의 모퉁이에 위치한 빵집은 그 지역에서 가장 훌륭한 디저트들 중 하나를 생산하는 것으로 알려져 있다.

● 과거분사구 located ~ Street은 bakery를 꾸며준다.

어휘 exquisite 형 훌륭한

08 Scientists have discovered / that babies and young children understand **more** / **than** we would ever have thought possible. <모의응용>

과학자들은 발견했다 / 아기들과 어린 아이들이 더 많이 이해한다는 것을 / 우리가 지금까지 가능하다고 생각했었던 것보다
→ 과학자들은 아기들과 어린 아이들이 우리가 지금까지 가능하다고 생각했었던 것보다 더 많이 이해한다는 것을 발견했다.

● that ~ possible은 문장에서 목적어 역할을 하는 명사절이다.

09 Elena wanted to provide solutions / [that were **as good as** or **better than** / those of her peers], // so she stayed up late / considering a range of options.

Elena는 해결책들을 제공하기를 원했다 / [~만큼 좋거나 ~보다 더 좋은 / 그녀의 동료들의 것들] // 그래서 그녀는 늦게까지 깨어 있었다 / 다양한 선택권을 고려하면서 → Elena는 그녀의 동료들의 것들만큼 좋거나 더 좋은 해결책들을 제공하기를 원했으므로, 그녀는 다양한 선택권을 고려하면서 늦게까지 깨어 있었다.

● to부정사구 to provide ~ peers는 동사 wanted의 목적어로 쓰였다.
● that ~ peers는 solutions를 꾸며주는 주격 관계대명사절이다.
● solutions 대신 대명사 those가 쓰였다.
● considering ~ options는 동시 동작을 나타내는 분사구문으로 해석될 수 있다.

어휘 peer 명 동료 a range of 다양한

고난도
10 It was even **more concerning** / that cracks were developing in the building's foundation / **than** that mold was growing on the walls.

훨씬 더 우려스러웠다 / 건물의 토대에 균열이 생기고 있었다는 것이 / 벽에 곰팡이가 자라고 있었다는 것보다
→ 벽에 곰팡이가 자라고 있었다는 것보다 건물의 토대에 균열이 생기고 있었다는 것이 훨씬 더 우려스러웠다.

● 진주어 that ~ foundation 대신 가주어 it이 주어 자리에 쓰였다.

어휘 concerning 형 우려스러운 crack 명 균열 foundation 명 토대 mold 명 곰팡이

CHAPTER 12 특수구문

UNIT 67 강조 구문 해석하기

본책 p.128

01 In the early 1990s, / Norway introduced a carbon tax, // and it **did** *seem* to facilitate / environmental innovation. <수능응용>

1990년대 초에 / 노르웨이는 탄소세를 도입했다 // 그리고 그것은 분명히 촉진한 것처럼 보였다 / 환경적 혁신을
→ 1990년대 초에 노르웨이는 탄소세를 도입했고, 그것은 분명히 환경적 혁신을 촉진한 것처럼 보였다.

- did가 동사(seem)를 강조하고 있다.

어휘 carbon tax 탄소세 facilitate 동 촉진하다, 용이하게 하다 innovation 명 혁신

02 Amino acid deficiency / was *not* limited to the pre-industrial world **by any means.** <모의응용>

아미노산 결핍은 / 전혀 산업화 이전의 사회에만 국한되지 않았다

- by any means가 부정어(not)를 강조하고 있다.

어휘 deficiency 명 결핍 limited 형 국한된, 제한된 pre-industrial 형 산업화 이전의

03 I **do** *think* / my dog understands the things [I say]; // it responds to my commands / immediately and consistently.

나는 정말로 생각한다 / 나의 개가 [내가 말하는] 것들을 이해한다고 // 그것은 나의 명령에 반응한다 / 즉시 그리고 일관되게
→ 나는 나의 개가 내가 말하는 것들을 이해한다고 정말로 생각한다. 왜냐하면 그것이 나의 명령에 즉시 그리고 일관되게 반응하기 때문이다.

- do가 동사(think)를 강조하고 있다.
- think와 my 사이에는 명사절 접속사 that이 생략되어 있다.
- things와 I 사이에는 목적격 관계대명사가 생략되어 있다.

어휘 immediately 부 즉시 consistently 부 일관되게

04 Julia's dislike (of waking up early) / was **the very** *reason* [she didn't want to take a job [that required a long commute]].

Julia의 (일찍 일어나는 것에 대한) 반감이 / [그녀가 [긴 통근을 필요로 하는] 직업을 가지기를 원하지 않았던] 바로 그 이유였다

- the very가 명사(reason)를 강조하고 있다.
- reason과 she 사이에는 관계부사가 생략되어 있다.
- to부정사구 to take ~ commute는 동사 didn't want의 목적어로 쓰였다.
- that ~ commute는 job을 꾸며주는 주격 관계대명사절이다.

어휘 dislike 명 반감, 싫음 commute 명 통근, 통학

05 *How* **on earth** / *did the ancient Egyptians manage to build the colossal pyramids / without the use (of electric construction equipment)*?

도대체 어떻게 / 고대 이집트인들은 거대한 피라미드를 건설해낼 수 있었을까 / (전기 건설 장비의) 사용 없이
→ 도대체 어떻게 고대 이집트인들은 전기 건설 장비의 사용 없이 거대한 피라미드를 건설해낼 수 있었을까?

- on earth가 의문문(How ~ equipment)을 강조하고 있다.

어휘 manage 동 해내다 colossal 형 거대한 construction 명 건설, 공사 equipment 명 장비

06 The arguments [that the conspiracy group makes for their beliefs] / are *not* accepted **at all**, / as there is no evidence (supporting them).

[그 음모론 단체가 그들의 신념을 위해 하는] 주장은 / 전혀 받아들여지지 않는다 / (그것들을 뒷받침하는) 증거가 없기 때문에
→ 그 음모론 단체가 그들의 신념을 위해 하는 주장은 뒷받침하는 증거가 없기 때문에 전혀 받아들여지지 않는다.

- that ~ beliefs는 arguments를 꾸며주는 목적격 관계대명사절이다.
- at all이 부정어(not)를 강조하고 있다.
- 현재분사구 supporting them은 evidence를 꾸며준다.
- arguments 대신 대명사 them이 쓰였다.

어휘 argument 명 주장 conspiracy 명 음모론 evidence 명 증거

07 Although the defendant was unaware of / how much damage his actions would do, / he **did** *know* / that they were illegal.

비록 그 피고인은 알지 못했지만 / 그의 행위들이 얼마나 많은 피해를 끼칠 것인지 / 그는 분명히 알았다 / 그것들이 불법이었다는 것을
→ 비록 그 피고인은 그의 행위들이 얼마나 많은 피해를 끼칠 것인지 알지 못했지만, 그는 그것들이 불법이었다는 것을 분명히 알았다.

- how ~ do는 전치사 of의 목적어 역할을 하는 명사절이다.
- did가 동사(know)를 강조하고 있다.
- that ~ illegal은 동사 did know의 목적어 역할을 하는 명사절이다.

어휘 defendant 명 피고인 unaware 형 알지 못하는 illegal 형 불법의

고난도

08 In the 1850s, / Louis Pasteur discovered / **the very** *cause* (of many diseases (plaguing humanity)), / which had long eluded scientists.

1850년대에 / 루이 파스퇴르는 발견했다 / ((인류를 괴롭히는) 많은 질병들의) 바로 그 원인을 / 그런데 그것은 오랫동안 과학자들에게 이해가 되지 않았었다
→ 1850년대에 루이 파스퇴르는 인류를 괴롭히는 많은 질병들의 바로 그 원인을 발견했는데, 그것은 오랫동안 과학자들에게 이해가 되지 않았었다.

- the very가 명사(cause)를 강조하고 있다.
- 현재분사구 plaguing humanity는 diseases를 꾸며준다.

어휘 disease 명 질병 plague 동 괴롭히다, 역병에 걸리게 하다

09 **It was** *newfound self-confidence* / **that** encouraged John D. Rockefeller to achieve / anything [he went after]. <모의>

바로 새로 얻은 자신감이었다 / 존 D. 록펠러가 성취하도록 용기를 북돋았던 것은 / [그가 추구했던] 어떤 것이든
→ 존 D. 록펠러가 추구했던 어떤 것이든 성취하도록 용기를 북돋았던 것은 바로 새로 얻은 자신감이었다.

- 주어(newfound self-confidence)가 강조되고 있다.
- 「encourage+목적어(John D. Rockefeller)+목적격 보어(to achieve ~ after)」의 구조이다.
- anything과 he 사이에는 목적격 관계대명사가 생략되어 있다.

어휘 newfound 형 새로 얻은 achieve 동 성취하다 go after ~을 추구하다, 얻으려고 하다

10 **It was** *when she was ten years old* / **that** Vera Rubin started to develop an interest / in astronomy. <모의응용>

바로 그녀가 10살이었을 때였다 / 베라 루빈이 관심을 가지기 시작했던 것은 / 천문학에
→ 베라 루빈이 천문학에 관심을 가지기 시작했던 것은 바로 그녀가 10살이었을 때였다.

- 부사절(when ~ old)이 강조되고 있다.
- to부정사구 to develop ~ astronomy는 동사 started의 목적어로 쓰였다.

어휘 astronomy 명 천문학

11 Thanks to the investigation, / we learned / that **it was** *the CFO* / **who** had leaked the confidential information / to our competitors.

그 조사 덕분에 / 우리는 알게 되었다 / 바로 최고 재무 책임자였다는 것을 / 기밀 정보를 유출했었던 것은 / 우리의 경쟁사들에게
→ 그 조사 덕분에, 우리는 우리의 경쟁사들에게 기밀 정보를 유출했었던 것은 바로 최고 재무 책임자였다는 것을 알게 되었다.

- that ~ competitors는 동사 learned의 목적어 역할을 하는 명사절이다.
- 주어(the CFO)가 강조되고 있다.

어휘 investigation 명 조사 leak 동 유출하다 confidential 형 기밀의 competitor 명 경쟁사

12 **It was** *in recent times* / **that** people came to see / the relationships (between the structural elements (of materials) and their properties). <모의응용>

바로 최근이었다 / 사람들이 이해하게 되었던 것은 / ((물질들의) 구조적 요소와 그것들의 특성 사이의) 관계를

→ 사람들이 물질들의 구조적 요소와 그것들의 특성 사이의 관계를 이해하게 되었던 것은 바로 최근이었다.

● 부사구(in recent times)가 강조되고 있다.

어휘 relationship 명 관계 structural 형 구조적인 element 명 요소 material 명 물질 property 명 특성, 성질

13 The musician can play a wide range of musical instruments, // but **it is** *the trumpet* / **that** he primarily uses / in his songs.

그 음악가는 다양한 악기를 연주할 수 있다 // 그러나 바로 트럼펫이다 / 그가 주로 사용하는 것은 / 그의 노래에

→ 그 음악가는 다양한 악기를 연주할 수 있지만, 그가 그의 노래에 주로 사용하는 것은 바로 트럼펫이다.

● 목적어(the trumpet)가 강조되고 있다.

어휘 a wide range of 다양한 primarily 부 주로

14 **It was** *because everyone was wearing protective gear* / **that** no one was seriously hurt / in the accident.

바로 모두가 보호 장비를 착용하고 있었기 때문이었다 / 아무도 심하게 다치지 않았던 것은 / 그 사고에서

→ 그 사고에서 아무도 심하게 다치지 않았던 것은 바로 모두가 보호 장비를 착용하고 있었기 때문이었다.

● 부사절(because ~ gear)이 강조되고 있다.

어휘 protective gear 명 보호 장비

15 **It was** *within minutes* (*of placing the call* (*for assistance*)) / **that** I saw the ambulance arrive at my door.

바로 ((도움을 얻기 위한) 전화를 건 지) 몇 분 이내였다 / 내가 구급차가 나의 문간에 도착하는 것을 봤던 것은

→ 내가 구급차가 나의 문간에 도착하는 것을 봤던 것은 바로 도움을 얻기 위한 전화를 건 지 몇 분 이내였다.

● 부사구(within minutes ~ assistance)가 강조되고 있다.

● 「see+목적어(the ambulance)+목적격 보어(arrive ~ door)」의 구조이다.

어휘 assistance 명 도움 ambulance 명 구급차

고난도

16 **It was** *whom the voters had elected* / **that** provoked such alarm / throughout the international community.

바로 유권자들이 누구를 선출했었는지였다 / 그러한 불안을 유발했던 것은 / 국제 사회 전반에

→ 국제 사회 전반에 그러한 불안을 유발했던 것은 바로 유권자들이 누구를 선출했었는지였다.

● 명사절 주어(whom ~ elected)가 강조되고 있다.

어휘 voter 명 유권자 elect 동 선출하다 provoke 동 유발하다 alarm 명 불안

UNIT 68 부정 구문 해석하기

본책 p.130

01 **No** one has to let / errors (of the past) destroy their present / or cloud their future. <수능>

아무도 허락해서는 안된다 / (과거의) 실수가 그들의 현재를 파괴하도록 / 또는 그들의 미래를 흐리게 하도록

→ 아무도 과거의 실수가 그들의 현재를 파괴하거나 그들의 미래를 흐리게 하도록 허락해서는 안된다.

● destroy와 cloud가 등위접속사 or로 연결되어 있으며, has to let의 목적격 보어 역할을 하는 원형부정사에 해당한다.

어휘 cloud 동 흐리게 하다, 어둡게 하다

02 It is **not unusual** / for a book (of 30 or more pages) to be full of repetitive phrases. <모의응용>

흔치 않지는 않다 / (30쪽 이상의) 책이 반복적인 구절로 가득 차 있는 것은 → 30쪽 이상의 책이 반복적인 구절로 가득 차 있는 것은 흔하다.

- 진주어 to be ~ phrases 대신 가주어 it이 주어 자리에 쓰였다.
- to부정사구 to be ~ phrases의 의미상 주어로 a book ~ pages가 쓰였다.

어휘 unusual 형 흔치 않은 repetitive 형 반복적인 phrase 명 구절

03 Personality tests are **not always** accurate / in that they are based largely on / the respondent's self-assessment (of their own behavior).

성격 검사들이 항상 정확한 것은 아니다 / 그것들이 대체로 기반한다는 점에서 / 응답자의 (그들 자신의 행동에 대한) 자체 평가에

→ 성격 검사들이 대체로 자신의 행동에 대한 응답자의 자체 평가에 기반한다는 점에서, 항상 정확한 것은 아니다.

어휘 personality 명 성격 accurate 형 정확한 respondent 명 응답자 self-assessment 명 자체 평가

04 **Neither of** my parents pushed me to study hard, // but both gave me practical advice / when I was choosing a career.

나의 부모님 중 어느 쪽도 내가 열심히 공부하도록 강요하시지 않았다 // 그러나 두 분 다 나에게 현실적인 조언을 주셨다 / 내가 직업을 고르고 있었을 때

→ 나의 부모님 중 어느 쪽도 내가 열심히 공부하도록 강요하시지 않았지만, 내가 직업을 고르고 있었을 때 두 분 다 나에게 현실적인 조언을 주셨다.

- 「push+목적어(me)+목적격 보어(to study hard)」의 구조이다.
- 「give+간접 목적어(me)+직접 목적어 (practical advice)」의 구조이다.

어휘 practical 형 현실적인, 실용적인

05 Recently, / an international team of mathematicians has devised / a solution [that proves black holes are **not unstable**].

최근에 / 한 국제 수학자들 팀이 생각해냈다 / [블랙홀이 안정적이지 않지는 않다는 것을 증명하는] 해법을

→ 최근에 한 국제 수학자들 팀이 블랙홀이 안정적이라는 것을 증명하는 해법을 생각해냈다.

- that ~ unstable은 solution을 꾸며주는 주격 관계대명사절이다.
- proves와 black 사이에는 명사절 접속사 that이 생략되어 있다.

어휘 mathematician 명 수학자 devise 동 생각해내다, 고안하다 prove 동 증명하다 unstable 형 안정적이지 않은

06 The citizens commonly believed, / **not entirely** unreasonably, / that there would be someone (to help them) / if anything terrible happened.

시민들은 흔히 믿었다 / 완전히 무분별하지는 않게도 / (그들을 도와줄) 누군가가 있을 것이라고 / 만약 끔찍한 어떤 일이 벌어진다면

→ 완전히 무분별하지는 않게도, 시민들은 만약 끔찍한 어떤 일이 벌어진다면 그들을 도와줄 누군가가 있을 것이라고 흔히 믿었다.

- that ~ happened는 문장에서 목적어 역할을 하는 명사절이다.
- to부정사구 to help them은 someone을 꾸며주는 형용사적 용법으로 쓰였다.

어휘 unreasonably 부 무분별하게, 비이성적으로

07 **None of** the people (visiting the Sydney Opera House) has / a bad view of the stage, / as the theater has been designed well.

(시드니 오페라 하우스를 방문하는) 사람들 중 아무도 가지지 않는다 / 무대가 잘 보이지 않는 시야를 / 극장이 잘 설계되었기 때문에

→ 극장이 잘 설계되었기 때문에, 시드니 오페라 하우스를 방문하는 사람들 중 아무도 무대가 잘 보이지 않는 시야를 가지지 않는다.

- 현재분사구 visiting ~ House는 people을 꾸며준다.

08 Even though a number of hypotheses (for why we stutter) were suggested, / **not all** of them have been examined.

비록 (우리가 왜 말을 더듬는지에 대한) 많은 가설들이 제시되었지만 / 그것들 모두가 검토된 것은 아니다

- why we stutter는 전치사 for의 목적어 역할을 하는 명사절이다.

어휘 hypothesis 명 가설 stutter 동 말을 더듬다 examine 동 검토하다

병렬 구문 해석하기

본책 p.131

01 Desert locusts **gather** in vast groups, / **feed** together, / and **overwhelm** their predators simply through numbers. <모의>

사막 메뚜기들은 거대한 무리를 지어 모여 있고 / 함께 먹이를 먹고 / 그리고 그저 숫자만으로 그들의 포식자를 압도한다

→ 사막 메뚜기들은 거대한 무리를 지어 모여 있고, 함께 먹이를 먹고, 그저 숫자만으로 그들의 포식자를 압도한다.

어휘 vast 형 거대한 overwhelm 동 압도하다 predator 명 포식자

02 **The latest product release** (**from the technology company**) / **is behind schedule**, // but **it's still within budget**.

(그 기술 회사의) 최신 제품 출시가 / 예정보다 늦고 있다 // 그러나 그것은 여전히 예산 범위 안에 있다

→ 그 기술 회사의 최신 제품 출시가 예정보다 늦고 있지만, 그것은 여전히 예산 범위 안에 있다.

어휘 release 명 출시 budget 명 예산

03 **Honest communication** and **mutual respect** are critical / to maintaining a healthy relationship.

정직한 의사소통과 상호 간의 존중은 대단히 중요하다 / 건강한 관계를 유지하는 데

→ 정직한 의사소통과 상호 간의 존중은 건강한 관계를 유지하는 데 대단히 중요하다.

어휘 communication 명 의사소통 mutual 형 상호 간의, 서로의 critical 형 대단히 중요한 maintain 동 유지하다

04 Not only **the British** but also **the French** / were revered for the power (of their navies) / during the age of mercantilism.

영국인들뿐만 아니라 프랑스인들도 / (그들의 해군의) 힘으로 경외시되었다 / 중상주의 시대에

→ 영국인들뿐만 아니라 프랑스인들도 중상주의 시대에 그들의 해군의 힘으로 경외시되었다.

어휘 revere 동 경외시하다 navy 명 해군

05 Physical reactions (such as an increased heart rate) prepare your body / either **to fight** a threat or **to escape** from it. <모의응용>

(증가한 심박수와 같은) 신체적 반응은 너의 몸을 준비시킨다 / 위협과 맞서 싸우거나 그것으로부터 벗어나도록

→ 증가한 심박수와 같은 신체적 반응은 위협과 맞서 싸우거나 그것으로부터 벗어나도록 너의 몸을 준비시킨다.

「prepare+목적어(your body)+목적격 보어(either to fight ~ it)」의 구조이다.

어휘 physical 형 신체적 threat 명 위협

06 There were quite a few additional rules (to consider) / regarding both **attendance** and **punctuality**.

(고려할) 상당수의 추가 규칙이 있었다 / 출석과 시간 엄수 둘 다에 관해 → 출석과 시간 엄수 둘 다에 관해 고려할 상당수의 추가 규칙이 있었다.

to부정사 to consider는 rules를 꾸며주는 형용사적 용법으로 쓰였다.

어휘 additional 형 추가의 regarding 전 ~에 관해 attendance 명 출석 punctuality 명 시간 엄수

07 It is not **individual accomplishment** but **cohesive teamwork** / that will lead us to win the championship.

바로 개인의 성취가 아니라 응집력 있는 팀워크다 / 우리가 선수권을 따내도록 이끌 것은

→ 우리가 선수권을 따내도록 이끌 것은 바로 개인의 성취가 아니라 응집력 있는 팀워크다.

주어(cohesive teamwork)가 it ~ that 구문으로 강조되고 있다.

「lead+목적어(us)+목적격 보어(to win the championship)」의 구조이다.

어휘 individual 형 개인의 accomplishment 명 성취 cohesive 형 응집력 있는

08 A spokesperson (for the organization) neither **admitted** nor **denied** / the allegations of corruption, / which were published by several newspapers yesterday.

(그 단체의) 대변인은 인정하지도 부인하지도 않았다 / 부패 혐의들을 / 그런데 그것들은 어제 몇몇 신문에 의해 보도되었다

→ 그 단체의 대변인은 부패 혐의들을 인정하지도 부인하지도 않았는데, 그것들은 어제 몇몇 신문에 의해 보도되었다.

어휘 spokesperson ⓜ 대변인 allegation ⓜ 혐의 corruption ⓜ 부패 publish ⓢ 보도하다, 출간하다

09 After a troublesome class (last year), / the teacher was pleased to find / her students (this semester) **attentive**, **well-behaved**, and **diligent**.

(작년의) 골치 아픈 수업 이후에 / 그 선생님은 발견하게 되어 기뻤다 / (이번 학기의) 그녀의 학생들이 경청하고, 예의 바르고, 성실하다는 것을

→ 작년의 골치 아픈 수업 이후에, 그 선생님은 이번 학기의 그녀의 학생들이 경청하고, 예의 바르고, 성실하다는 것을 발견하게 되어 기뻤다.

- to부정사구 to find ~ diligent는 감정의 원인을 나타내는 부사적 용법으로 쓰였다.
- 「find+목적어(her ~ semester)+목적격 보어(attentive ~ diligent)」의 구조이다.

어휘 troublesome ⓗ 골치 아픈 attentive ⓗ 경청하는 diligent ⓗ 성실한

10 Neither **administering** medicines early nor **applying** particular treatments is enough / to cure some maladies.

조기에 약을 투여하는 것도 특정한 치료법을 적용하는 것도 충분하지 않다 / 몇몇 고질병을 치료하기에는

→ 몇몇 고질병을 치료하기에는 조기에 약을 투여하는 것도 특정한 치료법을 적용하는 것도 충분하지 않다.

- to부정사구 to cure ~ maladies는 enough를 꾸며주는 부사적 용법으로 쓰였다.

어휘 administer ⓢ 투여하다 apply ⓢ 적용하다 particular ⓗ 특정한 treatment ⓜ 치료(법)

11 The new phone model **includes** / **improvements (to its web security** and **underlying operating system)**, / but **failed to incorporate extended battery life**.

그 새로운 전화 모델은 포함한다 / (그것의 웹 보안과 기본 운영 체제에 대한) 개선을 / 그러나 길어진 배터리 수명을 포함하는 것을 실패했다

→ 그 새로운 전화 모델은 웹 보안과 기본 운영 체제에 대한 개선을 포함하지만, 길어진 배터리 수명을 포함하는 것을 실패했다.

- to부정사구 to incorporate ~ life는 동사 failed의 목적어로 쓰였다.

어휘 include ⓢ 포함하다 improvement ⓜ 개선 security ⓜ 보안 underlying operating system 기본 운영 체제 incorporate ⓢ 포함하다 extended ⓗ 길어진

12 Precious metals have been desirable as money / across the millennia / not just **because they have intrinsic beauty** / but also **because they exist in fixed quantities**. <모의>

귀금속은 화폐로서 바람직했다 / 수천 년에 걸쳐 / 그것들이 내재적인 아름다움을 지니고 있기 때문뿐만 아니라 / 그것들이 일정한 양으로 존재하기 때문에도

→ 귀금속은 내재적인 아름다움을 지니고 있기 때문뿐만 아니라 일정한 양으로 존재하기 때문에도 수천 년에 걸쳐 화폐로서 바람직했다.

어휘 precious metal ⓜ 귀금속 desirable ⓗ 바람직한 millennium ⓜ 천 년 intrinsic ⓗ 내재적인 quantity ⓜ 양

13 Both **working** from home and **having** a flexible work schedule / are seen as acceptable alternatives (to traditional office hours).

재택근무를 하는 것과 유연한 근무 일정을 가지는 것 둘 다 / (전통적인 사무실 근무 시간에 대한) 수용 가능한 대안으로 보인다

어휘 flexible ⓗ 유연한 acceptable ⓗ 수용 가능한 alternative ⓜ 대안 traditional ⓗ 전통적인

고난도

14 Scientific explanations can be made / either **by seeking the least number of principles (covering all observations)** / or **by finding general patterns (drawn from each phenomenon)**. <수능응용>

과학적 설명은 만들어질 수 있다 / (모든 관찰을 포괄하는) 최소한의 수의 원리를 찾거나 / (각각의 현상에서 도출된) 일반적인 패턴을 발견함으로써

→ 과학적 설명은 모든 관찰을 포괄하는 최소한의 수의 원리를 찾거나 각각의 현상에서 도출된 일반적인 패턴을 발견함으로써 만들어질 수 있다.

- 현재분사구 covering all observations는 principles를 꾸며준다.
- 과거분사구 drawn ~ phenomenon은 patterns를 꾸며준다.

어휘 explanation ⓜ 설명 seek ⓢ 찾다 principle ⓜ 원리 observation ⓜ 관찰 phenomenon ⓜ 현상

고난도

15 Whether professionals have a chance (to develop intuitive expertise) / depends essentially / **on the quality and speed (of feedback)**, as well as **on sufficient opportunity (to practice)**. - Daniel Kahneman

전문가가 (직관적인 전문 기술을 개발할) 기회를 가지는지는 / 본질적으로 달려 있다 / (연습할) 충분한 기회뿐만 아니라 (피드백의) 질과 신속도에도
→ 전문가가 직관적인 전문 기술을 개발할 기회를 가지는지는 본질적으로 연습할 충분한 기회뿐만 아니라 피드백의 질과 신속도에도 달려 있다.

- Whether ~ expertise는 문장에서 주어 역할을 하는 명사절이다.
- to부정사구 to develop intuitive expertise는 chance를 꾸며주는 형용사적 용법으로 쓰였다.
- to부정사 to practice는 opportunity를 꾸며주는 형용사적 용법으로 쓰였다.

어휘 professional 명 전문가 intuitive 형 직관적인 expertise 명 전문 기술 essentially 부 본질적으로 sufficient 형 충분한

어법

16 The city needs to invest in / **attracting** businesses, **building** infrastructure, or **promoting** foreign investment.

그 도시는 ~에 투자해야 한다 / 기업들을 유치하는 것, 공공 기반 시설을 구축하는 것, 또는 해외 투자를 촉진하는 것
→ 그 도시는 기업들을 유치하는 것, 공공 기반 시설을 구축하는 것, 또는 해외 투자를 촉진하는 것에 투자해야 한다.

- to부정사구 to invest in ~ investment는 동사 needs의 목적어로 쓰였다.

정답 building
해설 동명사 attracting, promoting과 등위접속사 or로 연결된 병렬 구문이므로 동명사 building이 정답이다.
어휘 invest 동 투자하다 attract 동 유치하다, 끌어들이다 infrastructure 명 공공 기반 시설 promote 동 촉진하다

UNIT 70 동격 구문 해석하기

본책 p.133

01 *Salvador Dali*, **one of the most famous surrealist painters**, / used to nap / with a key in his hand. <모의응용>

가장 유명한 초현실주의 화가들 중 하나인 살바도르 달리는 / 낮잠을 자곤 했다 / 그의 손에 열쇠를 든 채로
→ 가장 유명한 초현실주의 화가들 중 하나인 살바도르 달리는 그의 손에 열쇠를 든 채로 낮잠을 자곤 했다.

어휘 surrealist 형 초현실주의의

02 *The concept* **of seasonal fruit** is fading away, / as consumers can now buy fruits (from all seasons) / all year round. <모의응용>

제철 과일이라는 개념이 사라지고 있다 / 소비자들이 이제 (모든 계절의) 과일을 살 수 있기 때문에 / 연중 내내
→ 소비자들이 이제 모든 계절의 과일을 연중 내내 살 수 있기 때문에, 제철 과일이라는 개념이 사라지고 있다.

어휘 fade away 사라지다 consumer 명 소비자

03 Underwater earthquakes and other types of seismic activity / trigger *a tsunami*, **or a tidal wave**, / in nearby areas.

수중 지진과 다른 종류의 지진 활동은 / 쓰나미, 즉 해일을 일으킨다 / 인근 지역에 → 수중 지진과 다른 종류의 지진 활동은 인근 지역에 쓰나미, 즉 해일을 일으킨다.

어휘 earthquake 명 지진 trigger 동 일으키다 tidal wave 명 해일

04 The emphasis (on individual productivity) reflects *an opinion* / **that independence is a necessary factor (for success)**. <모의응용>

(개인의 생산성에 대한) 강조는 의견을 반영한다 / 독립성이 (성공을 위한) 필수적인 요소라는
→ 개인의 생산성에 대한 강조는 독립성이 성공을 위한 필수적인 요소라는 의견을 반영한다.

어휘 emphasis 명 강조 productivity 명 생산성 independence 명 독립성 factor 명 요소

05 The prime minister has yet to announce *a decision* / **whether or not she will change the composition (of her cabinet).**

그 국무총리는 아직 결정을 발표하지 않았다 / 그녀가 (그녀의 내각의) 구성을 바꿀 것인지 아닌지에 대한
→ 그 국무총리는 아직 그녀의 내각의 구성을 바꿀 것인지 아닌지에 대한 결정을 발표하지 않았다.

어휘 prime minister 명 국무총리 composition 명 구성

06 *Urban Structures*, **the architectural firm (behind the proposed building)**, / has said / the construction will end up being more expensive / than anticipated.

(그 제안된 건축의 배후에 있는) 건축 회사인 Urban Structures는 / 말했다 / 그 공사가 결국 더 비용이 많이 들게 될 것이라고 / 예상된 것보다
→ 그 제안된 건축의 배후에 있는 건축 회사인 Urban Structures는 그 공사가 결국 예상된 것보다 더 비용이 많이 들게 될 것이라고 말했다.

- said와 the 사이에는 명사절 접속사 that이 생략되어 있다.
- 「end up+v-ing」는 '결국 ~하게 되다'라고 해석한다.

어휘 architectural 형 건축의 firm 명 회사 than anticipated 예상된 것보다

고난도

07 The media's optimistic *belief* / **that the people would settle the issues without protest** / fell apart, // and reports quickly adopted / a more negative outlook.

언론의 낙관적인 믿음은 / 사람들이 항의 없이 그 사안들을 합의 볼 것이라는 / 산산조각이 났다 // 그리고 보도는 빠르게 취했다 / 더 부정적인 관점을
→ 사람들이 항의 없이 그 사안들을 합의 볼 것이라는 언론의 낙관적인 믿음은 산산조각이 났고, 보도는 빠르게 더 부정적인 관점을 취했다.

어휘 optimistic 형 낙관적인 settle 동 합의 보다, 해결하다 protest 명 항의, 시위 adopt 동 취하다, 채택하다 negative 형 부정적인 outlook 명 관점

UNIT 71 삽입 구문 해석하기

본책 p.134

01 To produce something worthwhile/((—**if we go through with it**—))/will require years of hard labor. <모의응용>

가치 있는 무언가를 생산하는 것은 / ((만약 우리가 그것을 관철한다면)) / 수년 동안의 노고를 필요로 할 것이다
→ 만약 우리가 가치 있는 무언가를 생산하는 것을 관철한다면, 그것은 수년 동안의 노고를 필요로 할 것이다.

어휘 worthwhile 형 가치 있는 hard labor 노고, 대단한 노력

02 The primate's responses((, **researchers say**,)) demonstrate / an impressive amount of self-awareness.

영장류의 반응은 ((연구자들이 말하길)) 보여준다 / 인상적인 양의 자의식을 → 연구자들이 말하길, 영장류의 반응은 인상적인 양의 자의식을 보여준다.

어휘 researcher 명 연구자 demonstrate 동 보여주다 impressive 형 인상적인 self-awareness 명 자의식

03 Very few of the residents((, **if any**,)) were fully prepared / for the hurricane [which hit the town last night].

주민들 중 극소수만이 ((만약 있다고 해도)) 충분히 대비되어 있었다 / [어젯밤 그 마을을 강타했던] 허리케인에
→ 만약 있다고 해도, 주민들 중 극소수만이 어젯밤 그 마을을 강타했던 허리케인에 충분히 대비되어 있었다.

- which ~ night는 hurricane을 꾸며주는 주격 관계대명사절이다.

04 Most ideas((—**but not all**—))are open to tests of verification. // This means that ideas can be tested / to see if they are correct or false. <모의>

대부분의 신념들은 ((다는 아니지만)) 검증이라는 시험의 여지가 있다. // 이것은 신념들이 시험될 수 있다는 것을 의미한다 / 그것들이 옳은지 아니면 그른지를 확인하기 위해 → 다는 아니지만, 대부분의 신념들은 검증이라는 시험의 여지가 있다. 이것은 신념들이 옳은지 아니면 그른지를 확인하기 위해 시험될 수 있다는 것을 의미한다.

- if ~ false는 to부정사 to see의 목적어 역할을 하는 명사절이다.
- to부정사구 to see ~ false는 목적을 나타내는 부사적 용법으로 쓰였다.

어휘 verification 명 검증

05 The nurses' union had rarely((, **if ever**,)) had difficulty / reaching a compromise agreement (with the hospital board).

간호사 노조는 ((만약 했다 할지라도)) 어려움을 거의 겪지 않았었다 / (병원 이사회와의) 타협안에 도달하는 데
→ 만약 했다 할지라도, 간호사 노조는 병원 이사회와의 타협안에 도달하는 데 어려움을 거의 겪지 않았었다.

- rarely는 '거의 ~않다'라는 뜻을 나타내는 부정어이다.
- 「have difficulty+v-ing」는 '~하는 데 어려움을 겪다'라고 해석한다.

어휘 union 명 노조 compromise agreement 타협안 board 명 이사회

06 The editor((, **when possible**,)) tried to suggest edits / [that would improve the novelist's usual writing style].

그 편집자는 ((가능할 때)) 수정을 제안하려고 노력했다 / [그 소설가의 평소의 문체를 개선할]
→ 그 편집자는 가능할 때 그 소설가의 평소의 문체를 개선할 수정을 제안하려고 노력했다.

- to부정사구 to suggest ~ style은 동사 tried의 목적어로 쓰였다.
- that ~ style은 edits를 꾸며주는 주격 관계대명사절이다.

어휘 suggest 동 제안하다

07 We had gathered everything / and filled the truck to capacity / ((, **that is**,)) there was no way (to load more boxes).

우리는 모든 것을 모았었다 / 그리고 최대한 그 트럭을 채웠었다 / ((즉)) (더 이상의 상자를 실을) 방법이 없었다
→ 우리는 모든 것을 모았었고 최대한 그 트럭을 채웠었다. 즉, 더 이상의 상자를 실을 방법이 없었다.

- gathered와 filled가 등위접속사 and로 연결되어 있으며, had와 함께 쓰인 과거분사에 해당한다.
- to부정사구 to load more boxes는 way를 꾸며주는 형용사적 용법으로 쓰였다.

어휘 to capacity 최대한, 꽉 차게

고난도
08 The record, / long thought to be unbreakable / before yesterday's achievement, / was((, **in a sense**,)) just another castle (waiting to be conquered).

그 기록은 / 비록 오랫동안 깨질 수 없는 것으로 생각되었지만 / 어제의 성취 이전에는 / ((어떤 의미로는)) 그저 (정복되기를 기다리는) 또 다른 성이었다
→ 그 기록은 비록 어제의 성취 이전에는 오랫동안 깨질 수 없는 것으로 생각되었지만, 어떤 의미로는 그저 정복되기를 기다리는 또 다른 성이었다.

- long thought ~ achievement는 양보를 나타내는 분사구문으로 해석될 수 있다.
- 「think+목적어(the record)+목적격 보어(to be unbreakable)」의 구조가 수동태로 바뀐 분사구문이다.
- 현재분사구 waiting ~ conquered는 castle을 꾸며준다.

어휘 unbreakable 형 깨질 수 없는 achievement 명 성취, 달성 conquer 동 정복하다

UNIT 72 생략 구문 해석하기

본책 p.135

01 Participants can bring their own telescope or binoculars / if they want to(bring their own telescope or binoculars). <모의응용>

참석자들은 그들 자신의 망원경이나 쌍안경을 가져올 수 있다 / 만약 그들이 그러기를(= 그들 자신의 망원경이나 쌍안경을 가져오기를) 원한다면
→ 만약 참석자들이 자신의 망원경이나 쌍안경을 가져오기를 원한다면, 그들은 그럴 수 있다.

어휘 participant 명 참석자 telescope 명 망원경 binoculars 명 쌍안경

02 Far too much time is spent / on thinking about the future or dwelling on the past, // and far too little(**time is spent**) / on living in the moment.

너무 많은 시간이 소비된다 / 미래에 대해 생각하거나 과거에 머무는 데 // 그리고 너무 적은 (시간이 소비된다) / 현재 속에서 사는 데
→ 미래에 대해 생각하거나 과거에 머무는 데 너무 많은 시간이 소비되고, 현재 속에서 사는 데 너무 적은 시간이 소비된다.

◐ 동명사 thinking과 dwelling이 등위접속사 or로 연결되어 병렬 구문을 이룬다.

어휘 dwell 통 머물다, 살다

03 When particles accelerate to high enough speeds / and^{V}(particles) collide with one another, / a complex series of reactions takes place.

분자들이 충분히 높은 속도로 가속될 때 / 그리고 (분자들이) 서로 충돌할 때 / 복잡한 일련의 반응이 일어난다
→ 분자들이 충분히 높은 속도로 가속되고 서로 충돌할 때, 복잡한 일련의 반응이 일어난다.

어휘 accelerate 통 가속되다 collide 통 충돌하다 complex 형 복잡한

고난도
04 The politician had pledged / that he would raise corporate taxes / in order to fund public benefits, // but he didn't^{V}(raise corporate taxes)/ in the end.

그 정치인은 약속했었다 / 그가 법인세를 인상할 것이라고 / 공공 복리 후생에 자금을 대기 위해 // 그러나 그는 그렇게 하지(= 법인세를 인상하지) 않았다 / 결국
→ 그 정치인은 공공 복리 후생에 자금을 대기 위해 법인세를 인상할 것이라고 약속했었지만, 결국 그렇게 하지 않았다.

◐ that ~ benefits는 동사 had pledged의 목적어 역할을 하는 명사절이다.
◐ to부정사구 to fund public benefits는 목적을 나타내는 부사적 용법으로 쓰였으며, to 대신 in order to가 왔다.

어휘 politician 명 정치인 pledge 통 약속하다 corporate tax 법인세 fund 통 자금을 대다 benefit 명 복리 후생, 수당

05 Though^{V}(biodiesel is) derived from biological sources such as soybean, / biodiesel is a processed fuel [that can be readily used in diesel cars]. <모의응용>

비록 (바이오디젤은) 대두와 같은 생물적 공급원으로부터 얻어지지만 / 바이오디젤은 [디젤 차에 쉽게 사용될 수 있는] 가공된 연료이다

◐ that ~ cars는 fuel을 꾸며주는 주격 관계대명사절이다.

어휘 derive 통 얻다 biological 형 생물적인 processed 형 가공된 readily 부 쉽게

06 You should keep deadlines in mind, / ensure all documents are in order, / and write a compelling personal essay / when^{V}(you are) applying to university.

너는 마감일을 명심해야 하고 / 모든 서류가 제대로 되어 있는지 확실하게 해야 하고 / 그리고 강렬한 자기 소개서를 써야 한다 / (네가) 대학교에 지원할 때
→ 대학교에 지원할 때, 너는 마감일을 명심해야 하고, 모든 서류가 제대로 되어 있는지 확실하게 해야 하고, 강렬한 자기 소개서를 써야 한다.

◐ keep, ensure, write가 등위접속사 and로 연결되어 있으며, 조동사 should와 함께 쓰인 동사원형에 해당한다.

어휘 deadline 명 마감일 in order 제대로 된 compelling 형 강렬한

07 The zoologist spotted some curious behavior / while^{V}(the zoologist was) observing a group of Asian elephants / at Washington Park Zoo (in Indiana). <모의>

그 동물학자는 몇몇 기이한 행동을 발견했다 / (그 동물학자가) 한 무리의 아시아 코끼리들을 관찰하는 동안 / (인디애나에 있는) 워싱턴 파크 동물원에서
→ 그 동물학자는 인디애나에 있는 워싱턴 파크 동물원에서 한 무리의 아시아 코끼리들을 관찰하는 동안 몇몇 기이한 행동을 발견했다.

어휘 zoologist 명 동물학자 spot 통 발견하다 curious 형 기이한

고난도
08 The price (for all items) will be set at $30 each/((, unless^{V}(the price is) otherwise specified,))/ until the sale (of all relevant objects) has concluded.

(모든 물품의) 가격은 각각 30달러로 책정될 것이다 / ((만약 (가격이) 별도로 명시되지 않는다면)) / (모든 관련된 물품의) 판매가 종료될 때까지
→ 만약 별도로 명시되지 않는다면, 모든 물품의 가격은 관련된 물품의 판매가 종료될 때까지 각각 30달러로 책정될 것이다.

어휘 specify 통 명시하다 relevant 형 관련된 conclude 통 종료되다

Chapter Test

본책 p.136

01 The very *prospect* of **failing the exam** **and** **having to do it all over again** / terrified her. <모의응용>

시험에 낙제하고 그것을 처음부터 다시 해야 한다는 바로 그 가능성은 / 그녀를 겁먹게 했다

◐ the very가 명사(prospect)를 강조하고 있다.

어휘 prospect 명 가능성 terrify 동 겁먹게 하다

02 The government((, **in any case**,)) will provide 24-hour protection / to the witnesses [who give testimony (crucial to the prosecution's case)].

정부는 ((어쨌든)) 24시간 보호를 제공할 것이다 / [(검찰 사건에 결정적인) 증언을 하는] 증인들에게

→ 어쨌든, 정부는 검찰 사건에 결정적인 증언을 하는 증인들에게 24시간 보호를 제공할 것이다.

◐ who ~ case는 witnesses를 꾸며주는 주격 관계대명사절이다.

◐ testimony와 crucial 사이에는 「주격 관계대명사+be동사」가 생략되어 있다.

어휘 protection 명 보호 witness 명 증인 testimony 명 증언 crucial 형 결정적인 prosecution 명 검찰 (당국)

03 **It was** *the loss* (*of confidence* (*in his abilities as a soccer player*)) / **that** he felt most concerned by / after the match.

바로 ((축구 선수로서 그의 능력에 대한) 자신감의) 상실이었다 / 그가 가장 걱정되게 느꼈던 것은 / 그 경기 이후에

→ 그 경기 이후에 그가 가장 걱정되게 느꼈던 것은 바로 축구 선수로서 그의 능력에 대한 자신감의 상실이었다.

◐ 목적어(the loss ~ player)가 강조되고 있다.

어휘 loss 명 상실

04 **None of** the candidates [we invited for the interview] seemed / to be a good fit (for the position), // so we decided to repost the job advertisement.

[우리가 면접에 불렀던] 지원자들 중 아무도 보이지 않았다 / (그 자리의) 적임자인 것처럼 // 그래서 우리는 채용 공고를 다시 올리기로 결정했다

→ 우리가 면접에 불렀던 지원자들 중 아무도 그 자리의 적임자인 것처럼 보이지 않아서 우리는 채용 공고를 다시 올리기로 결정했다.

◐ candidates와 we 사이에는 목적격 관계대명사가 생략되어 있다.

◐ to부정사구 to repost ~ advertisement는 동사 decided의 목적어로 쓰였다.

어휘 candidate 명 지원자, 후보자 good fit 적임자 position 명 자리, 직위 repost 동 다시 올리다 job advertisement 채용 공고

(the significance of the study was)

05 ThoughV explained in the full text of the article, / the significance of the study could not be clearly understood.

비록 (그 연구의 의의가) 기사 전문에서 설명되었지만 / 그 연구의 의의는 명확하게 이해될 수 없었다

어휘 article 명 기사 significance 명 의의

06 *Doubts* **whether the economic strategy will be successful** / are beginning to spread, / making some people nervous.

그 경제 전략이 성공할 것인지에 대한 의구심들이 / 퍼지기 시작하고 있다 / 몇몇 사람들을 불안하게 만들면서

→ 그 경제 전략이 성공할 것인지에 대한 의구심들이 몇몇 사람들을 불안하게 만들면서 퍼지기 시작하고 있다.

◐ to부정사 to spread는 동사 are beginning의 목적어로 쓰였다.

◐ making ~ nervous는 동시 동작을 나타내는 분사구문으로 해석될 수 있다.

어휘 economic strategy 경제 전략

07 The search (for an appropriate medium [through which you can realize your creative potential]) / is **not always** easy, // but it is **far from impossible.** <모의응용>

([네가 너의 창의적 잠재력을 실현할 수 있는] 적절한 매체에 대한) 탐색이 / 항상 쉬운 것은 아니다 // 그러나 그것은 불가능한 것과 거리가 멀다

→ 너의 창의적 잠재력을 실현할 수 있는 적절한 매체에 대한 탐색이 항상 쉬운 것은 아니지만, 그것은 가능하다.

◐ through which ~ potential은 medium을 꾸며주는 목적격 관계대명사절이다.

어휘 appropriate 형 적절한 medium 명 매체 realize 동 실현하다 potential 명 잠재력

08 Nikola Tesla's contributions (to **developments in engineering** and **advancements in design**) / impact nearly everything [we use today].

(공학의 발전과 디자인의 진보에 대한) 니콜라 테슬라의 기여는 / [오늘날 우리가 사용하는] 거의 모든 것에 영향을 준다

● everything과 we 사이에는 목적격 관계대명사가 생략되어 있다.

어휘 contribution 명 기여 development 명 발전 advancement 명 진보 impact 동 영향을 주다

고난도

09 Firefighters need to be careful of / *backdrafts*, **or the rapid burning of oxygen** (**from an enclosed space**), / when they are trying to put out fires.

소방관들은 주의해야 한다 / 역기류, 즉 (밀폐된 공간에서의) 산소의 빠른 연소에 / 그들이 불을 끄려고 할 때

→ 불을 끄려고 할 때, 소방관들은 역기류, 즉 밀폐된 공간에서의 산소의 빠른 연소에 주의해야 한다.

● to부정사구 to be ~ space는 동사 need의 목적어로 쓰였다.

● to부정사구 to put out fires는 동사 are trying의 목적어로 쓰였다.

어휘 oxygen 명 산소 enclosed 형 밀폐된

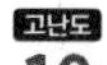

10 Not only **experts** but also **committed music enthusiasts** / often voice *the opinion* / **that the beauty of music lies in / an expressive deviation (from the exactly defined score).** <모의응용>

전문가들뿐만 아니라 열성적인 음악 애호가들도 / 흔히 의견을 표한다 / 음악의 아름다움은 ~에 있다는 / (정확히 정해진 악보로부터) 표현상 벗어나는 것

→ 전문가들뿐만 아니라 열성적인 음악 애호가들도 흔히 음악의 아름다움은 정확히 정해진 악보로부터 표현상 벗어나는 것에 있다는 의견을 표한다.

어휘 committed 형 열성적인, 헌신적인 enthusiast 명 애호가 voice 동 표하다, 목소리를 내다 expressive 형 표현상의 deviation 명 벗어나는 것, 탈선 exactly 부 정확히 define 동 정하다, 정의하다

MEMO